LA ODISEA

HOMERO

Salvador

LA ODISEA

HOMERO

La Odisea
Primera edición 2001

Mexicaltzingo 378
Col. Evolución Nezahualcóyotl
Estado de México
C.P. 57700
Tel. 57731448

ISBN 968-5146-373

Impreso en México – Printed in Mexico

RAPSODIA I

CONCILIO DE LOS DIOSES. — EXHORTACIÓN DE ATENEA A TELÉMACO

HÁBLAME, Musa, de aquel varón de multiforme ingenio que, después de destruir la sacra ciudad de Troya, anduvo peregrinando larguísimo tiempo, vio las poblaciones y conoció las costumbres de muchos hombres y padeció en su ánimo gran número de trabajos en su navegación por el ponto, en cuanto procuraba salvar su vida y la vuelta de sus compañeros a la patria. Mas ni aun así pudo librarlos, como deseaba, y todos perecieron por sus propias locuras. ¡Insensatos! Comiéronse las vacas del Sol, hijo de Hiperión; el cual no permitió que les llegara el día del regreso. ¡Oh diosa, hija de Zeus!, cuéntanos aunque no sea más que una parte de tales cosas.

[11] Ya en aquel tiempo los que habían podido escapar de una muerte horrorosa estaban en sus hogares, salvos de los peligros de la guerra y del mar; y solamente Odiseo, que tan gran necesidad sentía de restituirse a su patria y ver a su consorte, hallábase detenido en hueca gruta por Calipso, la ninfa venerada, la divina entre las deidades, que anhelaba tomarlo por esposo. Con el transcurso de los años llegó por fin la época en que los dioses habían decretado que volviese a su patria, a Ítaca, aunque no por eso debía poner fin a sus trabajos, ni siquiera después de juntarse con los suyos. Y todos los dioses le compadecían, a excepción de Posidón,

que permaneció constantemente irritado contra el divinal Odiseo hasta que el héroe no arribó a su tierra.

22 Mas entonces habíase ido aquél al lejano pueblo de los etíopes —los cuales son los postreros de los hombres y forman dos grupos, que habitan respectivamente hacia el ocaso y hacia el orto del Hiperión— para asistir a una hecatombe de toros y de corderos. Mientras aquél se deleitaba presenciando el festín, congregáronse las otras deidades en el palacio de Zeus Olímpico. Y fue el primero en hablar el padre de los hombres y de los dioses, porque en su ánimo tenía presente al ilustre Egisto a quien dio muerte el preclaro Orestes Agamenónida. Acordándose de él, dijo a los inmortales estas palabras.

32 ZEUS. — ¡Oh dioses! ¡De qué modo culpan los mortales a los númenes! Dicen que las cosas malas les vienen de nosotros, y son ellos quienes se atraen con sus locuras infortunios no decretados por el destino. Así ocurrió con Egisto, que, oponiéndose a la voluntad del hado, casó con la mujer legítima del Atrida, y mató a éste cuando tornaba a su patria, no obstante que supo la terrible muerte que padecería luego. Nosotros mismos le habíamos enviado a Hermes, el vigilante Argifontes, con el fin de advertirle que no matase a aquél, ni pretendiera a su esposa; pues Orestes Atrida tenía que tomar venganza no bien llegara a la juventud y sintiese el deseo de volver a su tierra. Así se lo declaró Hermes; mas no logró persuadirlo, con ser tan excelente el consejo, y ahora Egisto lo ha pagado todo junto.

44 Respondióle Atenea, la deidad de ojos de lechuza:

45 ATENEA. — ¡Padre nuestro, Cronida, el más excelso de los que imperan! Aquél yace en la tumba por haber padecido una muerte muy justificada. ¡Así perezca quien obre de semejante modo! Pero se me parte el corazón a causa del prudente y desgraciado Odiseo, que, mucho tiempo ha, padece penas lejos de los suyos, en una isla azotada por las olas, en el centro del mar; isla poblada de árboles, en la cual tiene su mansión una diosa, la hija del terrible Atlante, de aquel que conoce todas las profundidades del ponto y sostiene las grandes columnas que separan la tierra y el cielo. La hija de este dios retiene al infortunado y afligido Odiseo, no cejando en su propósito de embelesarle con tiernas y seductoras palabras para que olvide a Ítaca; mas Odiseo, que está deseoso de ver el humo de su país natal, ya de morir siente anhelos. ¿Y a ti, Zeus Olímpico, no se te conmueve el corazón? ¿No te era grato Odiseo cuando sacrificaba junto a las naves de los argivos? ¿Por qué así te has airado contra él, oh Zeus?

63 Contestóle Zeus, que amontona las nubes:

64 ZEUS. — ¡Hija mía! ¡Qué palabras se te escaparon del cerco de los dientes! ¿Cómo quieres que ponga en olvido al divinal Odiseo, que por su inteligencia se señala sobre los demás mortales y siempre ofreció muchos sacrificios a los inmortales dioses que poseen el anchuroso cielo? Pero Posidón, que ciñe la tierra, le guarda vivo y constante rencor porque cegó al cíclope, al deiforme Polifemo, que es el más fuerte de todos

los cíclopes y nació de la ninfa Toosa, hija de Forcis, que impera en el mar estéril, después que ésta se unió con Posidón en honda cueva. Desde entonces Posidón, que sacude la tierra, si bien no intenta matar a Odiseo, hace que vaya errante lejos de su patria. Mas, ea, tratemos todos nosotros de la vuelta del mismo y del modo como haya de llegar a su patria; y Posidón depondrá la cólera, que no le fuere posible contener, solo y contra la voluntad de los dioses con los inmortales todos.

80 Respondióle en seguida Atenea, la deidad de ojos de lechuza:

81 ATENEA. — ¡Padre nuestro, Cronida, el más excelso de los que imperan! Si les place a los bienaventurados dioses que el prudente Odiseo vuelva a su casa, mandemos en seguida a Hermes, el mensajero Argifontes, a la isla Ogigia, y manifieste cuanto antes a la ninfa de hermosas trenzas la verdadera resolución que hemos tomado sobre la vuelta del paciente Odiseo, para que el héroe se ponga en camino. Yo, en tanto, yéndome a Ítaca, instigaré vivamente a su hijo, y le infundiré valor en el pecho para que llame al ágora a los melenudos aqueos y prohíba la entrada en su casa a todos los pretendientes, que de continuo le degüellan muchísimas ovejas y flexípedes bueyes de retorcidos cuernos. Y le llevaré después a Esparta y a la arenosa Pilos para que, preguntando y viendo si puede adquirir noticias de su padre, consiga ganar honrosa fama entre los hombres.

96 Dicho esto, calzóse los áureos divinos talares que la llevaban sobre el mar y sobre la tierra inmensa con la rapidez del viento; y asió la lanza fornida, de aguda punta de bronce, pesada, larga, robusta, con que la hija del prepotente padre destruye filas enteras de héroes siempre que contra ellos monta en cólera. Descendió presurosa de las cumbres del Olimpo y, encaminándose al pueblo de Ítaca, detúvose en el vestíbulo de la morada de Odiseo, en el umbral que precedía al patio; empuñaba la broncínea lanza y había tomado la figura de un extranjero, de Mentes, rey de los tafios. Halló a los soberbios pretendientes, que para recrear el ánimo jugaban a los dados ante la puerta de la casa, sentados sobre cueros de bueyes que ellos mismos habían degollado. Varios heraldos y diligentes servidores escanciábanles vino y agua en las crateras; y otros limpiaban las mesas con esponjas de muchos ojos, colocábanlas en su sitio, y trinchaban carne en abundancia.

113 Fue el primero en advertir la presencia de la diosa el deiforme Telémaco, pues se hallaba en medio de los pretendientes con el corazón apesadumbrado, y tenía el pensamiento fijo en su valeroso padre por si, volviendo, dispersaba a aquéllos por la casa y recuperaba la dignidad real y el dominio de sus riquezas. Tales cosas meditaba, sentado con los pretendientes, cuando vio a Atenea. A la hora fuese derecho al vestíbulo, muy indignado en su corazón de que un huésped tuviese que esperar tanto tiempo a la puerta, asió por la mano a la diosa, tomóle la broncínea lanza y, hablándole, le dijo estas aladas palabras:

123 TELÉMACO. — ¡Salve, huésped! Entre nosotros has de recibir amistoso acogimiento. Y después que hayas comido, nos dirás de qué estás necesitado.

[125] Hablando así, empezó a caminar y Palas Atenea le fue siguiendo. Ya entrados en el interior del excelso palacio, Telémaco arrimó la lanza a una alta columna, metiéndola en la pulimentada lancera donde había muchas lanzas del paciente Odiseo; hizo sentar a la diosa en un sillón, después de tender en el suelo linda alfombra bordada y de colocar el escabel para los pies, y acercó para sí una labrada silla; poniéndolo todo aparte de los pretendientes para que al huésped no le desplaciera la comida, molestado por el tumulto de aquellos varones soberbios, y él, a su vez, pudiera interrogarle sobre su padre ausente. Una esclava les dio aguamanos, que traía en magnífico jarro de oro y vertió en fuente de plata, y les puso delante una pulimentada mesa. La veneranda despensera trájoles pan y dejó en la mesa buen número de manjares, obsequiándoles con los que tenía guardados. El trinchante sirvióles platos de carne de todas suertes y colocó a su lado áureas copas. Y un heraldo se acercaba a menudo para escanciarles vino.

[144] Ya en esto, entraron los orgullosos pretendientes. Apenas se hubieron sentado por orden en sillas y sillones, los heraldos diéronles aguamanos, las esclavas amontonaron el pan en los canastillos, los mancebos coronaron de bebida las crateras, y todos los comensales echaron mano a las viandas que les habían servido. Satisfechas las ganas de comer y de beber, ocupáronles el pensamiento otras cosas: el canto y el baile, que son los ornamentos del convite. Un heraldo puso la bellísima cítara en las manos de Femio, a quien obligaban a cantar ante los pretendientes. Y mientras Femio comenzaba al son de la cítara un hermoso canto, Telémaco dijo estas razones a Atenea, la de ojos de lechuza, después de aproximar su cabeza a la deidad para que los demás no se enteraran:

[158] TELÉMACO. — ¡Claro huésped! ¿Te enojarás conmigo por lo que voy a decir? Éstos sólo se ocupan en cosas tales como la cítara y el canto; y nada les cuesta, pues devoran impunemente la hacienda de otro, la de un varón cuyos blancos huesos se pudren en el continente por la acción de la lluvia o los revuelven las olas en el seno del mar. Si le vieran regresar a Ítaca, todos preferirían tener los pies ligeros a ser ricos de oro y vestidos. Mas aquél ya murió, a causa de su aciago destino, y ninguna esperanza nos resta, aunque alguno de los hombres terrestres afirme que aún ha de volver: el día de su regreso no amanecerá jamás. Pero, ea, habla y responde sinceramente: ¿Quién eres y de qué país procedes? ¿Dónde se hallan tu ciudad y tus padres? ¿En qué linaje de embarcación llegaste? ¿Cómo los marineros te trajeron a Ítaca? ¿Quiénes se precian de ser? Pues no me figuro que hayas venido andando. Dime también la verdad de esto para que me entere: ¿Vienes ahora por vez primera o has sido huésped de mi padre? Que son muchos los que conocen nuestra casa, porque Odiseo acostumbraba visitar a los demás hombres.

[178] Respondióle Atenea, la deidad de ojos de lechuza:

[179] ATENEA. — De todo esto voy a informarte circunstancialmente. Me jacto de ser Mentes, hijo del belicoso Anquíalo, y de reinar sobre los tafios, amantes de manejar los remos. He llegado en mi bajel, con mi

gente, pues navego por el vinoso ponto hacia unos hombres que hablan otro lenguaje: voy a Témesa para traer bronce, llevándoles luciente hierro. Anclé la embarcación cerca del campo, antes de llegar a la ciudad, en el puerto Retro que está al pie del selvoso Neyo. Nos cabe la honra de que ya nuestros progenitores se deban mutua hospitalidad desde muy antiguo, como se lo puedes preguntar al héroe Laertes; el cual, según me han dicho, ya no viene a la población, sino que mora en el campo, atorméntanle los pesares, y tiene una anciana esclava que le apareja la comida y le da de beber cuando se le cansan los miembros de arrastrarse por la fértil viña. Vine porque me aseguraron que tu padre estaba de vuelta en la población, mas sin duda lo impiden las deidades, poniendo obstáculos a su retorno; que el divinal Odiseo no desapareció aún de la tierra, pues vive y está detenido en el vasto ponto, en una isla que surge entre las olas, desde que cayó en poder de hombres crueles y salvajes que lo retienen a su despecho. Voy ahora a predecir lo que ha de suceder, según los dioses me lo inspiran en el ánimo y yo creo que ha de verificarse porque no soy adivino ni hábil intérprete de sueños: «Aquél no estará largo tiempo fuera de su patria, aunque lo sujeten férreos vínculos; antes hallará algún medio para volver, ya que es ingenioso en sumo grado.» Mas, ea, habla y dime con sinceridad si eres el hijo del propio Odiseo. Eres pintiparado a él así en la cabeza como en los bellos ojos; y bien lo recuerdo, pues nos reuníamos a menudo antes de que se embarcara para Troya, adonde fueron los príncipes argivos en las cóncavas naves. Desde entonces, ni yo he visto a Odiseo ni él a mí.

213 Contestóle el prudente Telémaco:

214 TELÉMACO. — Voy a hablarte, oh huésped, con gran sinceridad. Mi madre afirma que soy hijo de aquél, y no sé más; que nadie consiguió conocer por sí su propio linaje ¡Ojalá que fuera vástago de un hombre dichoso que envejeciese en su casa, rodeado de sus riquezas!; mas ahora dicen que desciendo, ya que me lo preguntas, del más infeliz de los mortales hombres.

221 Replicóle Atenea, la deidad de ojos de lechuza:

222 ATENEA. — Los dioses no deben de haber dispuesto que tu linaje sea oscuro, cuando Penélope te ha parido cual eres. Mas, ea, habla y dime con franqueza: ¿Qué comida, qué reunión es ésta, y qué necesidad tienes de darla? ¿Se celebra convite o casamiento?, que no nos hallamos evidentemente en un festín a escote. Paréceme que los que comen en el palacio con tal arrogancia ultrajan a alguien; pues cualquier hombre sensato se indignaría al presenciar sus muchas torpezas.

230 Contestóle el prudente Telémaco:

231 TELÉMACO. — ¡Huesped! Ya que tales cosas preguntas e inquieres, sabe que esta casa hubo de ser opulenta y respetada en cuanto aquel varón permaneció en el pueblo. Mudóse después la voluntad de los dioses, quienes, maquinando males, han hecho de Odiseo el más ignorado de todos los hombres; que yo no me afligiera de tal suerte si acabara la vida entre sus compañeros en el país de Troya o en brazos de sus amigos

luego que terminó la guerra, pues entonces todos los aqueos le habrían erigido un túmulo y hubiese dejado a su hijo una gloria inmensa. Ahora desapareció sin fama, arrebatado por las Harpías; su muerte fue oculta e ignota; y tan sólo me dejó pesares y llanto. Y no me lamento y gimo únicamente por él, pues los dioses me han enviado otras funestas calamidades. Cuantos próceres mandan en las islas, en Duliquio, en Same y en la selvosa Zacinto, y cuantos imperan en la áspera Ítaca, todos pretenden a mi madre y arruinan nuestra casa. Mi madre ni rechaza las odiosas nupcias, ni sabe poner fin a tales cosas; y aquellos comen y agotan mi hacienda, y pronto acabarán conmigo mismo.

252 Contestóle Atenea, muy indignada:

253 ATENEA. — ¡Oh dioses! ¡Qué falta no te hace el ausente Odiseo, para que ponga las manos en los desvergonzados pretendientes! Si volviera y se mostrara ante el portal de esta casa, con su yelmo, su escudo y sus dos lanzas, como la primera vez que le vi en la mía, bebiendo y recreándose, cuando volvió de Éfira, del palacio de Ilo Mermérida (allá fue Odiseo en su velera nave por un veneno mortal con que pudiese teñir las broncíneas flechas; pero Ilo, temeroso de los sempiternos dioses, no se lo procuró y entregóselo mi padre, que le quería muchísimo); si, pues, mostrándose tal, se encontrara Odiseo con los pretendientes, fuera corta la vida de éstos y bien amargas sus nupcias. Mas está puesto en mano de los dioses si ha de volver y tomar venganza en su palacio, y te exhorto a que desde luego medites cómo arrojarás de aquí a los pretendientes. Ea, óyeme, si te place, y presta atención a mis palabras. Mañana convoca en el ágora a los héroes aqueos, háblales a todos y sean testigos las propias deidades. Intima a los pretendientes que se separen, yéndose a sus casas; y si a tu madre el ánimo mueve a casarse, vuelva al palacio de su muy poderoso padre y allí le dispondrán las nupcias y le aparejarán una dote tan cuantiosa como debe llevar una hija amada. También a ti te daré un prudente consejo, si te decidieras a seguirlo: apresta la mejor embarcación que hallares, con veinte remeros; ve a preguntar por tu padre, cuya ausencia se hace ya tan larga, y quizás algún mortal te hablará del mismo o llegará a tus oídos la fama que procede de Zeus y es la que más difunde la gloria de los hombres. Trasládate primeramente a Pilos e interroga al divinal Néster; y desde allí ve a Esparta, al rubio Menelao, que ha llegado el postrero de los argivos de broncíneas corazas. Si oyeres decir que tu padre vive y ha de volver, súfrelo todo un año más, afligido; pero si te participaren que ha muerto y ya no existe, retorna sin dilación a la patria, erígele un túmulo, hazle las muchas exequias que se le deben, y búscale a tu madre un esposo. Y así que hayas ejecutado y llevado a cumplimiento todas estas cosas, medita en tu mente y en tu corazón cómo matarás a los pretendientes en tu palacio: si con dolo o a la descubierta; porque es preciso que no andes en niñerías, que ya no tienes edad para ello. ¿Por ventura no sabes cuánta gloria ha ganado ante los hombres el divinal Orestes, desde que hizo perecer al matador de su padre, al doloso Egisto, que le había muerto a su ilustre progenitor? También tú, ami-

go, ya que veo que eres gallardo y de elevada estatura, sé fuerte para que los venideros te elogien. Y yo me voy hacia la velera nave y los amigos, que ya deben de estar cansados de esperarme. Cuida de hacer cuanto te dije y acuérdate de mis consejos.

306 Respondióle el prudente Telémaco:

307 TELÉMACO. — ¡Oh forastero! Me dices estas cosas de una manera tan benévola, como un padre a su hijo, que nunca jamás podré olvidarlas. Pero, ea, aguarda un poco, aunque tengas prisa por irte, y después que te bañes y deleites tu corazón, volverás alegremente a tu nave, llevándote un regalo precioso, muy bello, para guardarlo como presente mío, que tal es la costumbre que suele seguirse con los huéspedes amados.

314 Contestóle Atenea, la deidad de ojos de lechuza:

315 ATENEA. — No me detengas, oponiéndote a mi deseo de irme en seguida. El regalo con que tu corazón quiere obsequiarme, me lo entregarás a la vuelta para que me lo lleve a mi casa: escógelo muy hermoso y será justo que te lo recompense con otro semejante.

319 Diciendo así, partió Atenea, la de ojos de lechuza: fuese la diosa, volando como un pájaro, después de infundir en el espíritu de Telémaco valor y audacia, y de avivarle aún más la memoria de su padre. Telémaco, considerando en su mente lo ocurrido, quedóse atónito, porque ya sospechó que había hablado con una deidad. Y aquel varón, que parecía un dios, se fue en seguida hacia los pretendientes.

325 Ante éstos, que le oían sentados y silenciosos, cantaba el ilustre aedo la vuelta deplorable que Palas Atenea había deparado a los aqueos cuando partieron de Troya. La discreta Penélope, hija de Icario, oyó de lo alto de la casa la divinal canción, que le llegaba al alma; y bajó por la larga escalera, pero no sola, pues la acompañaban dos esclavas. Cuando la divina entre las mujeres llegó adonde estaban los pretendientes, detúvose junto a la columna que sostenía el techo sólidamente construido, con las mejillas cubiertas por espléndido velo y una honrada doncella a cada lado. Y arrasándosele los ojos de lágrimas, hablóle así al divinal aedo:

337 PENÉLOPE. — ¡Femio! Pues que sabes otras muchas hazañas de hombres y de dioses, que recrean a los mortales y son celebradas por los aedos, cántales alguna de las mismas sentado ahí, en el centro, y óiganla todos silenciosamente y bebiendo vino; pero deja ese canto triste que constantemente me angustia el corazón en el pecho, ya que se apodera de mí un pesar grandísimo que no puedo olvidar. ¡Tal es la persona de quien padezco soledad, por acordarme siempre de aquel varón cuya fama es grande en la Hélade y en el centro de Argos!

345 Replicóle el prudente Telémaco:

346 TELÉMACO. — ¡Madre mía! ¿Por qué quieres prohibir al amable aedo que nos divierte como su mente se lo sugiera? No son los aedos los culpables, sino Zeus que distribuye sus presentes a los varones de ingenio del modo que le place. No ha de increparse a Femio porque canta la suerte aciaga de los dánaos, pues los hombres alaban con preferencia el canto más nuevo que llega a sus oídos. Resígnate en tu corazón y en tu

ánimo a oír ese canto, ya que no fue Odiseo el único que perdió en Troya la esperanza de volver; hubo otros muchos que también perecieron. Mas, vuelve ya a tu habitación, ocúpate en las labores que te son propias, el telar y la rueca, y ordena a las esclavas que se apliquen al trabajo; y de hablar nos cuidaremos los hombres y principalmente yo, cuyo es el mando en esta casa.

[360] Volvióse Penélope, muy asombrada, a su habitación, revolviendo en el ánimo las discretas palabras de su hijo. Y así que hubo subido con las esclavas a lo alto de la casa, lloró a Odiseo, su caro consorte, hasta que Atenea la de ojos de lechuza, le infundió en los párpados el dulce sueño.

[365] Los pretendientes movían alboroto en la oscura sala y todos deseaban acostarse con Penélope en su mismo lecho. Mas el prudente Telémaco comenzó a decirles:

[368] TELÉMACO. — ¡Pretendientes de mi madre, que os portáis con orgullosa insolencia! Gocemos ahora del festín y cesen vuestros gritos; pues es muy hermoso escuchar a un aedo como éste, tan parecido por su voz a las propias deidades. Al romper el alba, nos reuniremos en el ágora para que yo os diga sin rebozo que salgáis del palacio: disponed otros festines y comeos vuestros bienes, convidándoos sucesiva y recíprocamente en vuestras casas. Mas si os pareciere mejor y más acertado destruir impunemente los bienes de un solo hombre, seguir consumiéndolos; que yo invocaré a los sempiternos dioses, por si algún día nos concede Zeus que vuestras obras sean castigadas, y quizá muráis en este palacio sin que nadie os vengue.

[381] Así dijo; y todos se mordieron los labios, admirándose de que Telémaco les hablase con tanta audacia.

[383] Pero Antínoo, hijo de Eupites, le repuso diciendo:

[384] ANTÍNOO. — ¡Telémaco! Son ciertamente los mismos dioses quienes te enseñan a ser grandílocuo y a arengar con audacia; mas no quiera el Cronión que llegues a ser rey de Ítaca, rodeada por el mar, como te corresponde por el linaje de tu padre.

[388] Contestóle el prudente Telémaco:

[389] TELÉMACO. — ¡Antínoo! ¿Te enojarás acaso por lo que voy a decir? Es verdad que me gustaría serlo, si Zeus me lo concediera. ¿Crees por ventura que el reinar sea la peor desgracia para los hombres? No es malo ser rey, porque su casa se enriquece pronto y su persona se ve más honrada. Pero muchos príncipes aqueos, entre jóvenes y ancianos, viven en Ítaca, rodeada por el mar: reine cualquiera de ellos, ya que murió el divinal Odiseo, y yo seré señor de mi casa y de los esclavos que éste adquirió para mí como botín de guerra.

[399] Respondióle Eurímaco, hijo de Polibo:

[400] EURÍMACO. — ¡Telémaco! Está puesto en mano de los dioses cuál de los aqueos ha de ser el rey de Ítaca, rodeada por el mar; pero tú sigue disfrutando de tus bienes, manda en tu palacio, y jamás, mientras Ítaca sea habitada, venga hombre alguno a despojarte de tus riquezas contra tu querer. Y ahora, óptimo Telémaco, deseo preguntarte por el huésped.

¿De dónde vino tal sujeto? ¿De qué tierra se gloria de ser? ¿En qué país se hallan su familia y su patria? ¿Te ha traído noticias de la vuelta de tu padre o ha llegado con único propósito de cobrar alguna deuda? ¿Cómo se levantó y se fue tan rápidamente, sin aguardar a que le conociéramos? De su aspecto colijo que no debe de ser un miserable.

412 Contestóle el prudente Telémaco:

413 TELÉMACO. — ¡Eurímaco! Ya se acabó la esperanza del regreso de mi padre; y no doy fe a las noticias, vengan de donde vinieren, ni me curo de las predicciones que haga un adivino a quien mi madre llame e interrogue en el palacio. Este huésped mío lo era ya de mi padre y viene de Tafos: se precia de ser Mentes, hijo del belicoso Anquíalo, y reina sobre los tafios, amantes de manejar los remos.

420 Así habló Telémaco, aunque en su mente había reconocido a la diosa inmortal. Volvieron los pretendientes con la danza y el deleitoso canto, y así esperaban a que llegase la oscura noche. Sobrevino ésta cuando aún se divertían y entonces partieron para acostarse en sus respectivas casas. Telémaco subió al elevado aposento que para él se había construido dentro del hermoso patio, en un lugar visible por todas partes, y se fue derecho a la cama, meditando en su ánimo muchas cosas. Acompañábale, con teas encendidas en la mano, Euriclea, hija de Ops Pisenórida, la de castos pensamientos, a la cual había comprado Laertes con sus bienes en otro tiempo, apenas llegada a la pubertad, por el precio de veinte bueyes; y en el palacio la honró como a una casta esposa, pero jamás se acostó con ella a fin de que su mujer no se irritase. Aquélla, pues, alumbraba a Telémaco con teas encendidas, por ser la esclava, que más le amaba y la que le había criado desde niño; y, en llegando, abrió la puerta de la habitación sólidamente construida. Telémaco se sentó en la cama, desnudóse la delicada túnica y diosela en las manos a la prudente anciana; la cual, después de componer los pliegues, la colgó de un clavo que había junto al torneado lecho, y al punto salió de la estancia, entornó la puerta, tirando del anillo de plata, y echó el cerrojo por medio de una correa. Y Telémaco, bien cubierto de un vellón de oveja, pasó toda la noche revolviendo en su mente el viaje que Atenea le había aconsejado.

RAPSODIA II

ÁGORA DE LOS ITACENSES. — PARTIDA DE TELÉMACO

CUANDO apareció la hija de la mañana, la Aurora de rosáceos dedos, el caro hijo de Odiseo se levantó de la cama, vistióse, colgó del hombro la aguda espada, ató a sus nítidos pies hermosas sandalias y, semejante por su aspecto a una deidad, salió del cuarto. En seguida mandó que los heraldos, de voz sonora, llamaran al ágora a los melenudos aqueos. Hízose el pregón y empezaron a reunirse muy prestamente. Y así que hubieron acudido y estuvieron congregados, Telémaco se fue al ágora con la broncínea lanza en la mano y dos perros de ágiles pies que le seguían, adornándolo Atenea con tal gracia divinal que, al verle llegar, todo el pueblo le contemplaba con asombro, y se sentó en la silla de su padre, pues le hicieron lugar los ancianos.

15 Fue el primero en arengarles el héroe Egisto, que ya estaba encorvado de vejez y sabía muchísimas cosas. Un hijo suyo muy amado, el belicoso Ántifo, había ido a Ilión, la de hermosos corceles, en las cóncavas naves con el divinal Odiseo; y el feroz Cíclope lo mató en la excavada gruta e hizo del mismo la última de aquellas cenas. Otros tres tenía el anciano —uno, Eurínomo, hallábase con los pretendientes, y los demás cuidaban los campos de su padre—. Mas no por eso se había olvidado de

Ántifo y por él lloraba y se afligía. Egisto, pues, les arengó, derramando lágrimas, y les dijo de esta suerte:

25 EGISTO. — Oíd, itacenses, lo que os voy a decir. Ni una sola vez fue convocada nuestra ágora, ni èn ella tuvimos sesión, desde que el divinal Odiseo partió en las cóncavas naves. ¿Quién al presente nos reúne? ¿Es joven o anciano aquel a quien le apremia necesidad tan grande? ¿Recibió alguna noticia de que el ejército vuelve y desea manifestarnos públicamente lo que supo antes que otros? ¿O quiere exponer y decir algo que interesa al pueblo? Paréceme que debe de ser un varón honrado y proficuo. Cúmplale Zeus, llevándolo a feliz término, lo que en su ánimo revuelve.

35 Así les habló. Holgóse del presagio el hijo amado de Odiseo, que ya no permaneció mucho tiempo sentado: deseoso de arengarles, se levantó en medio del ágora, y el heraldo Pisenor, que sabía dar prudentes consejos, le puso el centro en la mano. Telémaco, dirigiéndose primeramente al viejo, se expresó de esta guisa:

40 TELÉMACO. — ¡Oh anciano! No está lejos ese hombre y ahora sabrás que quien ha reunido el pueblo soy yo, que me hallo sumamente afligido. Ninguna noticia recibí de la vuelta del ejército, para que pueda manifestaros públicamente lo que haya sabido antes que otros, y tampoco quiero exponer ni decir cosa alguna que interese al pueblo: trátase de un asunto particular mío, de la doble cuita que se entró por mi casa. La una es que perdí a mi excelente progenitor, el cual reinaba sobre vosotros con blandura de padre; la otra, la actual, de más importancia todavía, pronto destruirá mi casa y acabará con toda mi hacienda. Los pretendientes de mi madre, hijos queridos de los varones más señalados de este país, la asedian a pesar suyo y no se atreven a encaminarse a la casa de Icario, su padre, para que la dote y la entregue al que él quiera y a ella le plazca; sino que, viniendo todos los días a nuestra morada, nos degüellan los bueyes, las ovejas y las pingües cabras, celebran banquetes, beben locamente el vino tinto y así se consumen muchas cosas, porque no tenemos un hombre como Odiseo, que sea capaz de librar a nuestra casa de tal ruina. No me hallo yo en disposición de llevarlo a efecto (sin duda debo de ser en adelante débil y ha de faltarme el valor marcial), que ya arrojaría esta calamidad si tuviera bríos suficientes, porque se han cometido acciones intolerables y mi casa se pierde de la peor manera. Participad vosotros de mi indignación, sentid vergüenza ante los vecinos circunstantes y temed que os persiga la cólera de los dioses, irritados por las malas obras. Os lo ruego por Zeus Olímpico y por Temis, la cual disuelve y reúne las ágoras de los hombres: no prosigáis, amigos; dejad que padezca a solas la triste pena; a no ser que mi padre, el excelente Odiseo, haya querido mal y causado daño a los aqueos de hermosas grebas y vosotros ahora, para vengaros en mí, me queráis mal y me causéis daño, incitando a éstos. Mejor fuera que todos juntos devorarais mis inmuebles y mis rebaños, que si tal hicierais quizás algún día se pagaran, pues iría por la ciudad reconviniéndoos con palabras y reclamándoos los bienes

hasta que todos me fuesen devueltos. Mas ahora las penas que a mi corazón inferís son incurables.

[80] Así dijo encolerizado; y, rezumándole las lágrimas, arrojó el cetro al suelo. Movióse a piedad el pueblo entero, y todos callaron, sin que nadie se atreviese a contestar a Telémaco con ásperas palabras, salvo Antínoo, que respondió diciendo:

[85] ANTÍNOO. — ¡Telémaco altílocuo, incapaz de moderar tus ímpetus! ¿Qué has dicho para ultrajarnos? Tú deseas cubrirnos de baldón. Mas la culpa no la tienen los aqueos que pretenden a tu madre, sino ella, que sabe proceder con gran astucia. Tres años van con éste, y pronto llegará el cuarto, que contrista el ánimo que los aquivos tienen en su pecho. A todos les da esperanzas, y a cada uno en particular le hace promesas y le envía mensajes; pero son muy diferentes los pensamientos que en su inteligencia revuelve. Y aun discurrió su espíritu este otro engaño: se puso a tejer en el palacio una gran tela sutil e interminable, y a la hora nos habló de esta guisa: «¡Jóvenes, pretendientes míos! Ya que ha muerto el divinal Odiseo, aguardad, para instar mis bodas, que acabe este lienzo (no sea que se me pierdan inútilmente los hilos), a fin de que tenga sudario el héroe Laertes cuando le sorprenda la Parca de la aterradora muerte. ¡No se me vaya a indignar alguna de las aqueas del pueblo, si ve enterrar sin mortaja a un hombre que ha poseído tantos bienes!» Así dijo, y nuestro ánimo generoso se dejó persuadir. Desde aquel instante pasaba el día labrando la gran tela, y por la noche, tan luego como se alumbraba con las antorchas, deshacía lo tejido. De esta suerte logró ocultar el engaño y que sus palabras fueran creídas por los aqueos durante un trienio; mas, así que vino el cuarto año y volvieron a sucederse las estaciones, nos lo reveló una de las mujeres, que conocía muy bien lo que pasaba, y sorprendímosla cuando destejía la espléndida tela. Así fue como, mal de su grado, se vio en la necesidad de acabarla. Oye, pues, lo que te responden los pretendientes, para que lo alcance tu genio y lo sepan también los aqueos todos. Haz que tu madre vuelva a su casa, y ordénale que tome por esposo a quien su padre le aconseje y a ella le plazca. Y si atormentase largo tiempo a los aqueos, confiado en las dotes que Atenea le otorgó en tal abundancia (ser diestra en labores primorosas, gozar de buen juicio y valerse de astucias que jamás hemos oído decir que conocieran las anteriores aqueas Tiro, Alcmena y Micene, la de hermosa diadema, pues ninguna concibió pensamientos semejantes a los de Penélope), no se habrá decidido por lo más conveniente, ya que tus bienes y riquezas serán devorados mientras siga con las trazas que los dioses le infundieron en el pecho. Ella ganará ciertamente mucha fama, pero a ti te quedará tan sólo la añoranza de los copiosos bienes que hayas poseído; y nosotros ni volveremos a nuestros negocios, ni nos llegaremos a otra parte, hasta que Penélope no se haya casado con alguno de los aqueos.

[129] Contestóle el prudente Telémaco:

[130] TELÉMACO. — ¡Antínoo! No es razón que eche de mi casa, contra su voluntad, a la que me dio el ser y me ha criado. Mi padre quizás esté

vivo en otra tierra, quizás haya muerto; pero me será gravoso haber de restituir a Icario muchísimas cosas si voluntariamente le envío a mi madre. Y entonces no sólo padeceré infortunios a causa de la ausencia de mi padre, sino que los dioses me causarán otros; pues mi madre, al salir de la casa, imprecará las odiosas Erinies y caerá sobre mí la indignación de los hombres. Jamás, por consiguiente, daré yo semejante orden. Si os indigna el ánimo lo que ocurre, salid del palacio, disponed otros festines y comeos vuestros bienes, convidándoos sucesivamente y recíprocamente en vuestras casas. Pero si os parece mejor y más acertado destruir impunemente los bienes de un solo hombre, seguid consumiéndolos; que yo invocaré a los sempiternos dioses por si algún día nos concede Zeus que vuestras obras sean castigadas, y quizá muráis en este palacio sin que nadie os vengue.

146 Así habló Telémaco; y el largovidente Zeus envióle dos águilas que echaron a volar desde la cumbre de un monte. Ambas volaban muy juntas, con las alas extendidas, y tan rápidas como el viento; y al hallarse en medio de la ruidosa ágora, anduvieron volteando ligeras, batiendo las tupidas alas; miráronles a todos a la cabeza como presagio de muerte, desgarráronse con las uñas la cabeza y el cuello, y se lanzaron hacia la derecha por cima de las casas y a través de la ciudad. Quedáronse todos los presentes muy admirados de ver con sus propios ojos las susodichas aves, y pensaban en sus adentros qué fuera lo que tenía que suceder, cuando el anciano héroe Haliterses Mastórida, el único que se señalaba entre los de su edad en conocer los augurios y explicar las cosas fatales, les arengó con benevolencia diciendo:

161 HALITERSES. — Oid, itacenses, lo que os voy a decir, aunque he de referirme de un modo especial a los pretendientes. Grande es el infortunio que a éstos les amenaza, porque Odiseo no estará mucho tiempo alejado de los suyos, sino que ya quizá se halla cerca y les apareja a todos la muerte y el destino; y también les ha de venir daño a muchos de los que moran en Ítaca, que se ve de lejos. Antes que así ocurra, pensemos cómo les haríamos cesar de sus demasías, o cesen espontáneamente, que fuera lo más provechoso para ellos mismos. Pues no lo vaticino sin saberlo, sino muy enterado; y os aseguro que al héroe se le ha cumplido todo lo que yo le declaré, cuando los argivos se embarcaron para Ilión y fuese con ellos el ingenioso Odiseo. Díjele entonces que, después de pasar muchos males y de perder sus compañeros, tornaría a su patria en el vigésimo año sin que nadie le conociera; y ahora todo se va cumpliendo.

177 Respondióle Eurímaco, hijo de Polibo:

178 EURÍMACO. — ¡Oh anciano! Vuelve a tu casa y adivínales a tus hijos lo que quieras, a fin de que en lo sucesivo no padezcan ningún daño; mas en estas cosas sé yo vaticinar harto mejor que tú. Muchas aves se mueven debajo de los rayos del sol, pero no todas son agoreras; Odiseo murió lejos de nosotros, y tú debieras haber perecido con él, y así no dirías tantos vaticinios ni incitarías al irritado Telémaco, esperando que mande algún presente a tu casa. Lo que ahora voy a decir se cumplirá: si

tú, que conoces muchas cosas antiquísimas, engañares con tus palabras a ese hombre más mozo y le incitares a que permanezca airado, primeramente será mayor su aflicción, pues no por las predicciones le será dable proceder de otra suerte; y a ti, oh anciano, te impondremos una multa para que te duela el pagarla y te cause grave pesar. Yo mismo, delante de todos vosotros, daré a Telémaco un consejo: ordene a su madre que vuelva a la casa paterna y allí le dispondrán las nupcias y le aparejarán una dote tan cuantiosa como debe llevar una hija amada. No creo que hasta entonces desistamos los jóvenes aqueos de nuestra laboriosa pretensión, porque no tenemos absolutamente a nadie, ni siquiera a Telémaco a pesar de su facundia; ni nos curamos de la vana profecía que nos haces y por la cual has de sernos aún más odioso. Sus bienes serán devorados de la peor manera, como hasta aquí, sin que jamás se le resarza el daño, en cuanto ella entretenga a los aqueos con diferir la boda. Y nosotros, esperando día tras día, competiremos unos con otros por sus eximias prendas y no nos dirigiremos a otras mujeres que nos pudieran convenir para casarnos.

[208] Contestóle el prudente Telémaco:

[209] TELÉMACO. — ¡Eurímaco y cuantos sois ilustres pretendientes! No os he de suplicar ni arengar más acerca de esto, porque ahora ya están enterados los dioses y los aqueos todos. Mas, ea, aprestadme una embarcación muy velera y veinte compañeros que me abran camino acá y acullá del ponto. Iré a Esparta y a la arenosa Pilos a preguntar por el regreso de mi padre, cuya ausencia se hace ya tan larga; y quizás algún mortal me hablará de él o llegará a mis oídos la fama que procede de Zeus y es la que más difunde la gloria de los hombres. Si oyere decir que mi padre vive y ha de volver, lo sufriré todo un año más, aunque estoy afligido; pero si me participaren que ha muerto y ya no existe, regresaré sin dilación a la patria, le erigiré un túmulo, le haré las muchas exequias que se le deben, y a mi madre le buscaré un esposo.

[224] Cuando así hubo hablado, tomó asiento. Entonces levantóse Méntor, el amigo del preclaro Odiseo —éste, al embarcarse, le había encomendado su casa entera para que los suyos obedeciesen al anciano y él se lo guardara todo y lo mantuviese en pie—, y benévolo les arengó del siguiente modo:

[229] MÉNTOR. — Oíd, itacenses, lo que os voy a decir. Nigún rey que empuñe cetro sea benigno, ni blando, ni suave, ni ocupe la mente en cosas justas; antes, al contrario, obre siempre con crueldad y lleve al cabo acciones nefandas; ya que nadie se acuerda del divinal Odiseo entre los ciudadanos sobre los cuales reinaba con blandura de padre. Y no aborrezco tanto a los orgullosos pretendientes por la violencia conque proceden, llevados de sus malos intentos (pues si devoran la casa de Odiseo, ponen en aventura sus cabezas y creen que el héroe ya no ha de volver), como me indigno contra la restante población, al contemplar que permanecéis sentado y en silencio, sin que intentéis, sin embargo de ser tantos, refrenar con vuestras palabras a los pretendientes que son pocos.

242 Respondióle Leócrito Evenórida:

243 LEÓCRITO. — ¡Méntor perverso e insensato! ¡Qué dijiste! ¡Incitarles a que nos hagan desistir! Dificultoso les sería, y hasta a un número mayor de hombres, luchar con nosotros para privarnos de los banquetes. Pues si el mismo Odiseo de Ítaca, viniendo en persona, encontrarse a los ilustres pretendientes comiendo en el palacio y resolviera en su corazón echarlos de su casa, no se alegraría su esposa de que hubiese vuelto, aunque mucho lo desea, porque allí mismo recibirá el héroe indigna muerte si osaba combatir con tantos varones. En verdad que no has hablado como debías. Mas, ea, separaos y volved a vuestras ocupaciones. Méntor y Haliterses, que siempre han sido amigos de Telémaco por su padre, le animarán para que emprenda el viaje; pero se me figura que, permaneciendo quieto durante mucho tiempo, oirá en Ítaca las noticias que vengan y jamás hará semejante viaje.

257 Así dijo, y al punto disolvió el ágora. Dispersáronse todos para volver a sus respectivas casas y los pretendientes enderezaron su camino a la morada del divinal Odiseo.

260 Telémaco se alejó hacia la playa, y, después de lavarse las manos en el espumoso mar, oró a Atenea, diciendo.

262 TELÉMACO. — ¡Óyeme, oh numen que ayer viniste a mi casa y me ordenaste que fuese en una nave por oscuro punto en busca de noticias del regreso de mi padre, cuya ausencia se hace ya tan larga! A todo se oponen los aqueos y en especial los en mal hora ensoberbecidos pretendientes.

267 Así dijo rogando. Acercósele Atenea, que había tomado el aspecto y la voz de Méntor, y le dijo estas aladas palabras:

270 ATENEA. — ¡Telémaco! No serás en lo sucesivo ni cobarde ni imprudente, si has heredado el buen ánimo que tu padre tenía para llevar a su término acciones y palabras; si así fuere, el viaje no lo harás en vano, ni quedará por hacer. Más, si no eres el hijo de aquél y de Penélope, no creo que llegues a efectuar lo que anhelas. Contados son los hijos que se asemejan a sus padres, los más salen peores, y tan solamente algunos los aventajan. Pero tú, como no serás en lo futuro ni cobarde ni imprudente, ni te falta del todo la inteligencia de Odiseo, puedes concebir la esperanza de dar fin a tales obras. No te dé cuidado, pues, lo que resuelvan o mediten los insensatos pretendientes; que éstos ni tienen cordura ni practican la justicia, y no saben que se les acerca la muerte y la negra Parca para que todos acaben en un mismo día. Ese viaje que anhelas no se diferirá largo tiempo: soy tan amigo tuyo por tu padre, que aparejaré una velera nave y me iré contigo. Vuelve a tu casa, mézclate con los pretendientes y ordena que se dispongan provisiones en las oportunas vasijas, echando el vino en ánforas y la harina, que es la sustentación de los hombres, en fuertes pellejos; y mientras tanto juntaré, recorriendo la población, a los que voluntariamente quieran acompañarte. Muchas naves hay, entre nuevas y viejas, en Ítaca, rodeada por el mar; después de registrarlas, elegiré para ti

la que sea mejor y luego que esté equipada la entregaremos al anchuroso ponto.

296 Así habló Atenea, hija de Zeus; y Telémaco no demoró mucho tiempo después que hubo escuchado la voz de la deidad. Fuese a su casa con el corazón afligido, y halló a los soberbios pretendientes que desollaban cabras y asaban puercos cebones en el recinto del patio. Entonces, Antínoo, riéndose, salió al encuentro de Telémaco, le tomó la mano y le dijo estas palabras:

303 ANTÍNOO. — ¡Telémaco altílocuo, incapaz de moderar tus ímpetus! No revuelvas en tu pecho malas acciones o palabras, y come y bebe conmigo como hasta aquí lo hiciste. Y los aqueos te prepararán todas aquellas cosas, una nave y remeros escogidos, para que muy pronto vayas a la divina Pilos en busca de nuevas de tu ilustre padre.

309 Replicóle el prudente Telémaco:

310 TELÉMACO. — ¡Antínoo! No es posible que yo permanezca callado entre vosotros, tan soberbios, y coma y me regocije tranquilamente. ¿Acaso no basta que los pretendientes me hayáis destruido muchas y excelentes cosas, mientras fui muchacho? Ahora que soy mayor y sé lo que ocurre, escuchando lo que los demás dicen, y crece en mi pecho el ánimo, intentaré enviaros las funestas Parcas, sea acudiendo a Pilos, sea aquí en esta población. Pasajero me iré (y no será infructuoso el viaje del que hablo), pues no tengo nave ni remadores; que sin duda os pareció más conveniente que así fuera.

321 Dijo, y desasió fácilmente su mano de la de Antínoo. Los pretendientes, que andaban preparando el banquete dentro de la casa, se mofaban de Telémaco y le zaherían con palabras. Y uno de aquellos jóvenes soberbios habló de esta manera:

325 UN PRETENDIENTE. — Sin duda piensa Telémaco cómo darnos muerte: traerá valedores de la arenosa Pilos o de Esparta, ¡tan vehemente es su deseo!, o quizás intente ir a la fértil tierra de Éfira para llevarse drogas mortíferas y echarlas luego en la cratera, a fin de acabar con todos nosotros.

331 Y otro de los jóvenes soberbios repuso acto continuo:

332 OTRO PRETENDIENTE. — ¿Quién sabe si, después de partir en la cóncava nave, morirá lejos de los suyos vagando como Odiseo? Mayor fuera entonces nuestro trabajo, pues repartiríamos todos sus bienes y daríamos esta casa a su madre y a quien la desposara para que en común la poseyesen.

337 Así decían. Telémaco bajó a la anchurosa y elevada cámara de su padre, donde había montones de oro y de bronce, vestiduras guardadas en arcas y gran copia de oloroso aceite. Allí estaban las tinajas del dulce vino añejo, repletas de bebida pura y divina, y arrimadas ordenadamente a la pared; por si algún día volviere Odiseo a su casa, después de haber padecido multitud de pesares. La puerta tenía dos hojas sólidamente adaptadas y sujetas por la cerradura; y junto a ella hallábase de día y de noche, custodiándolo todo precavidamente, una despensera: Euriclea,

hija de Ops Pisenórida. Entonces Telémaco la llamó a la estancia y le dijo:

349 TELÉMACO. — ¡Ama! Ea, ponme en ánforas dulce vino, el que sea más suave después del que guardas para aquel infeliz, esperando siempre que vuelva Odiseo, del linaje de Zeus, por haberse librado de la muerte y de las Parcas. Llena doce ánforas y ciérralas con sus tapaderas. Aparte también veinte medidas de harina de trigo, échalas en pellejos bien cosidos. Tú sola lo sepas. Esté todo aparejado y junto, pues vendré por ello al anochecer, así que mi madre se vaya arriba a recogerse. Quiero hacer un viaje a Esparta y a la arenosa Pilos, por si logro averiguar u oír algo del regreso de mi padre.

361 Así habló. Echóse a llorar su ama Euriclea y, suspirando, díjole estas aladas palabras:

363 EURICLEA. — ¡Hijo amado! ¿Cómo te ha venido a las mientes del propósito? ¿Adónde quieres ir por apartadas tierras, siendo unigénito y tan querido? Odiseo, del linaje de Zeus, murió lejos de la patria, en un pueblo ignoto. Así que partas, éstos maquinarán cosas inicuas para matarte con algún engaño y repartirse después todo lo tuyo. Quédate aquí, cerca de tus bienes; que nada te obliga a padecer infortunios yendo por el estéril ponto, ni a vagar de una parte a otra.

371 Contestóle Telémaco:

372 TELÉMACO. — Tranquilízate, ama; que esta resolución no se ha tomado sin que un dios lo quiera. Pero júrame que nada dirás a mi madre hasta que transcurran once o doce días, o hasta que la aqueje el deseo de verme u oiga decir que he partido; para evitar que llore y dañe así su hermoso cuerpo.

377 Así dijo; y la anciana prestó el solemne juramento de los dioses. En acabando de jurar, ella, sin perder un instante, envasó el vino en ánforas y echó la harina en pellejos bien cosidos; y Telémaco volvió a subir y se juntó con los pretendientes.

832 Entonces Atenea, la deidad de ojos de lechuza, ordenó otra cosa. Tomó la figura de Telémaco, recorrió la ciudad, habló con distintos varones y les encargó que al anochecer se reunieran junto al barco. Pidió también una velera nave al hijo preclaro de Frono, a Noemón, y éste se la cedió gustoso.

388 Púsose el sol y las tinieblas ocuparon todos los caminos. En aquel instante la diosa echó al mar la ligera embarcación y colocó en la misma cuantos aparejos llevan las naves de muchos bancos. Condújola después a una extremidad del puerto, juntáronse muchos y excelentes compañeros, y Atenea los alentó a todos.

393 Entonces Atenea, la deidad de ojos de lechuza, ordenó otra cosa. Fuese al palacio del divinal Odiseo, infundióles a los pretendientes dulce sueño, les entorpeció la mente en tanto que bebían, e hizo que las copas les cayeran de las manos. Todos se apresuraron a irse por la ciudad y acostarse, pues no estuvieron mucho tiempo sentados desde que el sueño les cayó sobre los párpados. Y Atenea, la de ojos de lechuza, que había to-

mado la figura y la voz de Méntor, dijo a Telémaco después de llamarle afuera del cómodo palacio:

402 ATENEA. — ¡Telémaco! Tus compañeros, de hermosas grebas, ya se han sentado en los bancos para remar, y sólo esperan tus órdenes. Vámonos y no tardemos en comenzar el viaje.

405 Cuando así hubo hablado, Palas Atenea echó a andar aceleradamente, y Telémaco fue siguiendo las pisadas de la diosa. Llegaron a la nave y al mar y hallaron en la orilla a los melenudos compañeros. Y el esforzado y divinal Telémaco les habló diciendo:

410 TELÉMACO. — Venid, amigos, y traigamos los víveres; que ya están dispuestos y apartados en el palacio. Mi madre nada sabe, ni las criadas tampoco; a excepción de una, que es la única persona a quien se lo he dicho.

413 Cuando así hubo hablado, se puso en camino y los demás le siguieron. En seguida se lo llevaron todo y lo cargaron en la nave de muchos bancos, como el amado hijo de Odiseo lo tenía ordenado. Al punto embarcóse Telémaco, precedido por Atenea, que tomó asiento en la popa y él a su lado, mientras los compañeros soltaban las amarras y se acomodaban en los bancos. Atenea, la de ojos de lechuza, envióles próspero viento: el fuerte Céfiro, que resonaba por el vinoso ponto. Telémaco exhortó a sus compañeros, mandándoles que aparejasen las jarcias, y su amonestación fue atendida. Izaron el mástil de abeto, lo metieron en el travesaño, lo ataron con sogas, y al instante descogieron la blanca vela con correas bien torcidas. Hinchó el viento la vela, y las purpúreas olas resonaban grandemente en torno de la quilla mientras la nave corría siguiendo su rumbo. Así que hubieron atado los aparejos a la veloz nave negra, levantaron crateras rebosantes de vino e hicieron libaciones a los sempiternos inmortales dioses y especialmente a la hija de Zeus, la de ojos de lechuza. Y la nave continuó su rumbo toda la noche y la siguiente aurora.

RAPSODIA III

LO DE PILOS

Ya el sol desamparaba el hermosísimo lago, subiendo al broncíneo cielo para alumbrar a los inmortales dioses y a los mortales hombres sobre la fértil tierra, cuando Telémaco y los suyos llegaron a Pilos, la bien construida ciudad de Neleo, y hallaron en la orilla del mar a los habitantes, que inmolaban toros de negro pelaje al que sacude la tierra, al dios de cerúlea cabellera. Nueve asientos había, y en cada uno estaban sentados quinientos hombres y se sacrificaban nueve toros. Mientras los pilios quemaban los muslos para el dios, después de probar las entrañas, los de Ítaca tomaron puerto, amainaron las velas de la bien proporcionada nave, ancláronla y saltaron a tierra. Telémaco desembarcó precedido por Atenea. Y la deidad de ojos de lechuza rompió el silencio con estas palabras:

14 Atenea. — ¡Telémaco! Ya no te cumple mostrar vergüenza en cosa alguna, habiendo atravesado el ponto con el fin de saber noticias de tu padre: qué tierra lo tiene oculto y qué suerte le ha cabido. Ea, ve directamente a Néstor, domador de caballos, y sepamos qué guarda allá en su pecho. Ruégale tú mismo que sea veraz, y no mentirá porque es muy sensato.

21 Repuso el prudente Telémaco:

[22] TELÉMACO. — ¡Méntor! ¿Cómo quieres que yo me acerque a él, cómo puedo ir a saludarle? Aún no soy práctico en hablar con discreción y da vergüenza que un joven interrogue a un anciano.

[25] Díjole Atenea, la deidad de los ojos de lechuza:

[26] ATENEA. — ¡Telémaco! Discurrirás en tu mente algunas cosas y un numen te sugerirá las restantes, pues no creo que tu nacimiento y tu crianza se hayan efectuado contra la voluntad de los dioses.

[29] Cuando así hubo hablado, Palas Atenea caminó a buen paso y Telémaco fue siguiendo las pisadas de la deidad. Llegaron adonde estaba la junta de los varones pilios en los asientos: allí se había sentado Néstor con sus hijos y a su alrededor los compañeros preparaban el banquete, ya asando carne, ya espetándola en los asadores. Y apenas vieron a los huéspedes, adelantáronse todos juntos, los saludaron con las manos y les invitaron a sentarse. Pisístrato Nestórida fue el primero que se les acercó, y asiéndolos de la mano, los hizo sentar para el convite en unas blandas pieles, sobre la arena del mar, cerca de su hermano Trasimedes y de su propio padre. En seguida dioles parte de las entrañas, echó vino en una copa de oro y, ofreciéndosela a Palas Atenea, hija de Zeus que lleva la égida, así le dijo:

[43] PISÍSTRATO. — ¡Forastero! Eleva tus preces al soberano Posidón, ya que al venir acá os habéis encontrado con el festín que en su honor celebramos. Mas, tan pronto como hicieres la libación y hubieres rogado, como es justo, dale a ése la copa del dulce vino para que lo libe también, pues supongo que ruega asimismo a los inmortales, ya que todos los hombres están necesitados de los dioses. Pero por ser el más joven (debe de tener mis años) te daré primero a ti la áurea copa.

[51] En diciendo esto, púsole en la mano la copa de dulce vino. Atenea holgóse de ver la prudencia y la equidad del varón que le daba la copa de oro a ella antes que a Telémaco. Y al punto hizo muchas súplicas al soberano Posidón:

[55] ATENEA. — ¡Óyeme, Posidón, que circundas la tierra! No te niegues a llevar a cabo lo que ahora te pedimos. Ante todas cosas llena de gloria a Néstor y a sus vástagos; dales a los pilios grata recompensa por tan ínclita hecatombe y concede también que Telémaco y yo no nos vayamos sin lograr el intento que nos trajo en la veloz nave negra.

[62] Tal fue su ruego, y ella misma cumplió lo que acababa de pedir. Entregó en seguida la hermosa copa doble a Telémaco, y el caro hijo de Odiseo oró de semejante manera. Asados ya los cuartos delanteros, retiráronlos, dividiéronlos en partes y celebraron un gran banquete. Y cuando hubieron satisfecho el deseo de comer y de beber, Néstor, el caballero gerenio, comenzó a decirles:

[69] NÉSTOR. — Ésta es la ocasión más oportuna para interrogar a los huéspedes e inquirir quiénes son, ahora que se han saciado de comida: «¡Forasteros! ¿Quiénes sois? ¿De dónde llegasteis, navegando por húmedos caminos? ¿Venís por algún negocio o andáis por el mar, a la ven-

tura, como los piratas que divagan, exponiendo su vida y produciendo daño a los hombres de extrañas tierras?

75 Respondióle el prudente Telémaco, muy alentado, pues la misma Atenea le infundió audacia en el pecho para que preguntara por el ausente padre y aduiriera gloriosa fama entre los hombres:

79 TELÉMACO. — ¡Néstor Nelida, gloria insigne de los aqueos! Preguntas de dónde somos. Pues yo te lo diré. Venimos de Ítaca, situada al pie del Neyo, y el negocio que nos trae no es público, sino particular. Ando en pos de la gran fama de mi padre, por si oyere hablar del divino y paciente Odiseo; el cual, según afirman, destruyó la ciudad troyana, combatiendo contigo. De todos los que guerrearon contra los teucros sabemos dónde padecieron deplorable muerte; pero el Cronión ha querido que la de aquél sea ignorada: nadie puede indicarnos claramente dónde pereció, ni si ha sucumbido en el continente, por manos de enemigos, o en el piélago, entre las ondas de Anfitrite. Por eso he venido a abrazar tus rodillas, por si quisieras contarme la triste muerte de aquél, ora la hayas visto con tus ojos, ora te la haya relatado algún peregrino, que muy sin ventura le parió su madre. Y nada atenúes por respeto o compasión que me tengas; al contrario, entérame bien de lo que hayas visto. Yo te lo ruego; si mi padre, el noble Odiseo, te cumplió alguna palabra que te hubiese dado; o llevó a su término una acción que te hubiera prometido, allá en el pueblo de los troyanos donde tantos males padecisteis los aqueos; acuérdate de ello y dime la verdad de lo que te pregunto

102 Respondióle Néstor, el caballero gerenio:

103 NÉSTOR. — ¡Oh amigo! Me traes a la memoria las calamidades que en aquel pueblo padecimos los aqueos, indomables por el valor, unas veces vagando en las naves por el sombrío ponto hacia donde nos llevaba Aquileo en busca de botín y otras combatiendo alrededor de la gran ciudad del rey Príamo. Allí recibieron la muerte los mejores capitanes: allí yace el belicoso Ayante; allí, Aquileo; allí, Patroclo, consejero igual a los dioses; allí, mi amado hijo fuerte y eximio, Antíloco, muy veloz en el correr y buen guerrero. Padecimos, además, muchos infortunios. ¿Cuál de los mortales hombres podría referirlos totalmente? Aunque, deteniéndote aquí cinco o seis años, te ocuparás en preguntar cuántos males padecieron allá los divinos aqueos, no te fuera posible saberlos todos; sino que, antes de llegar al término, cansado ya, te irías a tu patria tierra. Nueve años estuvimos tramando cosas malas contra ellos y poniendo a su alrededor asechanzas de toda clase, y apenas entonces puso fin el Cronión a nuestros trabajos. Allí no hubo nadie que en prudencia quisiese igualarse con el divinal Odiseo, con tu padre, que entre todos descollaba por sus ardides de todo género, si verdaderamente eres tú su hijo, pues me he quedado atónito al contemplarte. Semejantes son, asimismo, tus palabras a las suyas y no se creería que un hombre tan joven pudiera hablar de modo tan parecido. Nunca Odiseo y yo estuvimos discordes al arengar en el ágora o en el consejo; sino que, teniendo el mismo ánimo, aconsejábamos con inteligencia y prudente decisión a los argivos para que todo

fuese de la mejor manera. Mas tan pronto como, después de haber destruido la excelsa ciudad de Príamo, nos embarcamos en las naves y una deidad dispersó a los aqueos, Zeus tramó en su mente que fuera luctuosa la vuelta de los argivos; que no todos habían sido sensatos y justos, y a causa de ellos les vino a muchos una funesta suerte por la perniciosa cólera de la deidad de ojos de lechuza, hija del prepotente padre, la cual suscitó entre ambos Atridas gran contienda. Llamaron al ágora a los aqueos, pero temeraria e inoportunamente (fue al ponerse el sol y todos comparecieron cargados de vino), y expusiéronles la razón de haber congregado al pueblo. Menelao exhortó a todos los aqueos a que pensaran en volver a la patria por el ancho dorso del mar; cosa que desplugo totalmente a Agamenón, pues quería detener al pueblo y aplacar con sacras hecatombes la terrible cólera de Atenea. ¡Oh necio! ¡No alcanzaba que no había de convencerla, porque no cambia de súbito la mente de los sempiternos dioses! así ambos, después de altercar con duras palabras, seguían en pie; y los aqueos, de hermosas grebas se levantaron, produciéndose un vocerío inmenso, porque uno y otro parecer tenían sus partidarios. Aquella noche la pasamos revolviendo en nuestra inteligencia graves trazas los unos contra los otros, pues ya Zeus nos aparejaba funestas calamidades. Al descubrirse la aurora, echamos las naves al mar divino y embarcamos nuestros bienes y las mujeres de estrecha cintura. La mitad del pueblo se quedó allí con el Atrida Agamenón, pastor de hombres; y los restantes nos hicimos a la mar, pues un numen calmó el ponto, que abunda en grandes cetáceos. No bien llegamos a Ténedos, ofrecimos sacrificios a los dioses con el anhelo de tornar a nuestras casas; pero Zeus aún no tenía ordenada la vuelta y suscitó ¡oh cruel! Una nueva y perniciosa disputa. Y los que acompañaban a Odiseo, rey prudente y sagaz, se volvieron en los corvos bajeles para complacer nuevamente a Agamenón Atrida. Pero yo, con las naves que juntas me seguían, continué huyendo, porque entendí que alguna divinidad meditaba causarnos daño. Huyó también el belicoso hijo de Tideo con los suyos, después de incitarlos a que le siguieran, y juntósenos algo más tarde el rubio Menelao, el cual nos encontró en Lesbos mientras deliberábamos acerca de la larga navegación que nos esperaba, a saber, si pasaríamos por encima de la escabrosa Quíos, hacia la isla de Psiria, para dejar esta última a la izquierda, o por debajo de la primera a lo largo del ventoso Mimante. Suplicamos a la divinidad que nos mostrase alguna señal y nos la dio ordenándonos que atravesáramos el piélago hacia la Eubea, a fin de que huyéramos lo antes posible del infortunio venidero. Comenzó a soplar un sonoro viento, y las naves, surcando con gran celeridad el camino abundante en peces, llegaron por la noche a Geresto: allí ofrecimos a Posidón buen número de perniles de toro por haber hecho la travesía del dilatado piélago. Ya era el cuarto día cuando los compañeros de Diomedes Tidida, domador de caballos, se detuvieron en Argos con sus bien proporcionadas naves; pero yo tomé la ruta de Pilos y nunca me faltó el viento desde que un dios lo envió para que soplase. Así vine, hijo querido, sin saber nada, ignorado cuáles aqueos se salvaron y cuáles perecieron. Más, cuanto oí referir desde que torné a mi palacio lo sabrás ahora, como es justo; que no debo ocultarte nada. Dicen que han llegado bien los valerosos aqueos mirmidones a quienes conducía el hijo ilustre del magnánimo Aquileo; que asimismo aportó con felicidad Filoctetes, hijo preclaro de Peante; y que Idomeneo llevó a Creta todos sus compañeros que escaparon de los combates, sin que el mar le quitara ni uno solo. Del Atrida vosotros mismos habréis oído contar, aunque vivís tan lejos, cómo vino y cómo Egisto le aparejó una deplorable muerte. Pero de lamentable modo hubo de pagarlo. ¡Cuán bueno es para el que muere dejar un hijo! Así Orestes se ha vengado del matador de su padre, del doloso Egisto, que le había muerto a su ilustre progenitor. También tú, amigo mío, ya veo que eres gallardo y de elevada estatura, sé fuerte para que los venideros te elogien.

201 Contestóle el prudente Telémaco:

202 TELÉMACO. — ¡Néstor Nelida, gloria insigne de los aqueos! Aquél tomó no poca venganza y los aqueos difundirán su excelsa gloria que llegará a conocimiento de los futuros hombres. ¡Hubiéranme concebido los dioses bríos bastantes para castigar la penosa soberbia de los pretendientes, que me insultan maquinalmente inicuas acciones! Mas los dioses no nos otorgaron tamaña ventura ni a mi padre ni a mí, y ahora es preciso pasar por todo sufridamente.

210 Respondióle Néstor, el caballero gerenio:

211 NÉSTOR. — ¡Oh amigo! Ya que me recuerdas lo que has contado, afirman que son muchos los que, pretendiendo a tu madre, cometen a despecho tuyo acciones inicuas en el palacio. Dime si te sometes voluntariamente o te odia quizá la gente del pueblo, a causa de lo revelado por un dios. ¿Quién sabe si algún día castigará esas demasías tu propio padre viniendo solo o juntamente con todos los aqueos? Ojalá Atenea, la de ojos de lechuza, te quisiera como en otro tiempo se cuidaba del glorioso Odiseo en el país troyano, donde los aqueos arrostramos tantos males (nunca oí que los dioses amasen tan palpablemente a ninguno como manifiestamente le asistía Palas Atenea), pues si de semejante modo la diosa te quisiera y se cuidara de ti en su corazón, alguno de los pretendientes tendría que despedir de sí la esperanza de la boda.

225 Replicóle el prudente Telémaco:

226 TELÉMACO. — ¡Oh anciano! Ya no creo que tales cosas se cumplan. Es muy grande lo que dijiste y me tienes pasmado, mas no espero que se realice aunque así lo quieran los mismos dioses.

229 Díjole Atenea, la deidad de ojos de lechuza:

230 ATENEA. — ¡Telémaco! ¡Qué palabras se te escaparon del cerco de los dientes! Fácil le es a una deidad cuando lo quiere, salvar a un hombre aun desde lejos. Y yo preferiría restituirme a mi casa y ver lucir el día de la vuelta, habiendo pasado muchos males, a perecer tan luego como llegara a mi hogar; como Agamenón, que murió en la celada que le tendieron Egisto y su propia esposa. Mas ni aun los dioses pueden librar

de la muerte, igual para todos, a un hombre que les sea caro, después que se apoderó de él la Parca funesta de la aterradora muerte.

239 Contestóle el prudente Telémaco:

240 TELÉMACO. — ¡Méntor! No hablemos más de tales cosas, aunque nos sintamos afligidos. Ya la vuelta de aquél no puede verificarse; pues los inmortales deben de haberle enviado la muerte y la negra Parca. Pero ahora quiero interrogar a Néstor y hacerle otra pregunta, ya que en justicia y prudencia sobresale entre todos y dicen que ha reinado durante tres generaciones de hombres de suerte que, al contemplarlo, me parece un inmortal. ¡Oh Néstor Nelida! Dime la verdad. ¿Cómo murió el poderosísimo Agamenón Atrida? ¿Dónde estaba Menelao? ¿Qué género de muerte fue la que urdió el doloso Egisto, para que pereciera un varón que tanto le aventajaba? ¿Fue quizás el no encontrarse Menelao en Argos, la de Acaya, pues andaría peregrino entre otras gentes, la causa de que Egisto cobrara espíritu y matase a aquel héroe?

253 Respondióle Néstor, el caballero gerenio:

254 NÉSTOR. — Te diré, hijo mío, la verdad entera. Ya puedes imaginar cómo el hecho ocurrió. Si el rubio Menelao Atrida, al volver de Troya, hubiera hallado en el palacio a Egisto, vivo aún, ni tan sólo hubiesen cubierto el cadáver de éste: arrojado a la llanura, lejos de la ciudad, hubiera sido despedazado por los perros y las aves de rapiña, sin que le llorase ninguna de las aqueas, porque había cometido una maldad muy grande. Pues mientras nosotros permanecíamos allá, llevando al cabo muchas empresas belicosas, él se estaba tranquilo en lo más hondo de Argos tierra criadora de corceles, y ponía gran empeño en seducir con sus palabras a la esposa de Agamenón. Al principio la divinal Clitemnestra rehusó cometer el hecho infame, porque tenía buenos sentimientos y la acompañaba un aedo a quien Atrida, al partir para Troya, encargó en gran manera que la guardase. Mas, cuando vino el momento en que cumpliéndose el hado de los dioses, tenía que sucumbir Egisto condujo al aedo a una isla inhabitada, donde lo abandonó para que fuese presa y pasto de las aves de rapiña; y llevóse de buen grado a su casa a la mujer, que también lo deseaba, quemando después gran cantidad de muslos en los sacros altares de los dioses y colgando muchas figuras, tejidos y oro, por haber salido con la gran empresa que nunca su ánimo había esperado ejecutar. Veníamos, pues, de Troya el Atrida y yo, navegando juntos y en buena amistad; pero, así que arribamos al sacro promontorio de Sunio, cerca de Atenas, Febo Apolo mató con sus suaves flechas al piloto de Menelao, a Frontis Onetórida, que entonces tenía en las manos el timón de la nave y a todos vencía en el arte de gobernar una embarcación cuando arreciaban las tempestades. Así fue como, a pesar de su deseo de proseguir el camino, se vio obligado a detenerse para enterrar al compañero y hacerle las honras funerales. Luego, atravesando el vinoso ponto en las cóncavas naves, pudo llegar a toda prisa al elevado promontorio de Malea, y el largovidente Zeus hízole trabajoso el camino con enviarle vientos de sonoro soplo y olas hinchadas, enormes, que parecían monta-

ñas. Entonces el dios dispersó las naves y a algunas las llevó hacia Creta, donde habitaban los cidones, junto a las corrientes del Yárdano. Hay en el oscuro ponto una peña escarpada y alta que sale al mar cerca de Gortina en el tenebroso ponto: allí el Noto lanza grandes olas contra el promontorio de la izquierda, contra Festo, y una roca pequeña rompe la grande oleada. En semejante sitio fueron a dar y costóles mucho escapar con vida; pues, habiendo las olas arrojado los bajeles contra los escollos, padecieron naufragio. Menelao, con cinco naves de cerúlea proa, aportó a Egipto, adonde el viento y el mar le habían conducido; y en tanto que con sus galeras iba errante por extraños países, juntando riquezas y mucho oro, Egisto tramó en el palacio aquellas deplorables acciones. Siete años reinó éste en Micenas, rica en oro, y tuvo sojuzgado al pueblo, con posterioridad a la muerte del Atrida. Mas, por su desgracia, en el octavo llegó de Atenas el divinal Orestes, quien dio muerte al matador de su padre, al doloso Egisto, que le había muerto su ilustre progenitor. Después de matarle, Orestes dio a los argivos el banquete fúnebre en las exequias de su odiosa madre y del cobarde Egisto; y aquel día llegó Menelao, valiente en el combate, con muchas riquezas, tantas como los barcos podían llevar. Y tú, amigo, no andes mucho tiempo fuera de tu casa, habiendo dejado en ella las riquezas y unos hombres tan soberbios: no sea que se repartan tus bienes y los devoren y luego el viaje te salga en vano. Pero yo te exhorto e incito a que endereces tus pasos hacia Menelao; el cual poco ha que volvió de gentes de donde no esperara tornar quien se viera, desviado por las tempestades, en un piélago tal y tan extenso que ni las aves vendrían del mismo en todo un año, pues es dilatadísimo y horrendo. Ve ahora en tu nave y con tus compañeros a dar con él, y si deseas ir por tierra, aquí tienes carro y corceles, y a mis hijos que te acompañarán hasta la divina Lacedemonia, donde se halla el rubio Menelao, y, en llegando, ruégale tú mismo que sea veraz, y no mentirá porque es muy sensato.

329 Así dijo. Púsose el sol y sobrevino la oscuridad. Y entonces habló Atenea, la diosa de ojos de lechuza:

331 ATENEA. — ¡Oh anciano! Todo lo has referido discretamente. Pero, ea, cortad las lenguas y mezclad vino, para que, después de hacer libación a Posidón y a los demás inmortales, pensemos en acostarnos, que ya es hora. La luz del sol se fue al ocaso y no conviene permanecer largo tiempo en el banquete de los dioses, pues es preciso recogerse.

337 Así habló la hija de Zeus, y todos la obedecieron. Los heraldos diéronles aguamanos; unos mancebos coronaron de bebida las crateras y distribuyeron el vino a los presentes, después de haber ofrecido en copas las primicias; y, una vez arrojadas las lenguas al fuego, pusiéronse de pie e hicieron libaciones. Ofrecidas éstas y habiendo bebido cuanto desearan, Atenea y el deiforme Telémaco quisieron retirarse a la cóncava nave. Pero Néstor los detuvo, reprendiéndolos con estas palabras:

346 NÉSTOR. — Zeus y los otros dioses inmortales nos libren de que vosotros os vayáis de mi lado para volver a la velera nave, como si os

fuerais de junto a un varón que carece de ropa; del lado de un pobre, en cuya casa no hay mantos ni gran cantidad de colchas para que él y sus huéspedes puedan dormir blandamente. Pero a mí no me faltan mantos ni lindas colchas. Y el caro hijo de Odiseo no se acostará ciertamente en las tablas de su bajel mientras yo viva o queden mis hijos en el palacio para alojar a los huéspedes que a mi casa vengan.

356 Díjole Atenea, la deidad de ojos de lechuza:

357 ATENEA. — Bien hablaste, anciano querido, y conviene que Telémaco te obedezca porque es lo mejor que puede hacer. Iráse, pues, contigo para dormir en tu palacio, y yo volveré al negro bajel a fin de animar a los compañeros y ordenarles cuanto sea oportuno. Pues me glorío de ser entre ellos el más anciano; que todos los hombres que vienen con nosotros por amistad son jóvenes y tienen los mismos años que el magnánimo Telémaco. Allí me acostaré en el cóncavo y negro bajel, y al rayar el día me llegaré a los magnánimos caucones en cuyo país he de cobrar una deuda antigua y no pequeña; y tú, puesto que Telémaco ha venido a tu casa, envíale en compañía de un hijo tuyo, y dale un carro y los corceles que más ligeros sean en el correr y mejores por su fuerza.

371 Dicho esto, partió Atenea, la de ojos de lechuza, cual si fuese águila; y pasmáronse todos al contemplarlo. Admiróse también el anciano cuando lo vio con sus propios ojos y, asiendo de la mano a Telémaco, pronunció estas palabras:

375 NÉSTOR. — ¡Amigo! No temo en lo sucesivo seas cobarde ni débil, ya que de tan joven te acompañan y guían los propios dioses. Pues esa deidad no es otra, de las que poseen olímpicas moradas, que la hija de Zeus, la gloriosísima Trigogenia, la que también honraba a tu esforzado padre entre los argivos. Mas tú, oh reina, sénos propicia y danos gloria ilustre a mí, y a mis hijos, y a mi venerable consorte; y te sacrificaré una novilla añal de espaciosa frente, que jamás hombre alguno haya domado ni uncido al yugo, inmolándola en tu honor después de verter oro alrededor de sus cuernos.

385 Así dijo rogando, y le oyó Palas Atenea. Néstor, el caballero gerenio, se puso al frente de sus hijos y de sus yernos, y con ellos se encaminó al hermoso palacio. Tan presto como llegaron a la ínclita morada del rey, sentáronse por orden en sillas y sillones. De allí a poco mezclábales el viejo una cratera de dulce vino, el cual había estado once años en una tinaja que abrió la despensera; mezclábalo, pues, el anciano y, haciendo libaciones, rezaba fervientemente a la hija de Zeus, que lleva la égida.

395 Hechas las libaciones y habiendo bebido todos cuanto les plugo, fueron a recogerse a sus respectivas casas; pero Néstor, el caballero gerenio, hizo que Telémaco, el caro hijo del divinal Odiseo, se acostase allí, en torneado lecho, debajo del sonoro pórtico, y que a su lado durmiese el belicoso Pisístrato, caudillo de los hombres, que era en el palacio el único hijo que se conservaba mozo. Y Néstor durmió, a su vez, en

el interior de la excelsa morada, donde se hallaba la cama en que su esposa, la reina, le aderezó el lecho.

404 Mas apenas se descubrió la hija de la mañana, la Aurora de rosáceos dedos, levantóse de la cama Néstor, el caballero gerenio, y fue a tomar asiento en unas piedras muy pulidas, blancas, lustrosas por el aceite, que estaban ante el elevado portón y en ellas se sentaba anteriormente Neleo, consejero igual a los dioses; pero ya éste, vencido por la Parca, se hallaba en el Hades, y entonces quien ocupaba aquel sitio era Néstor, el caballero gerenio, el protector de los aqueos, cuya mano empuñaba el cetro. En torno suyo juntáronse los hijos, que iban saliendo de sus habitaciones —Equefrón, Estratio, Perseo, Areto, Trasimedes, igual a un dios, y el héroe Pisístrato que llegó el sexto —, y juntos acompañaron al deiforme Telémaco y le hicieron sentar cerca del anciano. Entonces comenzó a decirles Néstor, el caballero gerenio:

418 NÉSTOR. — ¡Hijos amados! Cumplid pronto mi deseo, para que sin tardar me haga propicia a Atenea, la cual acudió visiblemente al opíparo festín que celebramos en honor del dios. Ea, uno de vosotros vaya al campo para que el vaquero traiga con la mayor prontitud una novilla; encamínese otro al negro bajel del magnánimo Telémaco y conduzca aquí todos los compañeros, sin dejar más que dos; y mande otro al orífice Laerces que venga a verter el oro alrededor de los cuernos. Los demás permaneced reunidos y decid a las esclavas que están dentro de la ínclita casa, que preparen un banquete y saquen asientos, leña y agua clara.

430 Así habló, y todos se dispusieron a obedecerle. Vino del campo la novilla: llegaron de junto a la velera y bien proporcionada nave los compañeros del magnánimo Telémaco; presentóse el broncista trayendo en la mano las broncíneas herramientas —el yunque, el martillo y las bien construidas tenazas—, instrumentos de su oficio con los cuales trabajaba el oro; compareció Atenea para asistir al sacrificio; y Néstor, el anciano jinete, dio el oro, y el artífice, después de prepararlo, lo vertió alrededor de los cuernos de la novilla para que la diosa se holgase de ver tal adorno. Estratio y el divinal Equefrón trajeron la novilla asiéndola por las astas; Areto salió de su estancia con un lebrillo floreado, lleno de agua para lavarse, en una mano, y una cesta con la mola en la otra; el intrépido Trasimedes se presentó empuñando aguda segur para herir la novilla; Perseo sostenía el vaso para recoger la sangre; y Néstor, el anciano jinete, comenzó a derramar el agua y a esparcir la mola, y ofreciendo las primicias, oraba con gran fervor a Atenea y arrojaba en el fuego los pelos de la cabeza de la víctima.

447 Hecha la plegaria y esparcida la mola, aquel hijo de Néstor, el magnánimo Trasimedes, dio desde cerca un golpe a la novilla y le cortó con la segur los tendones del cuello, dejándola sin fuerzas; y gritaron las hijas y nueras de Néstor, y también su venerable esposa, Eurídice, que era la mayor de las hijas de Clímeno. Seguidamente alzaron de la espaciosa tierra la novilla, sostuviéronla en alto y degollóla Pisístrato, príncipe de hombres. Tan pronto como la novilla se desangró y los huesos

quedaron sin vigor, la descuartizaron, cortáronle luego los muslos, haciéndolo según el rito, y, después de pringarlos con grasa por uno y otro lado y de cubrirlos con trozos de carne el anciano los puso sobre la leña encendida y los roció de vino tinto. Cerca de él, unos mancebos tenían en sus manos asadores de cinco puntas. Quemados los muslos, probaron las entrañas, y sin parar dividieron lo restante en pedazos muy pequeños, lo atravesaron con pinchos y lo asaron, sosteniendo con sus manos las puntiagudas varillas.

[464] En esto lavaba a Telémaco la bella Policasta, hija menor de Néstor Nelida. Después que lo hubo lavado y ungido con pingüe aceite, vistióle un hermoso manto y una túnica; y Telémaco salió del baño, con el cuerpo parecido al de los inmortales, y fue a sentarse junto a Néstor, pastor de pueblos.

[470] Asados los cuartos delanteros, retiráronlos de las llamas; y, sentándose todos, celebraron el banquete. Varones excelentes se levantaban a escanciar el vino en áureas copas. Y una vez saciado el deseo de comer y de beber Néstor, el caballero gerenio, comenzó a decirles:

[475] NÉSTOR. — Ea, hijos míos, aparejad caballos de hermosas crines y uncidlos al carro, para que Telémaco pueda llevar a término su viaje.

[477] Así dijo; y ellos le escucharon y obedecieron, unciendo prestamente al carro los veloces corceles. La despensera les trajo pan, vino y manjares como los que suelen comer los reyes, alumnos de Zeus. Subió Telémaco al magnífico carro y tras él Pisístrato Nestórida, príncipe de hombres, quien empuñó las riendas y azotó a los caballos para que arrancasen. Y éstos volaron gozosos hacia la llanura, dejando atrás la excelsa ciudad de Pilos y no cesando en todo el día de agitar el yugo.

[487] Poníase el sol y las tinieblas empezaban a ocupar los caminos, cuando llegaron a Feras, a la morada de Diocles, hijo de Orsíloco, a quien había engendrado Alfeo. Allí durmieron aquella noche, pues Diocles les dio hospitalidad.

[491] Mas, apenas se descubrió la hija de la mañana, la Aurora de rosáceos dedos, uncieron los corceles, subieron al labrado carro y guiáronlo por el vestíbulo y el pórtico sonoro. Pisístrato azotó a los corceles, para que arrancaran, y éstos volaron gozosos. Y habiendo llegado a una llanura que era un trigal, en seguida terminaron el viaje: ¡con tal rapidez los condujeron los briosos caballos! Y el sol se puso y las tinieblas ocuparon todos los caminos.

RAPSODIA IV

LO DE LACEDEMONIA

APENAS llegaron a la vasta y cavernosa Lacedemonia, fuéronse derechos a la mansión del glorioso Menelao y halláronle con muchos amigos, celebrando el banquete de la doble boda de su hijo y de su hija ilustre. A ésta la enviaba al hijo de Aquileo, el que rompía filas de guerreros; pues allá en Troya prestó su asentimiento y prometió entregársela, y los dioses hicieron que por fin las nupcias se llevasen al cabo. Mandábala, pues, con caballos y carros, a la ínclita ciudad de los mirmidones donde aquél reinaba. Y al propio tiempo casaba con una hija de Aléctor, llegada de Esparta, a su hijo, el fuerte Megapentes, que ya en edad madura había procreado en una esclava; pues a Helena no le concedieron las deidades otra prole que la amable Hermíone, la cual tenía la belleza de la áurea Afrodita.

15 Así se holgaban en celebrar el festín, dentro del gran palacio de elevada techumbre, los vecinos y amigos del glorioso Menelao. Un divinal aedo estábales cantando al son de la cítara y, tan pronto como tocaba el preludio, dos saltadores hacían cabriolas en medio de la muchedumbre.

20 Entonces fue cuando los dos jóvenes, el héroe Telémaco y el preclaro hijo de Néstor, detuvieron los corceles en el vestíbulo del palacio. Violes, saliendo del mismo, el noble Eteoneo, diligente servidor del ilustre Menelao, y fuese por la casa a dar la nueva al pastor de hombres. Y en llegando a su presencia, le dijo estas aladas palabras:

26 ETEONEO. — Dos hombres acaban de llegar, oh Menelao alumno de Zeus, dos varones que se asemejan a los descendientes del gran Zeus. Dime si hemos de desuncir sus veloces corceles o enviarlos a alguien que les dé amistoso acogimiento.

30 Replicóle, poseído de vehemente indignación, el rubio Menelao:

31 MENELAO. — Antes no eras tan simple, Eteoneo Boetoida; mas ahora dices tonterías como un muchacho. También nosotros, hasta que logramos volver acá, comimos frecuentemente en la hospitalaria mesa de otros varones, y quiera Zeus librarnos de la desgracia para en adelante. Desunce los caballos de los forasteros y hazles entrar a fin de que participen del banquete.

[37] Así dijo. Eteoneo salió corriendo del palacio y llamó a otros diligentes servidores para que le acompañaran. Al punto desuncieron los corceles, que sudaban debajo del yugo, los ataron a sus pesebres y les echaron espelta, mezclándola con blanca cebada; arrimaron el carro a las relucientes paredes, e introdujeron a los huéspedes en aquella divinal morada. Ellos caminaban absortos viendo el palacio del rey, alumno de Zeus; pues resplandecía con el brillo del sol o de la luna la mansión excelsa del glorioso Menelao. Después que se hartaron de contemplarla con sus ojos, fueron a lavarse en unos baños muy pulidos. Y una vez lavados y ungidos con aceite por las esclavas, que les pusieron túnicas y lanosos mantos, acomodáronse en sillas junto al Atrida Menelao. Una esclava dioles aguamanos, que traía en magnífico jarro de oro y vertió en fuente de plata, y colocó delante de ellos una pulimentada mesa. La veneranda despensera trájoles pan y dejó en la mesa buen número de manjares; obsequiándoles con los que tenía guardados. El trinchante sirvióles platos de carne de todas suertes y puso a su alcance áureas copas. Y el rubio Menelao, saludándolos con la mano, les habló de esta manera:

[60] MENELAO — Tomad manjares, refocilaos; y después que hayáis comido os preguntaremos cuáles sois de los hombres. Pues el linaje de vuestros padres no se ha perdido seguramente en la oscuridad y debéis de ser hijos de reyes, alumnos de Zeus, que llevan cetro; ya que de gente vil no nacerían semejantes varones.

[65] Así dijo; y les presentó con sus manos un pingüe lomo de buey asado, que para honrarle le habían servido. Aquéllos echaron mano a las viandas que tenían delante. Y cuando hubieron satisfecho las ganas de comer y de beber, Telémaco habló así al hijo de Néstor, acercando la cabeza para que los demás no se enteraran:

[71] TELÉMACO. — Observa, oh Nestórida carísimo a mi corazón, el resplandor del bronce en el sonoro palacio; y también el del oro, del electro, de la plata y del marfil. Así debe de ser por dentro la morada de Zeus Olímpico. ¡Cuántas cosas inenarrables! Me quedo atónito al contemplarlas.

[76] Y el rubio Menelao, adivinando lo que aquél decía, les habló con estas aladas palabras:

[78] MENELAO. — ¡Hijos amados! Ningún mortal puede competir con Zeus, cuyas moradas y posesiones son eternas; mas entre los hombres habrá quien rivalice conmigo y quien no me iguale en las riquezas que traje en mis bajeles, cumplido el año octavo, después de haber padecido y vagado mucho, pues en mis peregrinaciones fui a Chipre, a Fenicia, a los egipcios, a los etíopes, a los sidonios, a los erembos y a Libia, donde los corderitos echan cuernos muy pronto y las ovejas paren tres veces en un año. Allí nunca les faltan, ni al amo ni al pastor, ni queso, ni carnes, ni dulce leche, pues las ovejas están en disposición de ser ordeñadas en cualquier tiempo. Mientras yo andaba perdido por aquellas tierras y juntaba muchos bienes, otro me mató al hermano a escondidas, de súbito, con engaño que hubo de tramar su perniciosa mujer; y por esto vivo ahora sin

alegría entre estas riquezas que poseo. Sin duda habréis oído relatar tales cosas a vuestros padres, sean quienes fueren, pues padecí muchísimo y arruiné una magnífica casa, muy buena para ser habitada, que contenía abundantes y preciosos bienes. Ojalá morara en este palacio con sólo la tercia parte de lo que tengo, y se hubiesen salvado los que perecieron en la vasta Troya, lejos de Argos, la criadora de corceles. Mas, si bien lloro y me apesadumbro por todos (muchas veces, sentado en la sala, ya recreo mi ánimo con las lágrimas, ya dejo de hacerlo porque cansa muy pronto el terrible llanto), por nadie vierto tal copia de lágrimas ni me aflijo de igual suerte como por uno, y en acordándome de él aborrezco el dormir y el comer, porque ningún aqueo padeció lo que Odiseo hubo de sufrir y pasar: para él habían de ser los dolores y para mí una pesadumbre continua e inolvidable a causa de su prolongada ausencia y de la ignorancia en que nos hallamos de si vive o ha muerto. Y seguramente le lloran el viejo Laertes, la discreta Penélope y Telémaco, a quien dejó en su casa recién nacido.

113 Así habló, e hizo que Telémaco sintiera el deseo de llorar por su padre: al oír lo de su progenitor, desprendióse de sus ojos una lágrima que cayó al suelo; y entonces, levantando con ambas manos el purpúreo manto, se lo puso ante el rostro. Menelao lo advirtió y estuvo indeciso en su mente y en su corazón entre esperar a que él mismo hiciera mención de su padre, o interrogarle previamente e irle probando en cada cosa.

120 Mientras tales pensamientos revolvía en su mente y en su corazón, salió Helena de su perfumada estancia de elevado techo, semejante a Ártemis, la que lleva arco de oro. Púsole Adrasta un sillón hermosamente construido, sacóle Alcipe un tapete de mórbida lana y trájole Filo el canastillo de plata que le había dado Alcandra, mujer de Pólibo, el cual moraba en Tebas la de Egipto, en cuyas casas hay gran riqueza. —Pólibo regaló a Menelao dos argénteas bañeras, dos trípodes y diez talentos de oro; y por separado dio la mujer a Helena estos hermosos presentes: una rueca de oro y un canastillo redondo, de plata, con los bordes de oro—. La esclava Filo dejó, pues, el canastillo repleto de hilo ya devanado, y puso encima la rueca con lana de color violáceo. Sentóse Helena en el sillón provisto de un escabel para los pies, y al momento interrogó a su marido con estas palabras:

138 HELENA. — ¿Sabemos ya, oh Menelao, alumno de Zeus, quiénes se glorian de ser esos hombres que han venido a nuestra morada? ¿Me engañaré o será verdad lo que voy a decir? El corazón me dice que hable. Jamás vi persona alguna, ni hombre, ni mujer, tan parecida a otra (¡me quedo atónita al contemplarlo!) como éste se asemeja al hijo del magnánimo Odiseo, a Telémaco, a quien dejó recién nacido en su casa cuando los aqueos fuisteis por mí, ojos de perra, a empeñar fieros combates con los troyanos.

147 Respondióle el rubio Menelao:

148 MENELAO.— Ya se me había ocurrido, oh mujer, lo que supones; que tales eran los pies de aquél, y las manos, y el mirar de los ojos, y la

cabeza, y el pelo que la cubría. Ahora mismo acordándome de Odiseo, les relataba cuántos trabajos padeció por mi causa, y ése comenzó a verter amargas lágrimas y se puso ante los ojos el purpúreo manto.

155 Entonces Pisístrato Nestórida habló diciendo:

156 PISÍSTRATO. — ¡Menelao Atrida, alumno de Zeus, príncipe de hombres! En verdad que es hijo de quien dices, pero tiene discreción y no cree decoroso, habiendo llegado por vez primera, decir palabras frívolas delante de ti, cuya voz escuchamos con el mismo placer que si fuese la de alguna deidad. Con él me ha enviado Néstor, el caballero gerenio, para que le acompañe, pues deseaba verte a fin de que le aconsejaras lo que ha de decir o llevar a cabo que muchos males padece en su casa el hijo cuyo padre está ausente, si no tiene otras personas que le auxilien como ahora le ocurre a Telémaco: fuese su padre y no hay en todo el pueblo quien pueda librarle del infortunio.

168 Respondióle el rubio Menelao:

169 MENELAO. — ¡Oh dioses! Ha llegado a mi casa el hijo del caro varón que por mí sostuvo tantas y tan trabajosas luchas y a quien había hecho intención de amar, cuando volviese, más que a ningún otro de los argivos, si el largovidente Zeus Olímpico permitía que nos restituyéramos a la patria, atravesando el mar con las veloces naves. Y le asignara una ciudad en Argos, para que la habitase, y le labrara un palacio, trayéndolo de Ítaca a él con sus riquezas y su hijo y todo el pueblo, después de hacer evacuar una sola de las ciudades circunvecinas sobre las cuales se ejerce mi imperio. Y nos hubiésemos tratado frecuentemente y, siempre amigos y dichosos, nada nos habría separado hasta que se extendiera sobre nosotros la nube sombría de la muerte. Mas de esto debió de tener envidia el dios que ha privado a aquel infeliz, a él tan sólo, de tornar a la patria.

183 Así dijo, y a todos les excitó el deseo del llanto. Lloraba la argiva Helena, hija de Zeus, lloraban Telémaco y el Atrida Menelao; y el hijo de Néstor no se quedó con los ojos muy enjutos de lágrimas, pues le volvía a la memoria el irreprensible Antíloco a quien había dado muerte el hijo ilustre de la resplandeciente Aurora. Y acordándose del mismo, pronunció estas aladas palabras:

190 PISÍSTRATO. — ¡Atrida! Decíamos al anciano Néstor siempre, que en el palacio se hablaba de ti, conversando los unos con los otros, que en prudencia excedes a los demás mortales. Pues ahora pon en práctica, si posible fuere, este mi consejo. Yo no gusto de lamentarme en la cena; pero, cuando apunte la Aurora, hija de la mañana, no llevaré a mal que se llore a aquel que haya muerto en cumplimiento de su destino, porque tan sólo esta honra les queda a los míseros mortales: que los suyos se corten la cabellera y surquen con lágrimas las mejillas. También murió mi hermano, que no era ciertamente el peor de los argivos; y tú le debiste de conocer (yo ni estuve allá, ni llegué a verle), y dicen que descollaba entre todos, así en la carrera como en las batallas.

203 Respondióle el rubio Menelao:

[204] MENELAO. — ¡Amigo! Has hablado como lo hiciera un varón sensato que tuviese más edad. De tal padre eres hijo, y por esto te expresas con gran prudencia. Fácil es conocer la prole del hombre a quien el Cronión tiene destinada la dicha desde que se casa o desde que ha nacido; como ahora concedió a Néstor constantemente, todos los días, que disfrute de placentera vejez en el palacio y que sus hijos sean discretos y sumamente hábiles en manejar la lanza. Pongamos fin al llanto que ahora hicimos, tornemos a acordarnos de la cena, y demos agua a las manos. Y en cuanto aparezca la Aurora no nos faltarán palabras a Telémaco y a mí para que juntos conversemos.

[216] Así habló. Dioles aguamanos Asfalión, diligente servidor del glorioso Menelao, y acto continuo echaron mano a las viandas que tenían delante.

[219] Entonces Helena, hija de Zeus, ordenó otra cosa. Echó en el vino que estaban bebiendo una droga contra el llanto y la cólera, que hacía olvidar todos los males. Quien la tomare, después de mezclarla en la cratera, no logrará que en todo el día le caiga una sola lágrima en las mejillas aunque con sus propios ojos vea morir a su madre y a su padre o degollar con el bronce a su hermano o a su mismo hijo. Tan excelentes y bien preparadas drogas guardaba en su poder la hija de Zeus por habérselas dado la egipcia Polidamna, mujer de Ton, y cuya fértil tierra produce muchísimas, y la mezcla de unas es saludable y la de otras nociva. Allí cada individuo es un médico que descuella por su saber entre todos los hombres, porque viene del linaje de Peón. Y Helena, al punto que hubo echado la droga, mandó escanciar el vino y volvió a hablarles de esta manera:

[235] HELENA. — ¡Atrida Menelao, alumno de Zeus, y vosotros, hijos de nobles varones! En verdad que el dios Zeus, como lo puede todo, ya nos manda bienes, ya nos envía males; comed ahora, sentados en esta sala, y deleitaos con la conversación, que yo os diré cosas oportunas. No podría narrar ni referir todos los trabajos del paciente Odiseo y contaré tan sólo esto, que el fuerte varón ejecutó y sobrellevó en el pueblo troyano donde tantos males padecisteis los aqueos. Infirióse vergonzosas heridas, echóse a la espalda unos viles andrajos, como si fuera un siervo, y se entró por la ciudad de anchas calles donde sus enemigos habitaban. Así, encubriendo su persona, se transfiguró en otro varón, en un mendigo, quien no era tal ciertamente junto a las naves aqueas. Con tal figura penetró en la ciudad de Troya. Todos se dejaron engañar y yo sola le reconocí e interrogué, pero él con sus mañas se me escabullía. Mas cuando lo hube lavado y ungido con aceite, y le entregué un vestido, y le prometí con firme juramento que a Odiseo no se le descubriría a los troyanos hasta que llegara nuevamente a las tiendas y a las veleras naves, entonces me refirió todo lo que tenían proyectado los aqueos. Y después de matar con el bronce de larga punta a buen número de troyanos, volvió a los argivos, llevándose el conocimiento de muchas cosas. Prorrumpieron las troyanas en fuertes sollozos y a mí el pecho se me llenaba de júbilo

porque ya sentía en mi corazón el deseo de volver a mi casa y deploraba el error en que me había puesto Afrodita cuando me condujo allá, lejos de mi patria, y hube de abandonar a mi hija, el tálamo y un marido que a nadie le cede ni en inteligencia ni en gallardía.

265 Respondióle el rubio Menelao:

266 MENELAO. — Sí, mujer, con gran exactitud lo has contado. Conocí el modo de pensar y de sentir de muchos héroes, pues llevo recorrida gran parte de la tierra; pero mis ojos jamás pudieron dar con un hombre que tuviera el corazón de Odiseo, de ánimo paciente. ¡Qué no hizo y sufrió aquel fuerte varón en el caballo de pulimentada madera, cuyo interior ocupábamos los mejores argivos para llevar a los troyanos la carnicería y la muerte! Viniste tú en persona (pues debió de moverte algún numen que anhelaba dar gloria a los troyanos) y te seguía Deífobo, semejante a los dioses. Tres veces anduviste alrededor de la hueca emboscada, tocándola y llamando por su nombre a los más valientes dánaos; y, al hacerlo, remedabas la voz de las esposas de cada uno de los argivos. Yo y el Tidida, que con el divinal Odiseo estábamos en el centro, te oímos cuando nos llamaste y queríamos salir o responder desde dentro; mas Odiseo lo impidió y nos contuvo a pesar de nuestro deseo. Entonces todos los demás hijos de los aqueos permanecieron en silencio y sólo Anticlo deseaba responderte con palabras; pero Odiseo le tapó la boca con sus robustas manos y salvó a todos los aqueos con sujetarle continuamente hasta que te apartó de allí Palas Atenea.

290 Replicóle el prudente Telémaco:

291 TELÉMACO. — ¡Atrida Menelao, alumno de Zeus, príncipe de hombres! Más doloroso es que sea así, pues ninguna de estas cosas le libró de una muerte deplorable, ni la evitara aunque tuviese un corazón de hierro. Mas, ea, mándanos a la cama para que, acostándonos, nos regalemos con el dulce sueño.

296 Así dijo. La argiva Helena mandó a las esclavas que pusiesen lechos debajo del pórtico, los proveyesen de hermosos cobertores de púrpura, extendiesen por encima colchas, y dejasen en ellos afelpadas túnicas para abrigarse. Las doncellas salieron del palacio con hachas encendidas y aderezaron las camas, y un heraldo acompañó a los huéspedes. Así se acostaron en el vestíbulo de la casa del héroe Telémaco y el ilustre hijo de Néstor; mientras que el Atrida durmió en el interior de la excelsa morada y junto a él Helena, la del largo pelo, la divina sobre todas las mujeres.

306 Mas, al punto que apareció la hija de la mañana, la Aurora de rosáceos dedos, Menelao, valiente en el combate, se levantó de la cama, púsose sus vestidos, colgóse al hombro la aguda espada, calzó sus blancos pies con hermosas sandalias y, parecido a un dios, salió de la habitación, fue a sentarse junto a Telémaco, llamóle y así le dijo:

312 MENELAO. — ¡Héroe Telémaco! ¿Qué necesidad te ha obligado a venir aquí; a la divina Lacedemonia, por el ancho dorso del mar? ¿Es algún asunto del pueblo o propio tuyo? Dímelo francamente.

315 Respondióle el prudente Telémaco:

316 TELÉMACO. — ¡Atrida Menelao, alumno de Zeus, príncipe de hombres! He venido por si me pudieres dar alguna nueva de mi padre. Consúmese todo lo de mi casa y se pierden las ricas heredades: el palacio está lleno de hombres malévolos que, pretendiendo a mi madre y portándose con gran insolencia, matan continuamente las ovejas de mis copiosos rebaños y los flexípedes bueyes de retorcidos cuernos. Por tal razón vengo a abrazar tus rodillas por si quisieras contarme la triste muerte de aquél, ora la hayas visto con tus ojos, ora la hayas oído referir a algún peregrino, que muy sin ventura lo parió su madre. Y nada atenúes por respeto o compasión que me tengas; al contrario, entérame bien de lo que hayas visto. Yo te lo ruego: si mi padre, el noble Odiseo, te cumplió algún día su palabra o llevó al cabo alguna acción que te hubiese prometido, allá en el pueblo de los troyanos donde tantos males padecisteis los aqueos, acuérdate de la misma y dime la verdad de lo que te pregunto.

332 Y el rubio Menelao le contestó indignadísimo:

333 MENELAO. —"¡Oh dioses! En verdad que pretenden dormir en la cama de un varón muy esforzado aquellos hombres tan cobardes. Así como una cierva acostó sus hijuelos recién nacidos en la guarida de un bravo león y fuese a pacer por los bosques y los herbosos valles y el león volvió a la madriguera y dio a entrambos cervatillos indigna muerte, de semejante modo también Odiseo les ha de dar a aquéllos vergonzosa muerte. Ojalá se mostrase, ¡oh padre Zeus, Atenea, Apolo!, tal como era cuando en la bien construida Lesbos se levantó contra el Filomelida, en una disputa y luchó con él, y lo derribó con ímpetu, de lo cual se alegraron todos los aqueos; si, mostrándose tal, se encontrara Odiseo con los pretendientes, fuera corta la vida de éstos y las bodas se les volverían muy amargas. Pero en lo que me preguntas y suplicas que te cuente, no querría apartarme de la verdad ni engañarte; y de cuantas cosas me refirió el veraz anciano de los mares, no te callaré ni ocultaré ninguna.

351 »Los dioses me habían detenido en Egipto, a pesar de mi anhelo de volver acá, por no haberles sacrificado hecatombes perfectas que las deidades quieren que no se nos vayan de la memoria sus mandamientos. Hay en el alborotado ponto una isla, enfrente del Egipto, que la llaman Faro y se halla tan lejos de él cuanto puede andar en todo el día una cóncava embarcación si la empuja sonoro viento. Tiene la isla un puerto excelente para fondear, desde el cual echan al ponto las bien proporcionadas naves, después de hacer aguada en un manantial profundo. Allí me detuvieron los dioses veinte días, sin que se alzaran los vientos favorables que soplan en el mar y conducen los bajeles por su ancho dorso. Ya todos los bastimentos se me iban agotando y también menguaba el ánimo de los hombres; pero me salvó una diosa que tuvo piedad de mí: Idotea, hija del fuerte Proteo, el anciano de los mares; la cual, sintiendo conmovérsele el corazón, se me hizo encontradiza mientras vagaba solo y apartado de mis hombres, que andaban continuamente por la isla pes-

cando con corvos anzuelos, pues el hambre les atormentaba el vientre. Paróse Idotea y díjome estas palabras:

[371] "IDOTEA. — ¡Forastero! ¿Eres así, tan simple e inadvertido? ¿O te abandonas voluntariamente y te huelgas de pasar dolores, puesto que, detenido en la isla desde largo tiempo, no hallas medio de poner fin a semejante situación a pesar de que ya desfallece el ánimo de tus amigos?

[375] "Así habló, y le respondí de este modo:

[376] "MENELAO. — Te diré, seas cual fueres de las diosas, que no estoy detenido por mi voluntad, sino que debo de haber pecado contra los inmortales que habitan el anchuroso cielo. Mas revélame (ya que los dioses lo saben todo) cuál de los inmortales me detiene y me cierra el camino, y cómo podré llegar a la patria, atravesando el mar en peces abundoso.

[382] "Así le hablé. Contestóme al punto la divina entre las diosas:

[383] "IDOTEA. — ¡Oh forastero! Voy a informarte con gran sinceridad. Frecuenta este sitio el veraz anciano de los mares, el inmortal Proteo egipcio, que conoce las honduras de todo el mar y es servidor de Posidón: dicen que es mi padre, que fue él quien me engendró. Si, poniéndote en asechanza, lograres agarrarlo de cualquier manera, te diría el camino que has de seguir, cuál será su duración y cómo podrás restituirte a la patria, atravesando el mar en peces abundoso. Y también te relataría, oh alumno de Zeus, si deseares saberlo, lo malo o lo bueno que haya ocurrido en tu casa desde que te ausentaste para hacer este viaje largo y dificultoso.

[394] "Así dijo; y le contesté diciendo:

[395] "MENELAO. — Enséñame tú misma la asechanza que he de tender al divinal anciano: no sea que me descubra antes de tiempo o llegue a conocer mi treta, y se escape; que es muy difícil para un hombre mortal sujetar a un dios.

[398] "Así le dije, y respondióme la divina entre las diosas:

[399] "IDOTEA. — ¡Oh forastero! Voy a instruirte con gran sinceridad. Cuando el sol, siguiendo su curso, llega al centro del cielo, el veraz anciano de los mares, oculto por negras y encrespadas olas, salta en tierra al soplo del Céfiro. En seguida se acuesta en honda gruta y a su alrededor se ponen a dormir, todas juntas, las focas de natátiles pies, hijas de la hermosa Halosidne, que salen del espumoso mar exhalando el acerbo olor del mar profundísimo. Allí he de llevarte, al romper el día a fin de que te pongas acostado y contigo los tuyos por el debido orden; que para ello escogerás tres compañeros, los mejores que tengas en las naves de muchos bancos. Voy a decirte todas las astucias del anciano. Primero contará las focas, paseándose por entre ellas; y, después de contarlas de cinco en cinco y de mirarlas todas, se acostará en el centro como un pastor en medio de un rebaño de ovejas. Tan pronto como le viereis dormido, cuidad de tener fuerza y valor, y sujetadle allí mismo aunque desee e intente escaparse. Entonces probará de convertirse en todos los seres que se arrastran por la tierra, y en agua, y en ardentísimo fuego; pero

vosotros tenedle con firmeza y apretadle más. Y cuando te interrogue con palabras, mostrándose tal como lo visteis dormido, abstente de emplear la violencia: deja libre al anciano, oh héroe, y pregúntale cuál de las deidades se te opone y cómo podrás volver a la patria, atravesando el mar en peces abundoso.

425 "Cuando esto hubo dicho, sumergióse en el agitado ponto. Yo me encaminé a las naves, que se hallaban sobre la arena, mientras mi corazón revolvía muchas trazas. Apenas hube llegado a mi bajel y al mar, aparejamos la cena; vino en seguida la divinal noche y nos acostamos en la playa. Y así que se descubrió la hija de la mañana, la Aurora de rosáceos dedos, me fui a la orilla del mar, de anchos caminos, haciendo fervientes súplicas a los dioses; y me llevé los tres compañeros en quienes tenía más confianza para cualquier empresa.

435 "En tanto, la diosa, que se había sumergido en el vasto seno del mar, sacó cuatro pieles de focas recientemente desolladas; pues con ellas pensaba urdir la asechanza contra su padre. Y habiendo cavado unos hoyos en la arena de la playa, nos aguardaba sentada. No bien llegamos, hizo que nos tendiéramos por orden dentro de los hoyos y nos echó encima sendas pieles de foca. Fue la tal asechanza molesta en extremo, pues el malísimo hedor de las focas, criadas en el mar, nos encalabrinaba terriblemente. ¿Quién podría acostarse junto a un monstruo marino? Pero ella nos salvó con idear un gran remedio: nos puso en las narices una poca de ambrosía, la cual, despidiendo olor suave, quitó el hedor de aquellos monstruos. Toda la mañana estuvimos esperando con ánimo paciente; hasta que al fin las focas salieron juntas del mar y se tendieron por orden en la ribera. Era mediodía cuando vino del mar el anciano: halló las obesas focas, paseóse por entre ellas y contó su número. La cuenta de los cetáceos la comenzó por nosotros, sin que en su corazón sospechase el engaño; y, luego, acostóse también. Entonces acometímosle con inmensa gritería y todos le echamos mano. No olvidó el viejo sus dolosos artificios; transfiguróse sucesivamente en melenudo león, en dragón, en pantera y en corpulento jabalí; después se nos convirtió en agua líquida y hasta en árbol de excelsa copa. Mas, como lo teníamos reciamente asido, con ánimo firme, aburrióse al cabo aquel astuto viejo y díjome de esta suerte:

462 "PROTEO. — ¡Hijo de Atreo! ¿Cuál de los dioses te aconsejó para que me asieras contra mi voluntad, armándome tal asechanza? ¿Qué deseas?

464 "Así se expresó; y le contesté diciendo:

465 "MELENAO. — Lo sabes, anciano. ¿Por qué hablas de ese modo, con ánimo de engañarme? Sabes que, detenido en la isla desde largo tiempo, no hallo medio de poner fin a tal situación y ya mi ánimo desfallece. Mas revélame (puesto que los dioses lo saben todo) cuál de los inmortales me detiene y me cierra el camino, y cómo podré llegar a la patria atravesando el mar en peces abundoso.

471 "Así le dije. Y en seguida me respondió de esta manera:

472 "PROTEO. — Debieras haber ofrecido, antes de embarcarte, hermosos sacrificios a Zeus y a los demás dioses para llegar sin dilación a tu patria, navegando por el vinoso ponto. El hado ha dispuesto que no veas a tus amigos, ni vuelvas a tu casa bien construida y a la patria tierra, hasta que tornes a las aguas del Egipto, río que las lluvias celestiales alimentan, y sacrifiques sacras hecatombes a los inmortales dioses que poseen el anchuroso cielo: entonces te permitirán las deidades hacer el camino que apeteces.

481 "De esta suerte habló: se me partía el corazón al considerar que me ordenaba volver a Egipto por el oscuro ponto, viaje largo y dificultoso. Mas, con todo eso, le contesté diciendo:

485 "MENELAO. — Haré, oh anciano, lo que me mandas. Pero, ea, dime sinceramente si volvieron salvos en sus naves los aqueos a quienes Néstor y yo dejamos al partir de Troya, o si alguno pereció de cruel muerte en su nave o en brazos de los amigos, después que se acabó la guerra.

491 "Así le hablé y me respondió acto seguido:

492 "PROTEO. — ¡Atrida! ¿Por qué me preguntas tales cosas? No te cumple a ti conocerlas, ni explorar mi pensamiento; y me figuro que no estarás mucho rato sin llorar tan luego como las sepas todas. Muchos de aquéllos sucumbieron y muchos se salvaron. Sólo dos capitanes de los aqueos, de broncíneas corazas, perecieron en la vuelta; pues en cuanto a las batallas, tú mismo las presenciaste. Uno, vivo aún, se encuentra detenido en el anchuroso ponto. Ayante sucumbió con sus naves de largos remos: primeramente acercóle Posidón a las grandes rocas Giras, sacándole incólume del mar; y se librara de la muerte aunque aborrecido de Atenea, si no hubiese soltado una expresión soberbia que le ocasionó gran daño: dijo que, aun a despecho de los dioses, escaparía del gran abismo del mar. Posidón oyó sus jactanciosas palabras, y, al instante, agarrando con las robustas manos el tridente, golpeó la roca Girea y partióla en dos: uno de los pedazos quedó allí, y el otro, en el cual hubo de sentarse Ayante anteriormente para recibir gran daño, cayó en el piélago y llevóse al héroe al inmenso y undoso ponto. Y allí murió, después de engullir la salobre agua del mar. Tu hermano huyó los hados en las cóncavas naves, pues le salvó la veneranda Hera. Mas, cuando iba a llegar al excelso monte de Malea, arrebatóle una tempestad que le llevó por el ponto abundante en peces, mientras daba grandes gemidos, a una extremidad del campo donde antiguamente tuvo Tiestes la casa que habitaba entonces Egisto Tiestíada. Ya desde allí les pareció la vuelta segura y, como los dioses hicieron que cambiara el viento, llegaron por fin a sus casas. Agamenón pisó alegre el suelo de su patria, que tocaba y besaba, y de sus ojos corrían ardientes lágrimas al contemplar con júbilo aquella tierra. Pero viole desde una eminencia un atalaya, puesto allí por el doloso Egisto que le prometió como gratificación dos talentos de oro, el cual hacía un año que vigilaba (no fuera que Agamenón viniese sin ser advertido y mostrase su impetuoso valor) y en seguida se fue al palacio a dar la nueva al pastor de los hombres. Y Egisto urdió al momento una

engañosa trama: escogió de entre el pueblo veinte hombres muy valientes y los puso en emboscada, mientras, por otra parte, ordenaba que se aparejase un banquete. Fuese después a invitar a Agamenón, pastor de hombres, con caballos y carros, revolviendo en su ánimo indignas tramoyas. Y se llevó al héroe, que nada sospechaba acerca de la muerte que le habían preparado, diole de comer y le quitó la vida como se mata a un buey junto al pesebre. No quedó ninguno de los compañeros del Atrida que con él llegaron, ni se escapó ninguno de los de Egisto, sino que todos fueron muertos en el palacio.

538 "Así dijo. Sentí destrozárseme el corazón y sentado en la arena, lloraba y no quería vivir ni contemplar ya la lumbre del sol. Mas, cuando me harté de llorar y de revolcarme por el suelo, hablóme así el veraz anciano de los mares:

543 "PROTEO. — No llores, oh hijo de Atreo, mucho tiempo y sin tomar descanso, que ningún remedio se puede hallar. Pero haz por volver lo antes posible a la patria tierra y hallarás a aquél, vivo aún; y, si Orestes se te adelantara y lo matase, llegarás para el banquete fúnebre.

548 "Así se expresó. Regocijéme en mi corazón y en mi ánimo generoso, aunque me sentía afligido, y hablé al anciano con estas aladas palabras:

551 "MENELAO. — Ya sé de éstos. Nómbrame el tercer varón, aquel que, vivo aún, hállase detenido en el anchuroso ponto, o quizás ha muerto. Pues, a pesar de que estoy triste, deseo tener noticias suyas.

554 "Así le dije, y me respondió en el acto:

555 "PROTEO. — Es el hijo de Laertes, el que tiene en Ítaca su morada. Le vi en una isla y echaba de sus ojos abundantes lágrimas: está en el palacio de la ninfa Calipso, que le detiene por fuerza, y no le es posible llegar a su patria tierra porque no dispone de naves provistas de remos ni de compañeros que le conduzcan por el ancho dorso del mar. Por lo que a ti se refiere, oh Menelao, alumno de Zeus, el hado no ordena que acabes la vida y cumplas tu destino en Argos, país fértil de corceles, sino que los inmortales te enviarán a los Campos Elíseos, al extremo de la tierra, donde se halla el rubio Radamentis (allí los hombres viven dichosamente, allí jamás hay nieve, ni invierno largo, ni lluvia, sino que el Océano manda siempre las brisas del Céfiro, de sonoro soplo, para dar a los hombres más frescura), porque siendo Helena tu mujer, eres para los dioses el yerno de Zeus.

570 "Cuando esto hubo dicho, sumergióse en el agitado ponto. Yo me encaminé hacia los bajeles, con mis divinales compañeros, y mi corazón revolvía muchas trazas. Así que hubimos llegado a mi embarcación y al mar, aparejamos la cena; vino muy pronto la divina noche y nos acostamos en la playa. Y al punto que se descubrió la hija de la mañana, la Aurora de rosáceos dedos, echamos las bien proporcionadas naves en el mar divino y les pusimos sus mástiles y velas; después, sentáronse mis compañeros ordenadamente en los bancos y comenzaron a batir con los remos el espumoso mar. Volví a detener las naves en el Egipto, río que

las celestiales lluvias alimentan, y sacrifiqué cumplidas hecatombes. Aplacada la ira de los sempiternos dioses, erigí un túmulo a Agamenón para que su gloria fuera inextinguible. En acabando estas cosas, emprendí la vuelta y los inmortales concediéronme próspero viento y trajéronme con gran rapidez a mi querida patria. Mas, ea, quédate en el palacio hasta que llegue la undécima o duodécima aurora y entonces te despediré regalándote como espléndidos presentes tres caballos y un carro hermosamente labrado; y también tengo de darte una magnífica copa para que hagas libaciones a los inmortales dioses y te acuerdes de mí todos los días."

593 Respondióle el prudente Telémaco:

594 TELÉMACO. — ¡Atrida! No me detengas mucho tiempo. Yo pasaría un año a tu lado, sin sentir soledad de mi casa ni de mis padres (pues me deleita muchísimo oír tus palabras y razones); mas deben de aburrirse mis compañeros en la divina Pilos y hace ya mucho que me detienes. El don que me hagas consista en algo que se pueda guardar. Los corceles no pienso llevarlos a Ítaca, sino que los dejaré para tu ornamento, ya que reinas sobre un gran llano en que hay mucho loto, juncia, trigo, espelta y blanca cebada muy lozana. Ítaca no tiene lugares espaciosos donde se pueda correr, ni prado alguno, que es tierra apta para pacer cabras y más agradable que las que nutren caballos. Las islas, que se inclinan hacia el mar, no son propias para la equitación ni tienen hermosos prados, e Ítaca menos que ninguna.

609 Así dijo. Sonrióse Menelao, valiente en la pelea, y, acariciándole con la mano, le habló de esta manera:

611 MENELAO. — ¡Hijo querido! Bien se muestra en lo que hablas la noble sangre de que procedes. Cambiaré el regalo, ya que puedo hacerlo, y de cuantas cosas se guardan en mi palacio voy a darte la más bella y preciosa. Te haré el presente de una cratera labrada, toda de plata con los bordes de oro, que es obra de Hefesto y diómela el héroe Fédimo, rey de los sidonios, cuando me acogió en su casa al volver yo a la mía. Tal es lo que deseo regalarte.

620 Así éstos conversaban. Los convidados fueron llegando a la mansión del divino rey: unos traían ovejas, otros confortante vino; y sus esposas, que llevaban hermosas cintas, enviáronles el pan. De tal suerte se ocupaban, dentro del palacio, en preparar la comida.

625 Mientras tanto solazábanse los pretendientes ante el palacio de Odiseo, tirando discos y jabalinas en el labrado pavimento donde acostumbraban ejecutar sus insolentes acciones. Antínoo estaba sentado y también el deiforme Eurímaco, que eran los príncipes de los pretendientes y sobre todos descollaban por su bravura. Y fue a buscarlos Noemón, hijo de Fronio; el cual, dirigiéndose a Antínoo, interrogóle con estas palabras:

632 NOEMÓN. — ¡Antínoo! ¿Sabemos, por ventura, cuándo Telémaco volverá de la arenosa Pilos? Se fue en mi nave y ahora la necesito para ir a la vasta Élide, que allí tengo doce yeguas de vientre y sufridos mulos aún sin desbravar, y traería alguno de éstos para domarlo.

638 Así dijo; y quedáronse atónitos porque no se figuraban que Telémaco hubiese tomado la ruta de Pilos, la ciudad de Neleo, sino que estaba en el campo, viendo las ovejas en la cabaña del porquerizo.

641 Mas al fin Antínoo, hijo de Eupites, contestóle diciendo:

642 ANTÍNOO. — Habla con sinceridad. ¿Cuándo se fue y qué jóvenes le siguieron? ¿Son mancebos de Ítaca escogidos o quizás hombres asalariados y esclavos suyos? Pues también pudo hacerlo de semejante manera. Refiéreme asimismo la verdad de esto, para que yo me entere: ¿te quitó la negra nave por fuerza y mal de tu grado, o se la diste voluntariamente cuando fue a hablarte?

648 Noemón, hijo de Fronio, le respondió de esta guisa:

649 NOEMÓN. — Se la di yo mismo y de buen grado. ¿Qué hiciera cualquier otro, pidiéndola un varón tan ilustre y lleno de cuidados? Difícil hubiera sido negársela. Los mancebos que le acompañan son los que más sobresalen en el pueblo, entre nosotros, y como capitán vi embarcarse a Mentor o a un dios que en todo le era semejante. Mas, de una cosa estoy asombrado: ayer, cuando alboreaba la aurora, vi aquí al divinal Mentor y entonces se embarcó para ir a Pilos.

657 Dicho esto, fuese Noemón a la casa de su padre. Indignáronse en su corazón soberbio Antínoo y Eurímaco; y los demás pretendientes se sentaron con ellos, cesando de jugar. Y ante todos habló Antínoo, hijo de Eupites, que estaba afligido y tenía las negras entrañas llenas de cólera y los ojos parecidos al relumbrante fuego:

663 ANTÍNOO. — ¡Oh dioses! ¡Gran proeza ha ejecutado orgullosamente Telémaco con ese viaje! ¡Y decíamos que no lo llevaría a efecto! Contra la voluntad de muchos se fue el niño; habiendo logrado botar una nave y elegir a los otros; ojalá que Zeus le aniquile las fuerzas, antes que llegue a la flor de la juventud. Mas, ea, facilitadme ligero bajel y veinte compañeros, y le armaré una emboscada cuando vuelva, acechando su retorno en el estrecho que separa a Ítaca de la escabrosa Samos, a fin de que le resulte funestísima la navegación que emprendió para tener noticias de su padre.

637 Así les dijo. Todos lo aprobaron, exhortándole a ponerlo por obra; y levantándose, se fueron en seguida al palacio de Odiseo.

675 No tardó Penélope en saber los intentos que los pretendientes formaban en secreto, porque se lo dijo el heraldo Medonte, que oyó lo que hablaban desde el exterior del patio mientras en éste urdían la trama. Entró pues, en la casa para contárselo a Penélope; y ésta, al verle en el umbral, le habló diciendo:

681 PENÉLOPE. — ¡Heraldo! ¿Con qué fin te envían los ilustres pretendientes? ¿Acaso para decir a las esclavas del divino Odiseo que suspendan el trabajo y les preparen el festín? Ojalá dejaran de pretenderme y de frecuentar esta morada, celebrando hoy su postrera y última comida. Oh vosotros, los que, reuniéndose a menudo, consumís los muchos bienes que constituyen la herencia del prudente Telémaco: ¿no oísteis decir a vuestros padres, cuando erais todavía niños, de qué mane-

ra los trataba Odiseo que a nadie hizo agravio ni profirió en el pueblo palabras ofensivas, como suelen hacer los divinales reyes, que aborrecen a unos hombres y aman a otros? Jamás cometió aquél la menor iniquidad contra hombre alguno; y ahora son bien patentes vuestro ánimo y vuestras malvadas acciones, porque ninguna gratitud mostráis a los beneficios.

696 Entonces le respondió Medonte, que concebía sensatos pensamientos:

697 MEDONTE. — Fuera ése, oh reina, el mal mayor. Pero los pretendientes fraguan ahora otro más grande y más grave, que ojalá el Cronión no lleve a término. Intentan matar a Telémaco con el agudo bronce, al punto que llegue a este palacio; pues ha ido a la sagrada Pilos y a la divina Lacedemonia en busca de noticias de su padre.

703 Así dijo. Penélope sintió desfallecer sus rodillas y su corazón, estuvo un buen rato sin poder hablar, llenáronse de lágrimas sus ojos y la voz sonora se le cortó. Mas al fin hubo de responder con estas palabras:

707 PENÉLOPE. — ¡Heraldo! ¿Por qué se fue mi hijo?

Ninguna necesidad tenía de embarcarse en las naves de ligero curso, que sirven a los hombres como caballos por el mar y atraviesan la grande extensión del agua. ¿Lo hizo acaso para que ni memoria quede de su nombre entre los mortales?

711 Le contestó Medonte, que concebía sensatos pensamientos:

712 MEDONTE. — Ignoro si le incitó alguna deidad o fue únicamente su corazón quien le impulsó a ir a Pilos para saber noticias de la vuelta de su padre, y tampoco sé cuál suerte le haya cabido.

715 En diciendo esto, fuese por la morada de Odiseo. Apoderóse de Penélope el dolor, que destruye los ánimos, y ya no pudo permanecer sentada en la silla, habiendo muchas en la casa; sino que se sentó en el umbral del labrado aposento y lamentábase de tal modo que movía a compasión. En torno suyo plañían todas las esclavas del palacio, así las jóvenes como las viejas. Y díjoles Penélope, mientras derramaba abundantes lágrimas:

722 PENÉLOPE. — Oídme, amigas; pues el Olímpico me ha dado más pesares que a ninguna de las que conmigo nacieron y se criaron: anteriormente perdí un egregio esposo que tenía el ánimo de un león y descollaba sobre los dánaos en toda clase de excelencias, varón ilustre cuya fama se difundía por la Helade y en medio de Argos; y ahora las tempestades se habrán llevado del palacio a mi hijo querido, sin gloria y sin que ni siquiera me enterara de su partida. ¡Crueles! ¡A ninguna de vosotras le vino a las mientes hacerme levantar de la cama, y supisteis con certeza cuándo aquél se fue a embarcar en la cóncava y negra nave! Pues, a llegar a mis oídos que proyectaba ese viaje, quedárase en casa, por deseoso que estuviera de partir, o me hubiese dejado muerta en el palacio. Vaya alguna a llamar prestamente al anciano Dolio, mi esclavo, el que me dio mi padre cuando vine aquí y cuida de mi huerto poblado de muchos árboles, para que corra en busca de Laertes y se lo cuente todo; por si Laertes,

ideando algo, sale a quejarse de los ciudadanos que desean exterminarle el linaje, el de Odiseo igual a un dios.

742 Díjole entonces Euriclea, su nodriza amada:

743 EURICLEA. — ¡Niña querida! Ya me mates con el cruel bronce, ya me dejes viva en el palacio, nada te quiero ocultar. Yo lo supe todo y di a Telémaco cuanto me ordenó, pan y dulce vino; pero me hizo prestar solemne juramento de que no te lo dijese hasta el duodécimo día o hasta que te aquejara el deseo de verle u oyeras decir que había partido, a fin de evitar que lloraras, dañando así tu hermoso cuerpo. Mas ahora, sube con tus esclavas a lo alto de la casa, lávate, envuelve tu cuerpo en vestidos puros, ora a Atenea, hija de Zeus, que lleva la égida, y la diosa salvará a tu hijo de la muerte. No angusties más a un anciano afligido, pues yo no creo que el linaje del Arcesíada les sea odioso hasta tal grado a los bienaventurados dioses; sino que siempre quedará alguien que posea la casa de elevada techumbre y los extensos y fértiles campos.

758 Así le dijo y calmóle el llanto, consiguiendo que sus ojos dejaran de llorar. Lavóse Penélope, envolvió su cuerpo en vestidos puros, subió con las esclavas a lo alto de la casa, puso la mola en un cestillo, y oró de este modo a la diosa Atenea:

762 PENÉLOPE. — ¡Óyeme, hija de Zeus que lleva la égida, Indómita! Si alguna vez el ingenioso Odiseo quemó en tu honor, dentro del palacio, pingües muslos de buey o de oveja; acuérdate de ellos, sálvame el hijo amado y aparta a los perversos y ensoberbecidos pretendientes.

767 En acabando de hablar dio un grito; y la diosa oyó la plegaria. Los pretendientes movían alboroto en la oscura sala, y uno de los soberbios jóvenes dijo de esta guisa:

770 UNA VOZ. — La reina, a quien tantos pretenden, debe de aparejar el casamiento e ignora que su hijo ya tiene la muerte preparada.

772 Así habló; pero no sabían lo que dentro pasaba. Y Antínoo arengóles diciendo:

774 ANTINOO. — ¡Desgraciados! Absteneos todos de pronunciar palabras insolentes; no sea que alguno vaya a contarlas a Penélope. Mas, ea, levantémonos y pongamos en obra, silenciosamente, el proyecto que a todos nos place.

774 Dicho esto, escogió los veinte hombres más esforzados y fuese con ellos a la orilla del mar, donde estaba la velera nave. Primeramente echaron la negra embarcación al mar profundo, después le pusieron el mástil y las velas, luego aparejaron los remos con correas de cuero, haciéndolo como era debido, desplegaron más tarde las blancas velas y sus bravos servidores trajéronles las armas. Anclaron la nave, después de llevarla adentro del mar, saltaron a tierra y se pusieron a comer, aguardando que viniese la tarde.

787 Mientras tanto, la prudente Penélope yacía en el piso superior y estaba en ayunas, sin haber comido ni bebido, pensando siempre en si su intachable hijo escaparía de la muerte o sucumbiría a manos de los orgullosos pretendientes. Y cuantas cosas piensa un león al verse cercado por

multitud de hombres que forman a su alrededor insidioso círculo, otras tantas revolvía Penélope en su mente cuando le sobrevino dulce sueño. Durmió recostada, y todos sus miembros se relajaron.

795 Entonces Atenea, la de ojos de lechuza, ordenó otra cosa. Hizo un fantasma parecido a una mujer, a Iftima, hija del magnánimo Icario, con la cual estaba casado Eumelo, que tenía su casa en Feras, y envióla a la morada del divinal Odiseo, para poner fin de algún modo al llanto y a los gemidos de Penélope, que se lamentaba sollozando. Entró, pues, deslizándose por la correa del cerrojo, se le puso sobre la cabeza y díjole estas palabras:

804 EL FANTASMA. — ¿Duermes, Penélope, con el corazón afligido? Los dioses que viven felizmente no te permiten llorar ni angustiarte; pues tu hijo aún ha de volver, que en nada pecó contra las deidades.

808 Respondióle prudente Penélope desde las puertas del sueño, donde estaba muy suavemente dormida:

810 PENÉLOPE. — ¡Hermana! ¿A qué has venido? Hasta ahora no solías frecuentar el palacio, porque se halla muy lejos de tu morada. ¡Mandas que cese mi aflicción y los muchos pesares que me conturban la mente y el ánimo! Anteriormente perdí un egregio esposo que tenía el ánimo de un león y descollaba sobre los dánaos en toda clase de excelencias, varón ilustre cuya fama se difundía por la Hélade y en medio de Argos; y ahora mi hijo amado se fue en cóncavo bajel, niño aún, inexperto en el trabajo y en el habla. Por éste me lamento todavía más que por aquél; por éste tiemblo; y temo que padezca algún mal en el país de aquellos adonde fue, o en el ponto. Que son muchos los enemigos que están maquinando contra él, deseosos de matarle antes de que llegue a su patria tierra.

824 El oscuro fantasma le respondió diciendo:

825 EL FANTASMA. — Cobra ánimo y no sientas en tu pecho excesivo temor. Tu hijo va acompañado por quien desearan muchos hombres que a ellos les protegiese como puede hacerlo, por Palas Atenea, que se compadece de ti y me envía a participarte estas cosas.

830 Entonces hablóle de esta manera la prudente Penélope:

831 PENÉLOPE. — Pues si eres diosa y has oído la voz de una deidad, ea, dime si aquel desgraciado vive aún y goza de la lumbre del sol, o ha muerto y se halla en la morada de Hades.

835 El oscuro fantasma le contestó diciendo:

836 EL FANTASMA. — No te revelaré claramente si vive o ha muerto, porque es malo hablar de cosas vanas.

838 Cuando esto hubo dicho, fuese por la cerradura de la puerta como un soplo de viento. Despertóse la hija de Icario y se le alegró el corazón porque había tenido tan claro sueño en la oscuridad de la noche.

842 Ya los pretendientes se habían embarcado y navegaban por la líquida llanura, maquinando en su pecho una muerte cruel para Telémaco. Hay en el mar una isla pedregosa, en medio de Ítaca y de la áspera Samos —Ásteris—, que no es extensa, pero tiene puertos de doble entrada, excelentes para que fondeen los navíos: allí los aqueos se pusieron en emboscada para aguardar a Telémaco.

RAPSODIA V

LA BALSA DE ODISEO

La Aurora se levantaba del lecho, dejando al ilustre Titón, para llevar la luz a los inmortales y a los mortales, cuando los dioses se reunieron en junta, sin que faltara Zeus altitonante cuyo poder es grandísimo. Y Atenea, trayendo á la memoria los muchos infortunios de Odiseo, los refirió a las deidades; interesándose por el héroe, que se hallaba entonces en el palacio de la ninfa:

[7] Atenea. — ¡Padre Zeus, bienaventurados y sempiternos dioses! Ningún rey, que empuñe cetro, sea benigno, ni blando, ni suave, ni emplee el entendimiento en cosas justas; antes, por el contrario, proceda siempre con crueldad y lleve al cabo acciones nefandas; ya que nadie se acuerda del divino Odiseo entre los ciudadanos sobre los cuales reinaba con blandura de padre. Hállase en una isla atormentado por fuertes pesares: en el palacio de la ninfa Calipso, que le detiene por fuerza; y no le es posible llegar a su patria porque le faltan naves provistas de remos y compañeros que le conduzcan por el ancho dorso del mar. Y ahora quieren matarle el hijo amado así que torne a su casa, pues ha ido a la sagrada Pilos y a la divina Lacedemonia en busca de noticias de su padre.

[21] Respondióle Zeus, que amontona las nubes:

[22] ZEUS — ¡Hija mía! ¡Qué palabras se te escaparon del cerco de los dientes! ¿No formaste tú misma ese proyecto: que Odiseo, al tornar a su tierra, se vengaría de aquéllos? Pues acompaña con discreción a Telémaco, ya que puedes hacerlo, a fin de que se restituya incólume a su patria, y los pretendientes que están en la nave tengan que volverse.

[28] Dijo; y, dirigiéndose a Hermes, su hijo amado, hablóle de esta suerte:

[29] ZEUS. — ¡Hermes! Ya que en lo demás eres tú el mensajero, ve a decir a la ninfa de hermosas trenzas nuestra firme resolución (que el paciente Odiseo torne a su patria) para que el héroe emprenda el regreso sin ir acompañado ni por los dioses ni por los mortales hombres; navegando en una balsa hecha con gran número de ataduras, llegará en veinte días y padeciendo trabajos a la fértil Esqueria, a la tierra de los feacios, que por su linaje son cercanos a los dioses; y ellos le honrarán cordialmente, como a una deidad, y le enviarán en un bajel a su patria tierra, después de regalarle bronce, oro en abundancia, vestidos, y tantas cosas como jamás sacara de Troya si llegase indemne y habiendo obtenido la parte de botín que le correspondiese. Dispuesto está por la Parca que Odiseo vea a sus amigos y llegue a su casa de alto techo y a su patria.

[43] Así dijo. El mensajero Argifontes no fue desobediente: al punto ató a sus pies los áureos divinos talares, que le llevaban sobre el mar y sobre la tierra inmensa con la rapidez del viento, y tomó la vara con la cual adormece los ojos de los hombres que quiere o despierta a los que duermen. Teniéndola en las manos, el poderoso Argifontes emprendió el vuelo y, al llegar a la Pieria, bajó del éter al ponto y comenzó a volar rápidamente sobre las olas, como la gaviota que, pescando peces en los grandes senos del mar estéril, moja en el agua del mar sus tupidas alas tal parecía Hermes mientras volaba por encima del gran oleaje. Cuando hubo arribado a aquella isla tan lejana, salió del violáceo ponto, saltó a tierra, prosiguió su camino hacia la vasta gruta donde moraba la ninfa de hermosas trenzas, y hallóla dentro. Ardía en el hogar un gran fuego, y el olor del hendible cedro y de la tuya, que en él se quemaban, difundíase por la isla hasta muy lejos; mientras ella, cantando con voz hermosa, tejía en el interior con lanzadera de oro. Rodeando la gruta, había crecido una verde selva de chopos, álamos y cipreses olorosos, donde anidaban aves de luengas alas: búhos, gavilanes y cornejas marinas, de ancha lengua, que se ocupan en cosas del mar. Allí mismo, junto a la honda cueva, extendíase una viña floreciente, cargada de uvas; y cuatro fuentes manaban, muy cerca la una de la otra, dejando correr en varias direcciones sus aguas cristalinas. Veíanse en contorno verdes y amenos prados de violetas y apio; y, al llegar allí, hasta un inmortal se hubiese admirado, sintiendo que se le alegraba el corazón. Detúvose el Argifontes a contemplar aquello; y, después de admirarlo, penetró en la ancha gruta, y fue conocido por Calipso, la divina entre las diosas, desde que a ella se presentó —que los dioses inmortales se reconocen mutuamente aun-

que vivan apartados—; pero no halló al magnánimo Odiseo, que estaba llorando en la ribera, donde tantas veces, consumiendo su ánimo con lágrimas, suspiros y dolores, fijaba los ojos en el ponto estéril y derramaba copioso llanto. Y Calipso, la divina entre las diosas, hizo sentar a Hermes en espléndido y magnífico sitial, y preguntóle de esta suerte:

87 CALIPSO. — ¿Por qué, oh Hermes, el de la áurea vara, venerable y caro, vienes a mi morada? Antes no solías frecuentarla. Di qué deseas, pues mi ánimo me impulsa a ejecutarlo si de mí depende y es ello posible. Pero sígueme, a fin de que te ofrezca los dones de la hospitalidad.

92 Habiendo hablado de semejante modo, la diosa púsole delante una mesa, que había llenado de ambrosía, y mezcló el rojo néctar. Allí bebió y comió el mensajero Argifontes. Y cuando hubo cenado y repuesto su ánimo con la comida, respondióle a Calipso con estas palabras:

97 HERMES. — Me preguntas, oh diosa, a mí, que soy dios, por qué he venido. Voy a decírtelo con sinceridad, ya que así lo mandas. Zeus me ordenó que viniese, sin que yo lo deseara: ¿quién pasaría de buen grado tanta agua salada que ni decirse puede, mayormente no habiendo por ahí ninguna ciudad en que los mortales hagan sacrificios a los dioses y les inmolen selectas hecatombes? Mas no le es posible a ningún dios ni traspasar ni dejar sin efecto la voluntad de Zeus, que lleva la égida. Dice que está contigo un varón, que es el más infortunado de cuantos combatieron alrededor de la ciudad de Príamo durante nueve años y en el décimo, habiéndola destruido, tornaron a sus casas; pero en la vuelta ofendieron a Atenea y la diosa hizo que se levantara un viento desfavorable e hinchadas olas. En éstas hallaron la muerte sus esforzados compañeros, y a él trajéronle acá el viento y el oleaje. Y Zeus te manda que a tal varón le permitas que se vaya cuanto antes; porque no es su destino morir lejos de los suyos, sino que la Parca tiene dispuesto que los vuelva a ver, llegando a su casa de elevada techumbre y a su patria tierra.

116 Así dijo. Estremecióse Calipso, la divina entre las diosas, y respondió con estas aladas palabras:

118 CALIPSO. — Soís, oh dioses, malignos y celosos como nadie, pues sentís envidia de las diosas que no se recatan de dormir con el hombre a quien han tomado por esposo. Así, cuando la Aurora de rosáceos dedos arrebató a Orión, le tuvisteis envidia vosotros los dioses, que vivís sin cuidados, hasta que la casta Ártemis, la de trono de oro, lo mató en Ortigia alcanzándole con sus dulces flechas. Asimismo, cuando Deméter, la de hermosas trenzas, cediendo a los impulsos de su corazón, juntose en amor y cama con Yasión en una tierra noval labrada tres veces, Zeus, que no tardó en saberlo, mató al héroe hiriéndole con el ardiente rayo. Y así también me tenéis envidia, oh dioses, porque está conmigo un hombre mortal, a quien salvé cuando bogaba solo y montado en una quilla, después que Zeus le hendió la nave, en medio del vinoso ponto, arrojando contra la misma el ardiente rayo. Allí acabaron la vida sus fuertes compañeros; mas a él trajéronle acá el viento y el oleaje. Y le acogí amigablemente, le mantuve y díjele a menudo que le haría inmortal y libre

de la vejez por siempre jamás. Pero, ya que no le es posible a ningún dios ni transgredir ni dejar sin efecto la voluntad de Zeus, que lleva la égida, váyase aquél por el mar estéril, si ése le incita y se lo manda; que yo no le he de despedir (pues no dispongo de naves provistas de remos, ni puedo darle compañeros que le conduzcan por el ancho dorso del mar), aunque le aconsejaré de muy buena voluntad, sin ocultarle nada, para que llegue sano y salvo a su patria tierra.

145 Replicóle el mensajero Argifontes:

146 HERMES. — Despídele pronto y teme la cólera de Zeus; no sea que este dios, irritándose, se ensañe contra ti en lo sucesivo.

148 En diciendo esto, partió el poderoso Argifontes; y la veneranda ninfa, oído el mensaje de Zeus, fuese a buscar el magnánimo Odiseo. Hallóle sentado en la playa, que allí se estaba, sin que sus ojos se secasen del continuo llanto, y consumía su dulce vida suspirando por el regreso; pues la ninfa ya no le era grata. Obligado a pernoctar en la profunda cueva, durmiendo con la ninfa que le quería sin que él la quisiese, pasaba el día sentado en las rocas de la ribera del mar y, consumiendo su ánimo en lágrimas, suspiros y dolores, clavaba los ojos en el ponto estéril y derramaba copioso llanto. Y parándose cerca de él, díjole de esta suerte la divina entre las diosas:

160 CALIPSO. — ¡Desdichado! No llores más ni consumas tu vida, pues de muy buen grado dejaré que partas. Ea, corta maderos grandes, y, ensamblándolos con el bronce, forma una extensa balsa y cúbrela con piso de tablas, para que te lleve por el oscuro ponto. Yo pondré en ella pan, agua y el rojo vino, regocijador del ánimo, que te librarán de padecer hambre; te daré vestidos y te mandaré próspero viento, a fin de que llegues sano y salvo a tu patria tierra si lo quieren los dioses que habitan el anchuroso cielo; los cuales me aventajan, así en trazar designios como en llevarlos a término.

171 Así dijo. Estremecióse el paciente divinal Odiseo y respondió con estas aladas palabras:

173 ODISEO. — Algo revuelves en tu pensamiento, oh diosa, y no por cierto mi partida, al ordenarme que atraviese en una balsa el gran abismo del mar, tan terrible y peligroso que no lo pasarán fácilmente naves de buenas proporciones, veleras, animadas por un viento favorable que les enviara Zeus. Yo no subiría en la balsa, mal de tu grado, si no te resolvieras a prestar firme juramento de que no maquinarás causarme ningún otro pernicioso daño.

180 Así habló. Sonrióse Calipso, la divina entre las diosas; y, acariciándole con la mano, le dijo estas palabras:

182 CALIPSO. — Eres en verdad injusto, aunque no sueles pensar cosas livianas, cuando tales palabras te has atrevido a proferir. Sépalo ahora la Tierra y desde arriba el anchuroso Cielo y el agua corriente de la Estix (que es el juramento mayor y más terrible para los bienaventurados dioses): no maquinaré contra ti ningún pernicioso daño, y pienso y he de aconsejarte cuanto para mí misma discurriera si en tan grande necesidad

me viese. Mi intención es justa, y en mi pecho no se encierra un ánimo férreo, sino compasivo.

192 Cuando así hubo hablado, la divina entre las diosas echó a andar aceleradamente y Odiseo fue siguiendo las pisadas de la deidad. Llegaron a la profunda cueva la diosa y el varón, éste se acomodó en la silla de donde se había levantado Hermes, y la ninfa sirvióle toda clase de alimentos, así comestibles como bebidas, de los que se mantienen los mortales hombres. Luego sentóse ella enfrente del divino Odiseo, y sirviéronle las criadas ambrosía y néctar. Cada uno echó mano a las viandas que tenía delante; y, apenas se hubieron saciado de comer y de beber, Calipso, la divina entre las diosas, rompió el silencio y dijo:

203 CALIPSO. — ¡Laertíada, del linaje de Zeus! ¡Odiseo, fecundo en ardides! Así, pues, ¿deseas irte en seguida a tu casa y a tu patria tierra? Sé, esto no obstante, dichoso. Pero, si tu inteligencia conociese los males que habrás de padecer fatalmente antes de llegar a tu patria, te quedaras conmigo; custodiando esta morada, y fueras inmortal, aunque estés deseoso de ver a tu esposa, de la que padeces soledad todos los días. Yo me jacto de no serle inferior ni en el cuerpo ni en el natural, que no pueden las mortales competir con las diosas ni por su cuerpo ni por su belleza.

214 Respondióle el ingenioso Odiseo:

215 ODISEO. — ¡No te enojes conmigo, veneranda deidad! Conozco muy bien que la prudente Penélope te es inferior en belleza y en estatura, siendo ella mortal y tú inmortal y exenta de la vejez. Esto no obstante, deseo y anhelo continuamente irme a mi casa y ver lucir el día de mi vuelta. Y si alguno de los dioses quisiera aniquilarme en el vinoso ponto, lo sufriré con el ánimo que llena mi pecho y tan paciente es para los dolores; pues he padecido mucho así en el mar como en la guerra, y venga este mal tras de los otros.

225 Así habló. Púsose el sol y sobrevino la oscuridad. Retiráronse entonces a lo más hondo de la profunda cueva; y allí, muy juntos, hallaron en el amor contentamiento.

228 Mas, no bien se mostró la hija de la mañana, la Aurora de rosáceos dedos, vistióse Odiseo la túnica y el manto; y ella se puso amplia vestidura, fina y hermosa, ciñó el talle con lindo cinturón de oro, veló su cabeza, y ocupóse en disponer la partida del magnánimo Odiseo. Diole una gran segur que pudiera manejar, de bronce, aguda de entrambas partes, con un hermoso astil de olivo bien ajustado; entrególe después una azuela muy pulimentada, y le llevó a un extremo de la isla, donde habían crecido altos árboles —chopos álamos y el abeto que sube hasta el cielo—, todos los cuales estaban secos desde antiguo y eran muy duros y a propósito para mantenerse a flote sobre las aguas. Y tan presto como le hubo enseñado donde habían crecido aquellos grandes árboles, Calipso, la divina entre las diosas, volvió a su morada, y él se puso a cortar troncos y no tardó en dar fin a su trabajo. Derribó veinte, que desbastó con el bronce, pulió con habilidad y enderezó por medio de un nivel. Calipso, la divina entre las diosas, trájole unos barrotes con los cuales taladró el

héroe todas las piezas que unió luego, sujetándolas con clavos y clavijas. Cuan ancho es el redondeado fondo de un buen navío de carga, que hábil artífice construyera, tan grande hizo Odiseo la balsa. Labró después la cubierta, adaptándola a espesas vigas y dándole remate con un piso de largos tablones; puso en el centro un mástil con su correspondiente entena, y fabricó un timón para regir la balsa. A ésta la protegió por todas partes con mimbres entretejidos, que fuesen reparo de las olas, y la lastró con abundante madera. Mientras tanto Calipso, la divina entre las diosas, trájole lienzo para las velas y Odiseo las construyó con gran habilidad. Y, atando en la balsa cuerdas, maromas y bolinas, echóla por medio de unos parales al mar divino.

262 Al cuarto día ya todo estaba terminado, y al quinto despidióle de la isla la divina Calipso, después de lavarlo y de vestirle perfumadas vestiduras. Entrególe la diosa un pellejo de negro vino, otro grande de agua, un saco de provisiones y muchos manjares gratos al ánimo; y mandóle favorable y plácido viento. Gozoso desplegó las velas el divinal Odiseo y sentándose, comenzó a regir hábilmente la balsa en el timón, sin que el sueño cayese en sus párpados, mientras contemplaba las Pléyades, el Bootes, que se pone muy tarde, y la Osa, llamada el Carro por sobrenombre, la cual gira siempre en el mismo lugar, acecha a Orión y es la única que no se baña en el Océano; pues habíale ordenado Calipso, la divina entre las diosas, que tuviera la Osa a la mano izquierda durante la travesía. Diecisiete días navegó, atravesando el mar, y al decimoctavo pudo ver los umbrosos montes del país de los feacios en la parte más cercana, apareciéndosele como un escudo en medio del sombrío ponto.

282 El poderoso Posidón, que sacude la tierra, regresaba entonces del país de los etíopes y vio a Odiseo de lejos, desde los montes Solimos, pues se le apareció navegando por el ponto. Encendióse en ira la deidad y, sacudiendo la cabeza, habló entre sí de semejante modo:

286 POSIDÓN. — ¡Oh dioses! Sin duda cambiaron las deidades sus propósitos en orden a Odiseo, mientras yo me hallaba entre los etíopes. Ya está junto a la tierra de los feacios, donde es fatal que se libre del cúmulo de desgracias que le han alcanzado. Creo, no obstante, que aún habrán de cargar sobre él no pocos males.

291 Dijo y, echando mano al tridente, congregó las nubes y turbó el mar; suscitó grandes torbellinos de toda clase de vientos; cubrió de nubes la tierra y el ponto, y la noche cayó del cielo. Soplaron a la vez el Euro, el Noto, el impetuoso Céfiro y el Bóreas que, nacido en el éter, levanta grandes olas. Entonces desfallecieron las rodillas y el corazón de Odiseo; y el héroe, gimiendo, a su magnánimo espíritu así le hablaba:

299 ODISEO. — ¡Ay de mí, desdichado! ¿Qué es lo que, por fin, me va a suceder? Temo que salgan verídicas las predicciones de la diosa, la cual me aseguraba que había de pasar grandes trabajos en el ponto antes de volver a la patria tierra, pues ahora todo se está cumpliendo. ¡Con qué nubes ha cerrado Zeus el anchuroso cielo! Y ha conturbado el mar; y arrecian los torbellinos de toda clase de vientos. Ahora me espera, a

buen seguro, una terrible muerte. ¡Oh, una y mil veces dichosos los dánaos que perecieron en la vasta Troya, luchando por complacer a los Atridas! ¡Así hubiera yo muerto también, cumpliéndose mi destino, el día en que multitud de teucros me arrojaban broncíneas lanzas junto al cadáver del Pelión! Allí obtuviera honras fúnebres y los aqueos ensalzaran mi gloria; pero dispone el hado que yo sucumba con deplorable muerte.

313 Mientras esto decía, vino una grande ola que desde lo alto cayó horrendamente sobre Odiseo e hizo que la balsa zozobrara. Fue arrojado el héroe lejos de la balsa, sus manos dejaron el timón, llegó un horrible torbellino de mezclados vientos que rompió el mástil por la mitad, y la vela y la entena cayeron en el ponto a gran distancia. Mucho tiempo permaneció Odiseo sumergido, que no pudo salir a flote inmediatamente por el gran ímpetu de las olas y porque le pesaban los vestidos que le había entregado la divinal Calipso. Sobrenadó, por fin, despidiendo de la boca el agua amarga que asimismo le corría de la cabeza en sonoros chorros. Mas, aunque fatigado, no perdía de vista la balsa; sino que, moviéndose con vigor por entre las olas, la asió y se sentó en medio de ella para evitar la muerte. El gran oleaje llevaba la balsa de acá para allá, según la corriente. Del mismo modo que el otoñal Bóreas arrastra por la llanura unos vilanos, que entre sí se entretejen espesos, así los vientos conducían la balsa por el piélago, de acá para allá; unas veces el Noto la arrojaba al Bóreas, para que se la llevase, y en otras ocasiones el Euro la cedía al Céfiro a fin de que éste la persiguiera.

333 Pero violé Ino Leucotea, hija de Cadmo, la de pies hermosos, que antes había sido mortal dotada de voz, y entonces, residiendo en lo hondo del mar, disfrutaba de honores divinos. Y como se apiadara de Odiseo, al contemplarle errabundo y abrumado por la fatiga, transfigurose en mergo, salió volando del abismo del mar y, posándose en la balsa construida con muchas ataduras, díjole estas palabras:

339 INO. — ¡Desdichado! ¿Por qué Posidón, que sacude la tierra, se airó tan fieramente contigo y te está suscitando multitud de males? No logrará anonadarte por mucho que lo anhele. Haz lo que voy a decir, pues me figuro que no te falta prudencia: quítate esos vestidos, deja la balsa para que los vientos se la lleven y, nadando con las manos, procura llegar a la tierra de los feacios, donde la Parca ha dispuesto que te salves. Toma, extiende este velo inmortal debajo de tu pecho y no temas padecer, ni morir tampoco. Y así que toques con tus manos la tierra firme, quítatelo y arrójalo en el vinoso ponto, muy lejos del continente, volviéndote a otro lado.

351 Dichas estas palabras, la diosa le entregó el velo y, transfigurada en mergo, tornó a sumergirse en el undoso ponto y las negruzcas olas la cubrieron. Mas el paciente divinal Odiseo estaba indeciso y, gimiendo, habló de esta guisa a su corazón magnánimo:

356 ODISEO. — ¡Ay de mí! No sea que alguno de los inmortales me tienda un lazo, cuando me da la orden de que desampare la balsa. No obedeceré todavía, que con mis ojos veo que está muy lejana la tierra

donde, según afirman, he de hallar refugio; antes procederé de esta suerte por ser, a mi juicio, lo mejor; mientras los maderos estén sujetados por las clavijas, seguiré aquí y sufriré los males que haya de padecer, y luego que las olas deshagan la balsa me pondré a nadar; pues no se me ocurre nada más provechoso.

365 Tales cosas revolvía en su mente y en su corazón, cuando Posidón, que sacude la tierra, alzó una oleada tremenda, difícil de resistir, alta como un techo, y empujóla contra el héroe. De la suerte que impetuoso viento revuelve un montón de pajas secas, dispersándolas por éste y por el otro lado, de la misma manera desbarató la ola los grandes leños de la balsa. Pero Odiseo asió una de las tablas y se puso a caballo en ella; desnudóse los vestidos que la divinal Calipso le había regalado, extendió prestamente el velo debajo de su pecho y se dejó caer en el agua boca abajo, con los brazos abiertos, deseoso de nadar. Violе el poderoso dios que sacude la tierra y, moviendo la cabeza, habló entre sí de semejante modo:

377 POSIDÓN. — Ahora, que has padecido tantos males, vaga por el ponto hasta que llegues a juntarte con esos hombres, alumnos de Zeus. Se me figura que ni aun así te parecerán pocas tus desgracias.

380 Dicho esto, picó con el látigo a los corceles de hermosas crines y se fue a Egas donde posee ínclita morada.

382 Entonces Atenea, hija de Zeus, ordenó otra cosa. Cerró el camino a los vientos, y les mandó que se sosegaran y durmieran; y, haciendo soplar el rápido Bóreas, quebró las olas hasta que Odiseo, del linaje de Zeus, librándose de la muerte y de las Parcas, llegase a los feacios, amantes de manejar los remos.

388 Dos días con sus noches anduvo errante el héroe sobre las densas olas, y su corazón presagióle la muerte en repetidos casos. Mas, tan luego como la Aurora, de hermosas trenzas, dio principio al tercer día, cesó el vendaval, reinó sosegada calma y Odiseo pudo ver, desde lo alto de una ingente ola y aguzando mucho la vista, que la tierra se hallaba cerca. Cuan grata se les presenta a los hijos la vida de un padre que estaba postrado por la enfermedad y padecía graves dolores, consumiéndose desde largo tiempo a causa de la persecución de horrendo numen, si los dioses le libran felizmente del mal, tan agradable apareció para Odiseo la tierra y el bosque. Nadaba, pues, esforzándose por asentar el pie en tierra firme; mas, así que estuvo tan cercano a la orilla que hasta ella hubieran llegado sus gritos, oyó el estrépito con que en las peñas se rompía el mar. Bramaban las inmensas olas, azotando horrendamente la firida costa, y todo estaba cubierto de salada espuma pues allí no había puertos, donde las naves se acogiesen, ni siquiera ensenadas, sino orillas abruptas, rocas y escollos. Entonces desmayaron las rodillas y el corazón de Odiseo; y el héroe, gimiendo, a su magnánimo espíritu así le hablaba:

408 ODISEO. — ¡Ay de mí! Después que Zeus me concedió que viese inesperada tierra, y acabé de surcar este abismo, ningún paraje descubro por donde consiga salir del espumoso mar. Por defuera hay agudos pe-

ñascos a cuyo alrededor braman las olas impetuosamente, y la roca se levanta lisa; y aquí es el mar tan hondo que no puedo afirmar los pies para librarme del mal. No sea que, cuando me disponga a salir, ingente ola me arrebate y dé conmigo en el pétreo peñasco, y me salga en vano mi intento. Mas, si voy nadando, en busca de una playa o de un puerto de mar, temo que nuevamente me arrebate la tempestad y me lleve al ponto, abundante en peces, haciéndome proferir hondos suspiros; o que una deidad incite contra mí algún monstruo marino, como los que cría en gran abundancia la ilustre Anfitrite; pues sé que el ínclito dios que bate la tierra está enojado conmigo.

424 Mientras tales pensamientos revolvía en su mente y en su corazón, una oleada lo llevó a la áspera ribera. Allí se habría desgarrado la piel y roto los huesos, si Atenea, la deidad de ojos de lechuza, no le hubiese sugerido en el ánimo lo que llevó a efecto: lanzóse a la roca, la asió con ambas manos y, gimiendo, permaneció adherido a ella hasta que la enorme ola hubo pasado. De esta suerte la evitó; mas, al refluir, diole tal acometida, que lo echó en el ponto y bien adentro. Así como el pulpo, cuando lo sacan de su escondrijo, lleva pegadas a los tentáculos muchas pedrezuelas, así la piel de las fornidas manos de Odiseo se desgarró y quedó en las rocas, mientras la cubría inmensa ola. Y allí acabara el infeliz Odiseo contra lo dispuesto por el hado, si Atenea, la deidad de ojos de lechuza, no le inspirara prudencia. Salió a flote y, apartándose de las olas que se estrellan con estrépito en la ribera, nadó a lo largo de la orilla, mirando a la tierra, por si hallaba alguna playa que las olas batieran oblicuamente o algún puerto de mar. Mas, como llegase, nadando, a la boca de un río de hermosa corriente, el lugar parecióle muy a propósito por carecer de rocas y formar un reparo contra el viento. Y conociendo que era un río que desbalagaba, suplicóle así en su corazón:

445 ODISEO. — ¡Óyeme, oh soberano, quienquiera que seas! Vengo a ti, tan deseado, huyendo del ponto y de las amenazas de Posidón. Es digno de respeto aun para los inmortales dioses el hombre que se presenta errabundo, cómo llego ahora a tu corriente y a tus rodillas después de pasar muchos trabajos. ¡Oh rey, apiádate de mí, ya que me glorío de ser tu suplicante!

451 Así dijo. En seguida suspendió el río su corriente, apaciguó las olas, mandó la calma delante de sí y salvó a Odiseo en la desembocadura. El héroe dobló entonces las rodillas y los fuertes brazos, pues su corazón estaba fatigado de luchar con el mar. Tenía Odiseo todo el cuerpo hinchado, de su boca y de su nariz manaba en abundancia el agua del mar; y, falto de aliento y de voz, quedóse tendido y sin fuerzas porque el terrible cansancio le abrumaba. Cuando ya respiró y cobró el ánimo en su corazón, desató el velo de la diosa y arrojólo al río, que corría hacia el mar: llevóse el velo una ola grande en la dirección de la corriente y pronto Ino lo tuvo en sus manos. Odiseo se apartó del río, echóse al pie de unos juncos, besó la fértil tierra y, gimiendo, a su magnánimo espíritu así le hablaba:

[465] ODISEO. — ¡Ay de mí! ¿Qué no padezco? ¿Qué es lo que al fin me va a suceder? Si paso la molesta noche junto al río, quizá la dañosa helada y el fresco rocío me acaben y exhale yo el último aliento a causa de mi debilidad y una brisa glacial viene del río antes de rayar el alba. Y si subo al collado y me duermo entre los espesos arbustos de la selva umbría, como me dejen el frío y el cansancio y me venga dulce sueño, temo ser presa y pasto de las fieras.

[474] Después de meditarlo, se le ofreció como mejor el último lance. Fuese, pues, a la selva que halló cerca del agua, en un altozano, y metióse debajo de dos arbustos que habían nacido en un mismo lugar y eran un acebuche y un olivo. Ni el húmedo soplo de los vientos pasaba por entre ambos, ni el resplandeciente sol los hería con sus rayos, ni la lluvia los penetraba del todo: tan espesos y entrelazados habían crecido. Debajo de ellos se introdujo Odiseo y al instante aparejóse con sus manos ancha cama, pues había tal abundancia de serojas que bastaran para abrigar a dos o tres hombres en lo más fuerte del invierno por riguroso que fuese. Mucho holgó de verlas el paciente divinal Odiseo, que se acostó en medio y se cubrió con multitud de ellas. Así como el que vive en remoto campo y no tiene vecinos, esconde un tizón en la negra ceniza para conservar el fuego y no tener que ir a encenderlo a otra parte, de esta suerte se cubrió Odiseo con la hojarasca. Y Atenea infundióle en los ojos dulce sueño y le cerró los párpados para que cuanto antes se librara del penoso cansancio.

RAPSODIA VI

LLEGADA DE ODISEO AL PAÍS DE LOS FEACIOS

Mientras así dormía el paciente y divinal Odiseo, rendido del sueño y del cansancio, Atenea se fue al pueblo y a la ciudad de los feacios, los cuales habitaron antiguamente en la espaciosa Hiperea, junto a los Ciclopes, varones soberbios que les causaban daño porque eran más robustos. De allí los sacó Nausítoo, semejante a un dios: condújolos a Esqueria, lejos de los hombres industriosos, donde hicieron morada; construyó un muro alrededor de la ciudad, edificó casas, erigió templos a las divinidades y repartió los campos. Mas ya entonces, vencido por la Parca, había bajado al Hades y reinaba Alcínoo, cuyos consejos eran inspirados por los propios dioses y al palacio de éste enderezó Atenea, la deidad de ojos de lechuza, pensando en la vuelta del magnánimo Odiseo. Penetró la diosa en la estancia labrada con gran primor en que dormía una doncella parecida a las inmortales por su natural y por su hermosura: Nausícaa, hija del magnánimo Alcínoo junto a ella, a uno y otro lado de la entrada, hallábanse dos esclavas a quienes las Gracias habían dotado de belleza, y las magníficas hojas de la puerta estaban entornadas. Atenea se lanzó, como un soplo de viento, a la cama de la joven; púsose sobre su cabeza y empezó a hablarle, tomando el aspecto de la hija de Dimante, el célebre marino, que tenía la edad de Nausícaa y érale muy grata. De tal suerte transfigurada, dijo Atenea, la de ojos de lechuza:

25 Atenea. — ¡Nausícaa! ¿Por qué tu madre te parió tan floja? Tienes descuidadas las espléndidas vestiduras y está cercano tu casamiento, en el cual has de llevar lindas ropas, dando parte también a los que te conduzcan; que así se consigue gran fama entre los hombres y se huelgan el padre y la veneranda madre. Vayamos, pues, a lavar tan luego como despunte la aurora, y te acompañaré y ayudaré para que en seguida lo tengas aparejado todo; que no ha de prolongarse mucho tu doncellez, puesto que ya te pretenden los mejores de todos los feacios, cuyo linaje es también el tuyo. Ea, insta a tu ilustre padre para que mande prevenir antes de rayar el alba las mulas y el carro en que llevarás los cíngulos, los peplos y los espléndidos cobertores. Para ti misma es mejor ir de este modo que no a pie, pues los lavaderos se hallan a gran distancia de la ciudad.

[41] Cuando así hubo hablado, Atenea, la de ojos de lechuza, fuese al Olimpo, donde dicen que está la mansión perenne y segura de las deidades; a la cual ni la agitan los vientos, ni la lluvia la moja, ni la nieve la cubre —pues el tiempo es allí constantemente sereno y sin nubes—, y en cambio la envuelve esplendorosa claridad: en ella disfrutan perdurable dicha los bienaventurados dioses. Allí se encaminó, pues, la de ojos de lechuza tan luego como hubo aconsejado a la doncella.

[48] Pronto llegó la Aurora, la de hermoso trono, y despertó a Nausícaa, la del lindo peplo; y la doncella, admirada del sueño se fue por el palacio a contárselo a sus progenitores, al padre querido y a la madre, y a entrambos los halló dentro: a ésta, sentada junto al fuego, con las siervas, hilando lana de color purpúreo; y a aquél, cuando iba a salir para reunirse en consejo con los ilustres príncipes, pues los más nobles feacios le habían llamado. Detúvose Nausícaa muy cerca de su padre y así le dijo:

[57] NAUSÍCAA. — ¡Padre querido! ¿No querrías aparejarme un carro alto, de fuertes ruedas, en el cual lleve al río, para lavarlos, los hermosos vestidos que tengo sucios? A ti mismo te conviene llevar vestiduras limpias, cuando con los varones más principales deliberas en el consejo. Tienes, además, cinco hijos en el palacio: dos ya casados, y tres que son mancebos florecientes y cuantas veces van al baile quieren llevar vestidos limpios; y tales cosas están a mi cuidado.

[66] Así dijo; pues diole vergüenza mentar las florecientes nupcias a su padre. Mas él, comprendiéndolo todo, le respondió con estas palabras:

[68] ALCÍNOO. — No te negaré, oh hija, ni las mulas ni cosa alguna. Ve, y los esclavos te aparejarán un carro alto, de fuertes ruedas, provisto de tablado.

[71] Dichas estas palabras, dio la orden a los esclavos, que al punto le obedecieron. Aparejaron fuera de la casa un carro de fuertes ruedas, propio para mulas; y, trayéndolas, unciéronlas al yugo. Mientras tanto, la doncella sacaba de la habitación los espléndidos vestidos y los colocaba en el pulido carro. Su madre púsole en una cesta toda clase de gratos manjares y viandas; echóle vino en un cuero de cabra; y cuando aquélla subió al carro, entrególe líquido aceite en una ampolla de oro a fin de que se ungiese con sus esclavas. Nausícaa tomó el látigo y, asiendo las lustrosas riendas, azotó las mulas para que corrieran. Arrancaron éstas con estrépito y trotaron ágilmente, llevando los vestidos y la doncella que no iba sola, sino acompañada de sus criadas.

[85] Tan pronto como llegaron a la bellísima corriente del río, donde había unos lavaderos perennes con agua abundante y cristalina para lavar hasta lo más sucio, desuncieron las mulas y echáronlas hacia el vorticoso río a pacer la dulce grama. Tomaron del carro los vestidos, llevéronlos al agua profunda y los pisotearon en las pilas, compitiendo unas con otras en hacerlo con presteza. Después que los hubieron limpiado, quitándoles toda la inmundicia, tendiéronlos con orden en los guijarros de la costa, que el mar lavaba con gran frecuencia. Acto continuo se bañaron, se ungieron con pingüe aceite y se pusieron a comer a orillas del río, mien-

tras las vestiduras se secaban a los rayos del sol. Apenas las esclavas y Nausícaa se hubieron saciado de comida, quitáronse los velos y jugaron a la pelota; y entre ellas Nausícaa, la de los níveos brazos, comenzó a cantar. Cual Ártemis, que se complace en tirar flechas, va por el altísimo monte Taigeto o por el Erimanto, donde se deleita en perseguir a los jabalíes o a los veloces ciervos, y en sus juegos tienen parte las ninfas agrestes hijas de Zeus que lleva la égida, holgándose Leto de contemplarlo, y aquélla levanta su cabeza y su frente por encima de las demás y es fácil distinguirla, aunque todas son hermosas, de igual suerte la doncella, libre aún, sobresalía entre las esclavas.

110 Mas cuando ya estaba a punto de volver a su morada unciendo las mulas y plegando los hermosos vestidos, Atenea, la deidad de ojos de lechuza, ordenó otra cosa para que Odiseo recordara del sueño y viese a aquella doncella de lindos ojos, que debía llevarlo a la ciudad de los feacios. La primera arrojó la pelota a una de las esclavas y erró el tiro, echándola en un hondo remolino; y todas gritaron muy recio. Despertó entonces el divinal Odiseo y, sentándose, revolvía en su mente y en su corazón estos pensamientos:

119 Odiseo. — ¡Ay de mí! ¿Qué hombres deben de habitar esta tierra a que he llegado? ¿Serán violentos, salvajes e injustos, u hospitalarios y temerosos de los dioses? Desde aquí se oyó la femenil gritería de jóvenes ninfas que residen en las altas cumbres de las montañas, en las fuentes de los ríos y en los prados cubiertos de hierba. ¿Me hallo, por ventura, cerca de hombres de voz articulada? Ea, yo mismo probaré a salir e intentaré verlo.

127 Hablando así, el divinal Odiseo salió de entre los arbustos y en la poblada selva desgajó con su fornida mano una rama frondosa con que pudiera cubrirse las partes verendas. Púsose en camino de igual manera que un montaraz león, confiado en sus fuerzas, sigue andando a pesar de la lluvia o del viento, y le arden los ojos, y se echa sobre los bueyes, las ovejas o las agrestes ciervas, pues el vientre le incita a que vaya a una sólida casa e intente acometer al ganado, de tal modo había de presentarse Odiseo a las doncellas de hermosas trenzas, aunque estaba desnudo, pues la necesidad le obligaba. Y se les apareció horrible, afeado por el sarro del mar; y todas huyeron, dispersándose por las orillas prominentes. Pero se quedó sola e inmóvil la hija de Alcínoo, porque Atenea diole ánimo a su corazón y libró del temor a sus miembros. Siguió, pues, delante del héroe sin huir; y Odiseo meditaba si convendría rogar a la doncella de lindos ojos, abrazándola por las rodillas, o suplicarle, desde lejos y con dulces palabras, que le mostrara la ciudad y le diera con qué vestirse. Pensándolo bien, le pareció que lo mejor sería rogarle desde lejos con suaves voces: no fuese a irritarse la doncella si le abrazaba las rodillas. Y entonces pronunció estas dulces e insinuantes palabras:

149 Odiseo. — ¡Yo te imploro, oh reina, seas diosa o mortal! Si eres una de las deidades que poseen el anchuroso cielo, te hallo muy parecida a Ártemis, hija del gran Zeus, por tu hermosura, por tu grandeza y por tu

natural; y si naciste de los hombres que moran en la tierra, dichosos mil veces tus padre, tu veneranda madre y tus hermanos, pues su alma debe de alegrarse a todas horas intensamente cuando ven a tal retoño salir a las danzas. Y dichosísimo en su corazón, más que otro alguno, quien consiga, descollando por la esplendidez de sus donaciones nupciales, llevarte a su casa por esposa. Que nunca se ofreció a mis ojos un mortal semejante, ni hombre ni mujer, y me he quedado atónito al contemplarte. Solamente una vez vi algo que se te pudiera comparar en un joven retoño de palmera, que creció en Delos, junto al ara de Apolo (estuve allá con numeroso pueblo, en aquel viaje del cual habían de seguírseme funestos males): de la suerte que a la vista del retoño quedéme estupefacto mucho tiempo, pues jamás había brotado de la tierra un vástago como aquél; de la misma manera te contemplo con admiración, oh mujer, y me tienes absorto y me infunde miedo abrazar tus rodillas, aunque estoy abrumado por un pesar muy grande. Ayer pude salir del vinoso ponto, después de veinte días de permanencia en el mar, en el cual me vi a merced de las olas y de los veloces torbellinos desde que desamparé la isla Ogigia; y algún numen me ha echado acá, para que padezca nuevas desgracias, que no espero que éstas se hayan acabado, antes los dioses deben de prepararme otras muchas todavía. Pero tú, oh reina, apiádate de mí, ya que eres la primera persona a quien me acerco después de soportar tantos males y me son desconocidos los hombres que viven en la ciudad y en esta comarca. Muéstrame la población y dame un trapo para atármelo alrededor del cuerpo, si al venir trajiste alguno para envolver la ropa. Y los dioses te concedan cuanto en tu corazón anheles: marido, familia y feliz concordia: pues no hay nada mejor ni más útil que el que gobiernen su casa el marido y la mujer con ánimo concorde, lo cual produce gran pena a sus enemigos y alegría a los que los quieren, y son ellos los que más aprecian sus ventajas.

186 Respondió Nausícaa, la de los níveos brazos:

187 NAUSÍCAA. — ¡Forastero! Ya que no me pareces ni vil ni insensato, sabe que el mismo Zeus Olímpico distribuye la felicidad a los buenos y a los malos, y si te envió esas penas debes sufrirlas pacientemente; mas ahora, que has llegado a nuestra ciudad y a nuestra tierra, no carecerás de vestido ni de ninguna de las cosas que por decoro ha de alcanzar un mísero suplicante. Te mostraré la población y te diré el nombre de sus habitantes: los feacios poseen la ciudad y la comarca, y yo soy la hija del magnánimo Alcínoo, cuyo es el imperio y el poder entre los feacios.

198 Dijo; y dio esta orden a las esclavas, de hermosas trenzas:

199 NAUSÍCAA. — ¡Deteneos, esclavas! ¿Adónde huís, por ver a un hombre? ¿Pensáis acaso que sea un enemigo? No hay ni habrá nunca un mortal terrible que venga a hostilizar la tierra de los feacios, pues a éstos los quieren mucho los inmortales. Vivimos separadamente y nos circunda el mar alborotado; somos los últimos de los hombres, y ningún otro mortal tiene comercio con nosotros. Éste es un infeliz que viene perdido y es necesario socorrerle, pues todos los forasteros y pobres son de Zeus

y un exiguo don que se les haga les es grato. Así, pues, esclavas, dadle de comer y de beber al forastero, y lavadle en el río, en un lugar que esté resguardado del viento.

211 Así dijo. Detuviéronse las esclavas y, animándose mutuamente, hicieron sentar a Odiseo en un lugar abrigado, conforme a lo dispuesto por Nausícaa, hija del magnánimo Alcínoo; dejaron cerca de él un manto y una túnica para que se vistiera; entregáronle, en ampolla de oro, líquido aceite, y le invitaron a lavarse en la corriente del río. Y entonces el divinal Odiseo les habló diciendo:

218 ODISEO. — ¡Esclavas! Alejaos un poco a fin de que lave de mis hombros el sarro del mar y me unja después con el aceite, del cual mucho ha que mi cuerpo se ve privado. Yo no puedo tomar el baño ante vosotras, pues haríaseme vergüenza ponerme desnudo entre jóvenes de hermosas trenzas.

223 Así dijo. Ellas se apartaron y fueron a contárselo a Nausícaa. Entre tanto el divinal Odiseo se lavaba en el río, quitando de su cuerpo el sarro del mar que le cubría la espalda y los anchurosos hombros, y se limpiaba la cabeza de la espuma que en ella había dejado el mar estéril. Mas después que, ya lavado, se ungió con el pingüe aceite y se puso los vestidos que la doncella, libre aún, le había dado, Atenea, hija de Zeus, hizo que pareciese más alto y más grueso, y que de su cabeza colgaran ensortijados cabellos que a flores de jacinto semejaban. Y así como el hombre experto, a quien Hefesto y Palas Atenea enseñaron artes de toda especie, cerca de oro la plata y hace lindos trabajos, de semejante modo Atenea difundió la gracia por la cabeza y por los hombros de Odiseo. Éste, apartándose un poco, se sentó en la ribera del mar y resplandecía por su gracia y hermosura. Admiróse la doncella y dijo a las esclavas de hermosas trenzas:

239 NAUSÍCAA. — Oíd, esclavas de níveos brazos, lo que os voy a decir: no sin la voluntad de los dioses que habitan el Olimpo, viene ese hombre a los deiformes feacios. Al principio se me ofreció como un fulano despreciable, pero ahora se asemeja a los dioses que poseen el anchuroso cielo. ¡Ojalá a tal varón pudiera llamársele mi marido, viviendo acá; ojalá le pluguiera quedarse con nosotros! Mas, oh esclavas, dadle de comer y de beber al forastero.

247 Así dijo. Ellas le escucharon y obedecieron, llevándole alimentos y bebida. Y el paciente divinal Odiseo bebió y comió ávidamente, pues hacía mucho tiempo que estaba en ayunas.

251 Entonces Nausícaa, la de los níveos brazos, ordenó otras cosas: puso en el hermoso carro la ropa bien doblada, unció las mulas de fuertes cascos, montó ella misma y, llamando a Odiseo, exhortóle de semejante modo:

255 NAUSÍCAA. — Levántate ya, oh forastero, y partamos para la población, a fin de que te guíe a la casa de mi discreto padre, donde te puedo asegurar que verás a los más ilustres de todos los feacios. Pero procede de esta manera, ya que no pareces falto de juicio: mientras vayamos por

el campo, por terrenos cultivados por el hombre, anda ligeramente con las esclavas detrás de las mulas y el carro, y yo te enseñaré el camino por donde se sube a la ciudad, que está cercado por alto y torreado muro y tiene a uno y otro lado un hermoso puerto de boca estrecha adonde son conducidas las corvas embarcaciones, pues hay estancias seguras para todas. Junto a un magnífico templo de Posidón se halla el ágora, labrada con piedras de acarreo profundamente hundidas: allí guardan los aparejos de las negras naves, las gúmenas y los cables, y aguzan los remos; pues los feacios no se cuidan de arcos ni de aljabas, sino de mástiles y de remos y de navíos bien proporcionados con los cuales atraviesan alegres el espumoso mar. Ahora quiero evitar sus amargos dichos; no sea que alguien me censure después (hay que en la población hombres insolentísimos) u otro peor hable así al encontrarnos: «¿Quién es ese forastero tan alto y tan hermoso que sigue a Nausícaa? ¿Dónde lo halló? Debe de ser su esposo. Quizás haya recogido a un hombre de lejanas tierras que iría errante por haberse extraviado de su nave, puesto que no los hay en estos contornos; o por ventura es un dios que accediendo a sus repetidas instancias, descendió del cielo y lo tendrá consigo todos los días. Tanto mejor si ella fue a buscar marido en otra parte y menosprecia el pueblo de los feacios, en el cual la pretenden muchos e ilustres varones.» Así dirán y tendré que sufrir tamaños ultrajes. Y también yo me indignaría contra la que tal hiciera; contra la que, a despecho de su padre y de su madre todavía vivos, se juntara con hombres antes de haber contraído públicamente matrimonio. Oh forastero, entiende bien lo que voy a decir, para que pronto logres de mi padre que te dé compañeros y te haga conducir a tu patria. Hallarás junto al camino un hermoso bosque de álamos, consagrado a Atenea, en el cual mana una fuente y a su alrededor se extiende un prado: allí tiene mi padre un campo y una viña floreciente, tan cerca de la ciudad que puede oírse el grito que en ésta se dé. Siéntate en aquel lugar y aguarda que nosotras, entrando en la población, lleguemos al palacio de mi padre. Y cuando juzgues que ya habremos de estar en casa, encamínate también a la ciudad de los feacios y pregunta por la morada de mi padre, el magnánimo Alcínoo; la cual es fácil de conocer y a ella te guiará hasta un niño, pues las demás casas de los feacios son muy diferentes de la del héroe Alcínoo. Después que entrares en el palacio y en el patio del mismo, atravesarás la sala rápidamente hasta que llegues a donde mi madre, sentada al resplandor del fuego del hogar, de espaldas a una columna, hila lana purpúrea, cosa admirable de ver, y tiene detrás de ella a las esclavas. Allí también, cerca del hogar, se levanta el trono en que mi padre se sienta y bebe vino como un inmortal. Pasa por delante de él y tiende los brazos a las rodillas de mi madre, para que pronto amanezca el alegre día de tu regreso a la patria, por lejos que ésta se halle. Pues si mi madre te fuere benévola, puedes concebir la esperanza de ver a tus amigos y de llegar a tu casa bien labrada y a tu patria tierra.

316 Diciendo así, arreó con el lustroso azote las mulas, que dejaron al punto el paso del río, pues trotaban muy bien y alargaban el paso en la carretera. Nausícaa tenía las riendas, para que pudiesen seguirla a pie las esclavas y Odiseo, y aguijaba con gran discreción a las mulas. Poníase el sol cuando llegaron al magnífico bosque consagrado a Atenea. Odiseo se quedó en él y acto seguido suplicó de esta manera a la hija del gran Zeus:

324 ODISEO. — ¡Óyeme, hija de Zeus, que lleva la égida! ¡Indómita! Atiéndeme ahora, ya que nunca lo hiciste cuando me maltrataba el ínclito dios que bate la tierra. Concédeme que, al llegar a los feacios, me reciban éstos como amigo y de mí se apiaden.

328 Así dijo rogando y le oyó Palas Atenea. Pero la diosa no se le apareció aún, porque temía a su tío paterno, quien estuvo vivamente irritado contra el divinal Odiseo, en tanto el héroe no arribó a su patria.

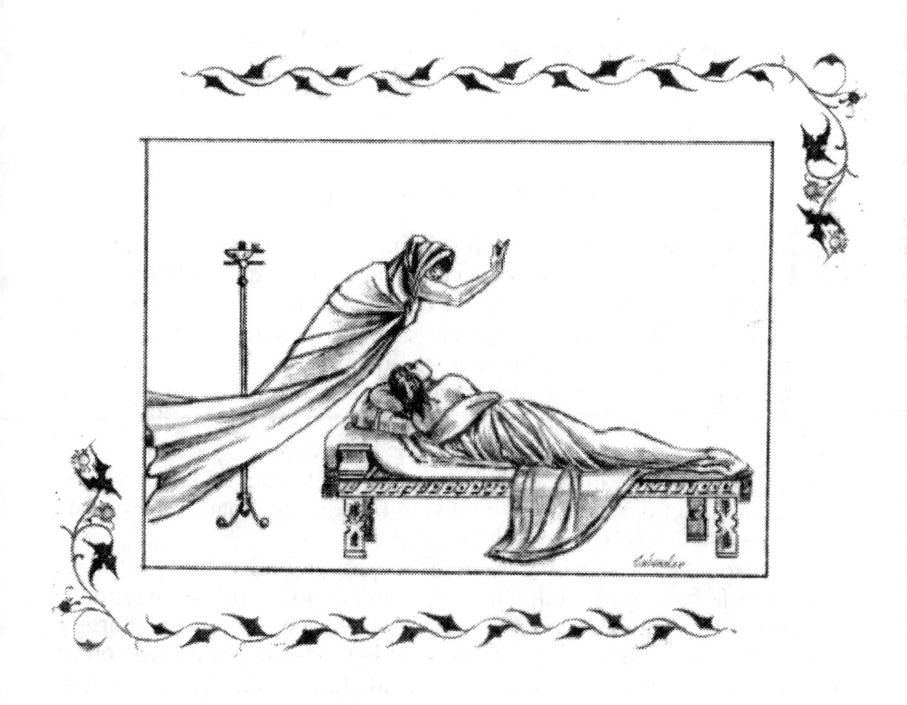

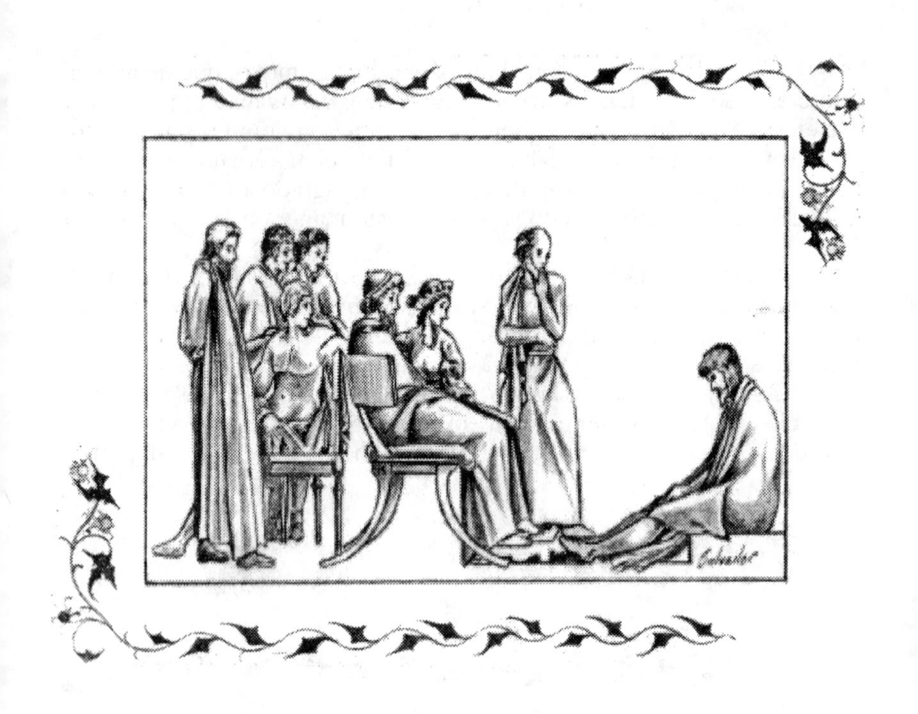

RAPSODIA VII

ENTRADA DE ODISEO EN EL PALACIO DE ALCÍNOO

Mientras así rogaba el paciente divinal Odiseo, la doncella era conducida a la ciudad por las vigorosas mulas. Apenas hubo llegado a la ínclita morada de su padre, paró en el umbral; sus hermanos, que se asemejaban a los dioses, pusiéronse a su alrededor, desengancharon las mulas y llevaron los vestidos adentro de la casa; y ella se encaminó a su habitación donde encendía fuego la anciana Eurimedusa de Apira, su camarera, a quien en otro tiempo habían traído de allá en las corvas naves y elegido para ofrecérsela como regalo a Alcínoo, que reinaba sobre todos los feacios y era escuchado por el pueblo cual si fuese un dios. Ésta fue la que crió a Nausícaa, de níveos brazos, en el palacio; y entonces le encendía fuego y le aparejaba cena.

14 En aquel punto levantábase Odiseo, para ir a la ciudad; y Atenea, que le quería bien, envolvióle en copiosa nube: no fuera que alguno de los magnánimos feacios, saliéndole al camino, le zahiriese con palabras y le preguntase quién era. Mas, al entrar el héroe en la agradable población, se le hizo encontradizo Atenea, la deidad de ojos de lechuza, transfigurada en joven doncella que llevaba un cántaro, y se detuvo delante de él. Y el divinal Odiseo le dirigió esta pregunta:

22 Odiseo. — ¡Oh hija! ¿No podrías llevarme al palacio de Alcínoo, que reina sobre estos hombres? Soy un forastero que, después de pade-

cer mucho, he llegado acá, viniendo de lejos, de una tierra apartada; y no conozco a ninguno de los hombres que habitan esta ciudad y estos campos

[27] Respondióle Atenea, la deidad de ojos de lechuza:

[28] ATENEA. — Yo te mostraré, oh forastero venerable, el palacio de que hablas, pues está cerca de la mansión de mi eximio padre. Anda sin desplegar los labios, y te guiaré en el camino; pero no mires a los hombres ni les hagas preguntas, que ni son muy sufridos con los forasteros ni acogen amistosamente al que viene de otro país. Aquéllos, fiando en sus rápidos bajeles, atraviesan el gran abismo del mar por concesión de Posidón, que sacude la tierra; y sus embarcaciones son tan ligeras como las alas o el pensamiento.

[37] Cuando así hubo dicho, Palas Atenea caminó a buen paso y Odiseo fue siguiendo las pisadas de la diosa. Y los feacios, ínclitos navegantes, no cayeron en la cuenta de que anduviese por la ciudad y entre ellos porque no lo permitió Atenea, la terrible deidad de hermosas trenzas, la cual, usando de benevolencia, cubrióle con una niebla divina. Atónito contemplaba Odiseo los puertos, las naves bien proporcionadas, las ágoras de aquellos héroes y los muros grandes, altos, provistos de empalizadas, que era cosa admirable de ver. Pero, no bien llegaron al magnífico palacio del rey, Atenea, la deidad de ojos de lechuza, comenzó a hablarle de esta guisa:

[48] ATENEA. — Éste es, padre huésped, el palacio que me pediste te mostrara: hallarás en él a los reyes, alumnos de Zeus, celebrando un banquete; pero vete adentro y no se turbe tu ánimo, que el hombre, si es audaz, es más afortunado en lo que emprende, aunque haya venido de otra tierra. Entrado en la sala, hallarás primero a la reina, cuyo nombre es Arete y procede de los mismos ascendientes que engendraron al rey Alcínoo. En un principio, engendraron a Nausítoo el dios Posidón, que sacude la tierra, y Peribea, la más hermosa de las mujeres, hija menor del magnánimo Eurimedonte, el cual había reinado en otro tiempo sobre los orgullosos Gigantes. Pero éste perdió a su pueblo malvado y pereció él mismo; y Posidón tuvo en aquélla un hijo, el magnánimo Nausítoo, que luego imperó sobre los feacios. Nausítoo engendró a Rexénor y a Alcínoo: mas, estando el primero recién casado y sin hijos varones, fue muerto por Apolo, el del arco de plata, y dejó en el palacio una sola hija, Arete, a quien Alcínoo tomó por consorte, y se ve honrada por él como ninguna de las mujeres de la tierra que gobiernan una casa y viven sometidas a sus esposos. Así, tan cordialmente, ha sido y es honrada de sus hijos, del mismo Alcínoo y de los ciudadanos, que la contemplan como a una diosa y la saludan con cariñosas palabras cuando anda por la ciudad. No carece de buen entendimiento y dirime los litigios de aquéllos, para los cuales siente benevolencia, aunque sean hombres. Si ella te fuere benévola, ten esperanza de ver a tus amigos y de llegar a tu casa de elevado techo y a tu patria tierra.

[78] Cuando Atenea, la de ojos de lechuza, hubo dicho esto, se fue por cima del mar; y, saliendo de la encantadora Esqueria, llegó a Maratón y

a Atenas, la de anchas calles, y entróse en la tan sólidamente construida morada de Erecteo. Ya Odiseo enderezaba sus pasos a la ínclita casa de Alcínoo y, antes de llegar frente al broncineo umbral, meditó en su ánimo muchas cosas; pues la mansión excelsa del magnánimo Alcínoo resplandecía con el brillo del sol o de la luna. A derecha e izquierda corrían sendos muros de bronce desde el umbral al fondo; en lo alto de ellos extendíase una cornisa de lapislázuli; puertas de oro cerraban por dentro la casa sólidamente construida; las dos jambas eran de plata y arrancaban del broncíneo umbral; apoyábase en ellas argénteo dintel, y el anillo de la puerta era de oro. Estaban a entrambos lados unos perros de plata y de oro, inmortales y exentos para siempre de la vejez, que Hefesto había fabricado con sabia inteligencia para que guardaran la casa del magnánimo Alcínoo. Había sillones arrimados a la una y a la otra de las paredes, cuya serie llegaba sin interrupción desde el umbral a lo más hondo, y cubríanlos delicados tapices hábilmente tejidos, obra de las mujeres. Sentábanse allí los principales feacios a beber y a comer, pues de continuo celebraban banquetes. Sobre pedestales muy bien hechos hallábanse de pie unos niños de oro, los cuales alumbraban de noche, con hachas encendidas en las manos, a los convidados que hubiera en la casa. Cincuenta esclavas tiene Alcínoo en su palacio; unas quebrantan con la muela el rubio trigo; otras tejen telas y, sentadas, hacen voltear los husos, moviendo las manos cual si fuesen hojas de excelso plátano, y las bien labradas telas relucen como si destilaran aceite líquido. Cuanto los feacios son expertos sobre todos los hombres en conducir una velera nave por el ponto, así sobresalen grandemente las mujeres en fabricar lienzos, pues Atenea les ha concedido que sepan hacer bellísimas labores y posean excelente ingenio. En el exterior del patio, cabe a las puertas, hay un gran jardín de cuatro yugadas, y alrededor del mismo se extiende un seto por entrambos lados. Allí han crecido grandes y florecientes árboles: perales, granados, manzanos de espléndidas pomas, dulces higueras y verdes olivos. Los frutos de estos árboles no se pierden ni faltan, ni en invierno ni en verano: son perennes; y el Céfiro, soplando constantemente, a un tiempo mismo produce unos y madura otros. La pera envejece sobre la pera, la manzana sobre la manzana, la uva sobre la uva y el higo sobre el higo. Allí han plantado una viña muy fructífera y parte de sus uvas se secan al sol en un lugar abrigado y llano, a otras las vendimian, a otras las pisan, y están delante las verdes, que dejan caer la flor, y las que empiezan a negrear. Allí, en el fondo del huerto, crecían liños de legumbres de toda clase, siempre lozanas. Hay en él dos fuentes: una corre por todo el huerto; la otra va hacia la excelsa morada y sale debajo del umbral, adonde acuden por agua los ciudadanos. Tales eran los espléndidos presentes de los dioses en el palacio de Alcínoo.

[133] Detúvose el paciente divinal Odiseo a contemplar todo aquello; y, después de admirarlo, pasó rápidamente el umbral, entró en la casa y halló a los caudillos y príncipes de los feacios ofreciendo con las copas libaciones al vigilante Argifontes, que era el último a quien las hacían

cuando ya determinaban acostarse; mas el paciente divinal Odiseo anduvo por el palacio, envuelto en la espesa nube con que lo cubrió Atenea, hasta llegar adonde estaban Arete y el rey Alcínoo. Entonces tendió Odiseo sus brazos a las rodillas de Arete, disipóse la divinal niebla, enmudecieron todos los de la casa al reparar en aquel hombre a quien contemplaban admirados, y Odiseo comenzó su ruego de esta manera:

146 ODISEO. — ¡Arete, hija de Rexénor, que parecía un dios! Después de sufrir mucho, vengo a tu esposo, a tus rodillas y a estos convidados, a quienes permitan los dioses vivir felizmente y entregar su herencia a los hijos que dejen en sus palacios, así como también los honores que el pueblo les haya conferido. Mas aprestadme hombres que me conduzcan, para que muy pronto vuelva a la patria; pues hace mucho tiempo que ando lejos de los amigos, padeciendo infortunios.

153 Dicho esto, sentóse junto a la lumbre del hogar, en la ceniza; y todos enmudecieron y quedaron silenciosos. Pero, al fin, el anciano héroe Equeneo, que era el de más edad entre los varones feacios y descollaba por su elocuencia, sabiendo muchas y muy antiguas cosas, les arengó benévolamente y les dijo:

159 EQUENEO. — ¡Alcínoo! No es bueno ni decoroso para ti que el huésped esté sentado en tierra, sobre la ceniza del hogar; y éstos se hallan cohibidos, esperando que hables. Ea, pues, levántate, hazle sentar en una silla de clavazón de plata, y manda a los heraldos que mezclen vino para ofrecer libaciones a Zeus, que se huelga con el rayo, dios que acompaña a los venerandos suplicantes. Y tráigale de cenar la despensera, de aquellas viandas que allá dentro se guardan.

167 Cuando esto oyó la sacra potestad de Alcínoo, asiendo por la mano al prudente y sagaz Odiseo, alzóle de junto al fuego e hízole sentar en una silla espléndida, mandando que se la cediese un hijo suyo, el valeroso Laodamante, que se sentaba a su lado y érale muy querido. Una esclava diole aguamanos, que traía en magnífico jarro de oro, y vertió en fuente de plata, y puso delante de Odiseo una pulimentada mesa. La veneranda despensera trájole pan y dejó en la mesa buen número de manjares, obsequiándole con los que tenía guardados. El paciente divinal Odiseo comenzó a beber y a comer; y entonces el poderoso Alcínoo dijo al heraldo:

179 ALCÍNOO. — ¡Pontónoo! Mezcla vino en la cratera y distribúyelo a cuantos se encuentren en el palacio, a fin de que hagamos las libaciones a Zeus, que se huelga con el rayo, dios que acompaña a los venerandos suplicantes.

182 Así se expresó. Pontónoo mezcló el dulce vino y lo distribuyó a todos los presentes, después de haber ofrecido en copas las primicias. Y cuando hubieron hecho la libación y bebido cuanto plugo a su ánimo, Alcínoo les arengó diciéndoles de esta suerte:

186 ALCÍNOO. — ¡Oíd, caudillos y príncipes de los feacios, y os diré lo que en el pecho mi corazón me dicta! Ahora, que habéis cenado, idos a acostar en vuestras casas: mañana, así que rompa el día, llamaremos a un

número mayor de ancianos, trataremos al forastero como huésped en el palacio, ofreceremos a las deidades hermosos sacrificios, y hablaremos de su acompañamiento para que pueda, sin fatigas ni molestias y acompañándole nosotros, llegar rápida y alegremente a su patria tierra, aunque esté muy lejos, y no haya de padecer mal ni daño alguno antes de tornar a su país; que, ya en su casa, padecerá lo que el hado y las graves Hilanderas dispusieron al hilar el hilo cuando su madre lo dio a luz. Y si fuere uno de los inmortales, que ha bajado del cielo, algo nos preparan los dioses; pues hasta aquí, siempre se nos han aparecido claramente cuando les ofrecemos magníficas hecatombes, y comen, sentados con nosotros, donde comemos los demás. Y si algún solitario caminante se encuentra con ellos, no se le ocultan; porque estamos tan cercanos a los mismos por nuestro linaje como los Ciclopes y la salvaje raza de los Gigantes.

208 Respondióle el ingenioso Odiseo:

209 ODISEO. — ¡Alcínoo! Piensa otra cosa, pues no soy semejante ni en cuerpo ni en natural a los inmortales que poseen el anchuroso cielo, sino a los mortales hombres: puedo equipararme por mis penas a los varones de quienes sepáis que han soportado más desgracias y contaría males aún mayores que los suyos, si os dijese cuántos he padecido por la voluntad de los dioses. Mas dejadme cenar, aunque me siento angustiado; que no hay cosa tan importuna como el vientre, que nos obliga a pensar en él, aun hallándonos muy afligidos o con el ánimo lleno de pesares como me veo yo ahora, nos incita siempre a comer y beber, y en la actualidad me hace echar en olvido los trabajos que he padecido, mandándome que lo sacie. Y vosotros daos prisa, así que se muestre la aurora, y haced que yo, oh desgraciado, vuelva a mi patria, no obstante lo mucho que he padecido. No se me acabe la vida sin ver nuevamente mis posesiones, mis esclavos y mi gran casa de elevado techo.

226 Así dijo. Todos aprobaron sus palabras y aconsejaron que al huésped se le llevase a la patria, ya que era razonable cuanto decía. Hechas las libaciones y habiendo bebido todos cuanto les plugo, fueron a recogerse en sus respectivas moradas; pero el divinal Odiseo se quedó en el palacio y a par de él sentáronse Arete y el deiforme Alcínoo, mientras las esclavas retiraban lo que había servido para el banquete. Arete, la de los níveos brazos, fue la primera en hablar, pues, contemplando los hermosos vestidos de Odiseo, reconoció el manto y la túnica que había labrado con sus siervas. Y en seguida habló al héroe con estas aladas palabras:

237 ARETE. — ¡Huésped! Primeramente quiero preguntarte yo misma: ¿Quién eres y de qué país procedes? ¿Quien te dio esos vestidos? ¿No dices que llegaste vagando por el ponto?

240 Respondióle el ingenioso Odiseo:

241 ODISEO. — Difícil sería, oh reina, contar menudamente mis infortunios, pues me los enviaron en gran abundancia los dioses celestiales; mas te hablaré de aquello de lo que me preguntas e interrogas. Hay en el mar una isla lejana, Ogigia, donde mora la hija de Atlante, la dolosa

Calipso, de lindas trazas, deidad poderosa que no se comunica con ninguno de los dioses ni de los mortales hombres; pero a mí, oh desdichado, me llevó a su hogar algún numen, después que Zeus hendió con el ardiente rayo mi veloz nave en medio del vinoso ponto. Perecieron mis esforzados compañeros, mas yo me abracé a la quilla del corvo bajel, anduve errante nueve días y en la décima y oscura noche lleváronme los dioses a la isla Ogigia donde mora Calipso, de lindas trenzas, terrible diosa: ésta me recogió, me trató solícita y amorosamente, me mantuvo y díjome a menudo que me haría inmortal y exento de la senectud para siempre, sin que jamás lograra llevar la persuasión a mi ánimo. Allí estuve detenido siete años, y regué incesantemente con lágrimas las divinales vestiduras que me dio Calipso. Pero cuando vino el año octavo, me exhortó y me invitó a partir; sea a causa de algún mensaje de Zeus, sea porque su mismo pensamiento hubiese variado. Envióme en una balsa hecha con buen número de ataduras, me dio abundante pan y dulce vino, me puso vestidos divinales y me mandó favorable y plácido viento. Diecisiete días navegué, atravesando el ponto; al decimoctavo pude divisar los umbrosos montes de vuestra tierra y a mí, oh infeliz, se me alegró el corazón. Mas aún había de encontrarme con grandes trabajos que me suscitaría Posidón, que sacude la tierra: el dios levantó vientos contrarios, impidiéndome el camino, y conmovió el mar inmenso; de suerte que las olas no me permitían a mí, que daba profundos suspiros, ir en la balsa, y ésta fue desbaratada muy pronto por la tempestad. Entonces nadé, atravesando el abismo, hasta que el viento y el agua me acercaron a vuestro país. Al salir del mar, la ola me hubiese estrellado contra la tierra firme, arrojándome a unos peñascos y a un lugar funesto; pero retrocedí nadando y llegué a un río, paraje que me pareció muy oportuno por carecer de rocas y formar como un reparo contra los vientos. Me dejé caer sobre la tierra, cobrando aliento; pero sobrevino la divinal noche y me alejé del río, que las celestiales lluvias alimentan, me eché a dormir entre unos arbustos, después de haber amontonado serojas a mi alrededor, e infundióme un dios profundísimo sueño. Allí, entre las hojas y con el corazón triste, dormí toda la noche, toda la mañana y el mediodía; y al ponerse el sol dejóme el dulce sueño. Vi entonces a las siervas de tu hija jugando en la playa junto con ella, que parecía una diosa. La imploré y no le faltó buen juicio, como no era de esperar que demostrase en sus actos una persona joven que se hallara en tal trance, porque los mozos siempre se portan inconsideradamente. Diome abundante pan y vino tinto, mandó que me lavaran en el río y me entregó estas vestiduras. Tal es lo que, aunque angustiado, deseaba contarte, conforme a la verdad de lo ocurrido.

298 Respondióle Alcínoo diciendo:

299 ALCÍNOO. — ¡Huésped! En verdad que mi hija no tomó el acuerdo más conveniente; ya que no te trajo a nuestro palacio, con las esclavas, habiendo sido la primera persona a quien suplicaste.

302 Contestóle el ingenioso Odiseo:

[303] ODISEO. — ¡Oh héroe! No por eso reprendas a tan eximia doncella, que ya me invitó a seguirla con las esclavas; mas yo no quise por temor y respeto: no fuera que mi visita te irritara, pues somos muy suspicaces los hombres que vivimos en la tierra.

[308] Respondióle Alcínoo diciendo:

[309] ALCÍNOO. — ¡Huésped! No encierra mi pecho corazón de tal índole que se irrite sin motivo, y lo mejor es siempre lo más justo. Ojalá, ¡por el padre Zeus, Atenea y Apolo!, que siendo cual eres y pensando como yo pienso, tomases a mi hija por mujer y fueras llamado yerno mío, permaneciendo con nosotros. Diérate casa y riquezas, si de buen grado te quedaras; que contra tu voluntad ningún feacio te ha de detener, pues eso disgustaría al padre Zeus. Y desde ahora decido, para que lo sepas bien, que tu viaje se haga mañana: en durmiéndote, vencido del sueño, los compañeros remarán por el mar en calma hasta que llegues a tu patria y a tu casa, o a donde te fuere grato, aunque esté mucho más lejos que Eubea; la cual dicen que se halla muy distante los ciudadanos que la vieron cuando llevaron al rubio Radamantis a visitar a Titio, hijo de la Tierra: fueron allá y en un solo día y sin cansarse terminaron el viaje y se restituyeron a sus casas. Tú mismo apreciarás cuán excelentes son mis naves y cuán hábiles los jóvenes en batir el mar con los remos.

[329] Así dijo. Alegróse el paciente divinal Odiseo y, orando, habló de esta manera:

[331] ODISEO. — ¡Padre Zeus! Ojalá que Alcínoo lleve a cumplimiento cuanto ha dicho; que su gloria jamás se exstinga sobre la fértil tierra y que logre yo volver a mi patria.

[334] Así estos conversaban. Arete, la de los níveos brazos, mandó a las esclavas que pusieran un lecho debajo del pórtico, lo proveyesen de hermosas colchas de púrpura, extendiesen por encima tapetes, y dejasen afelpadas túnicas para abrigarse. Las doncellas salieron del palacio llevando en sus manos hachas encendidas, y en acabando de hacer diligentemente la cama, presentáronse a Odiseo y le llamaron con estas palabras:

[342] LAS DONCELLAS. — Levántate, huésped, y vete a acostar, que ya está hecha tu cama. Así dijeron, y pareció grato dormir. De este modo el paciente divinal Odiseo durmió allí, en torneado lecho, debajo del sonoro pórtico. Y Alcínoo se acostó en el interior de la excelsa mansión, y a su lado la reina, después de aparejarle lecho y cama.

RAPSODIA VIII

PRESENTACIÓN DE ODISEO A LOS FEACIOS

No bien se descubrió la hija de la mañana, la Aurora de los rosáceos dedos, levantáronse de la cama la sacra potestad de Alcínoo y Odiseo, del linaje de Zeus, asolador de ciudades. La sacra potestad de Alcínoo se puso al frente de los demás, y juntos se encaminaron al ágora, que los feacios habían construido cerca de las naves. Tan luego como llegaron, sentáronse en unas piedras pulidas, los unos al lado de los otros mientras Palas Atenea, transfigurada en heraldo del prudente Alcínoo, recorría la ciudad y pensaba en la vuelta del magnánimo Odiseo a su patria. Y la diosa, allegándose a cada varón, decíales estas palabras:

[11] ATENEA. — ¡Ea; caudillos y príncipes de los feacios! Id al ágora para que oigáis hablar del forastero que no ha mucho llegó a la casa del prudente Alcínoo, después de andar errante por el ponto, y es un varón que se asemeja por su cuerpo a los inmortales.

[15] Diciendo así, movíales el corazón y el ánimo. El ágora y los asientos llenáronse bien presto de varones que se iban juntando, y eran en gran número los que contemplaban con admiración al prudente hijo de Laertes, pues Atenea esparció mil gracias por la cabeza y los hombros de Odiseo e hizo que pareciese más alto y más grueso para que a todos los feacios les fuera grato, temible y venerable, y llevara a término los muchos juegos con que éstos habían de probarlo. Y no bien acudieron los ciudadanos, una vez reunidos todos, Alcínoo les arengó de esta manera:

[26] ALCÍNOO. — ¡Oídme, caudillos y príncipes de los feacios, y os diré lo que en el pecho mi corazón me dicta! Este forastero, que no sé quién es, llegó errante a mi palacio (ya venga de los hombres de Oriente, ya de los de Occidente) y nos suplica con mucha insistencia que tomemos la firme resolución de acompañarlo a su patria. Apresurémonos, pues, a conducirle, como anteriormente lo hicimos con tantos otros; ya que ninguno de los que vinieron a mi casa hubo de estar largo tiempo suspirando por la vuelta. Ea, pues, echemos al mar divino una negra nave sin estrenar y escójanse de entre el pueblo los cincuenta y dos mancebos que hasta aquí hayan sido los más excelentes. Y atando bien los remos a los bancos, salgan de la embarcación y aparejen en seguida un convite en mi palacio que a todos lo he de dar muy abundante. Esto mando a los jóve-

nes; pero vosotros, reyes portadores de cetro, venid a mi hermosa mansión para que festejemos en la sala a nuestro huésped. Nadie se me niegue. Y llamad a Demódoco, el divino aedo a quien los númenes otorgaron gran maestría en el canto para deleitar a los hombres, siempre que a cantar le incita su ánimo.

[46] Cuando así hubo hablado, comenzó a caminar; siguiéronle los reyes, portadores de cetro, y el heraldo fue a llamar al divinal aedo. Los cincuenta y dos jóvenes elegidos, cumpliendo la orden del rey, enderezaron a la ribera del estéril mar; y, en llegando a do estaba la negra embarcación, echáronla al mar profundo, pusieron el mástil y el velamen, y ataron los remos con correas, haciéndolo todo de conveniente manera. Extendieron después las blancas velas, anclaron la nave donde el agua era profunda, y acto continuo se fueron a la gran casa del prudente Alcínoo. Llenáronse los pórticos, el recinto de los patios y las salas con los hombres que allí se congregaron; pues eran muchos, entre jóvenes y ancianos. Para ellos inmoló Alcínoo doce ovejas, ocho puercos de albos dientes y dos flexípedes bueyes: todos fueron desollados y preparados, y aparejóse una agradable comida.

[62] Presentóse el heraldo con el amable aedo a quien la Musa quería extremadamente y le había dado un bien y un mal: privóle de la vista, pero le concedió el dulce canto. Pontónoo le puso en medio de los convidados una silla de clavazón de plata, arrimándola a excelsa columna; y el heraldo le colgó de un clavo la melodiosa cítara más arriba de la cabeza, enseñóle a tomarla con las manos y le acercó un canastillo, una linda mesa y una copa de vino para que bebiese siempre que su ánimo se lo aconsejara. Todos echaron mano a las viandas que tenían delante. Y apenas saciado el deseo de comer y de beber, la Musa excitó al aedo a que celebrase la gloria de los guerreros con un cantar cuya fama llegaba entonces al anchuroso cielo: la disputa de Odiseo y del Pelida Aquileo, quienes en el suntuoso banquete en honor de los dioses contendieron con horribles palabras, mientras el rey de hombres Agamenón se regocijaba en su ánimo al ver que reñían los mejores de los aqueos; pues Febo Apolo se lo había pronosticado en la divina Pito, cuando el héroe pasó el umbral de piedra y fue a consultarle, diciéndole que desde aquel punto comenzaría a desarrollarse la calamidad entre teucros y dánaos por la decisión del gran Zeus.

[83] Tal era lo que cantaba el ínclito aedo. Odiseo tomó con sus robustas manos el gran manto de color de púrpura y se lo echó por encima de la cabeza, cubriendo su faz hermosa, pues dábale vergüenza que brotaran lágrimas de sus ojos delante de los feacios; y así que el divinal aedo dejó de cantar, enjugóse las lágrimas, se quitó el manto de la cabeza y, asiendo una copa doble, hizo libaciones a las deidades. Pero, cuando aquél volvió a comenzar —habiéndole pedido los más nobles feacios que cantase, porque se deleitaban con sus relatos—, Odiseo se cubrió nuevamente la cabeza y tornó a llorar. A todos les pasó inadvertido que derramara lágrimas menos a Alcínoo; el cual, sentado junto a él, lo reparó y

notó, oyendo asimismo que suspiraba profundamente. Y entonces dijo el rey a los feacios, amantes de manejar los remos:

97 ALCÍNOO. — ¡Oídme, caudillos y príncipes de los feacios! Como ya hemos gozado del común banquete y de la cítara, que es la compañera del festín espléndido, salgamos a probar toda clase de juegos; para que el huésped participe a sus amigos, después que se haya restituido a la patria, cuánto superamos a los demás hombres en el pugilato, lucha, salto y carrera.

104 Cuando así hubo hablado, comenzó a caminar, y los demás le siguieron. El heraldo colgó del clavo la melodiosa cítara y, asiendo de la mano a Demódoco, lo sacó de la casa y le fue guiando por el mismo camino por donde iban los nobles feacios a admirar los juegos. Encamináronse todos al ágora, seguidos de una turba numerosa, inmensa; y allí se pusieron en pie muchos y vigorosos jóvenes. Levantáronse Acróneo, Ocíalo, Elatreo, Nauteo, Primneo, Anquíalo Eretmeo, Ponteo, Proreo, Toón, Anabesíneo y Anfíalo, hijo de Polínea Tectónida; levantóse también Euríalo, igual a Ares, funesto a los mortales, y Naubólides, el más excelente en cuerpo y hermosura de todos los feacios después del intachable Laodamante; y alzáronse, por fin, los tres hijos del egregio Alcínoo: Laodamante, Halio y Clitoneo, parecido a un dios. Empezaron a competir en la carrera. Partieron simultáneamente de la raya, y volaban ligeros y levantando polvo por la llanura. Entre ellos descollaba mucho en el correr el eximio Clitoneo, y cuan largo es el surco que abren dos mulas en campo noval, tanto se adelantó a los demás que le seguían rezagados. Salieron a desafío otros en la fatigosa lucha, y Euríalo venció a cuantos en ella sobresalían. En el salto fue Anfíalo superior a los demás; en arrojar el disco señalóse Elatreo sobre todos y en el pugilato, Laodamante, el buen hijo de Alcínoo. Y cuando todos hubieron recreado su ánimo con los juegos, Laodamante, hijo de Alcínoo, hablóles de esta suerte:

133 LAODAMANTE. — Venid, amigos, y preguntemos al huésped si conoce o ha aprendido algún juego. Que no tiene mala presencia a juzgar por su naturaleza, por sus muslos, piernas y brazos, por su robusta cerviz y por su gran vigor: ni le ha desamparado todavía la juventud; aunque está quebrantado por muchos males, pues no creo haya cosa alguna que pueda compararse con el mar para abatir a un hombre por fuerte que sea.

140 Euríalo le contestó en seguida:

141 EURÍALO. — ¡Laodamante! Muy oportunas son tus razones. Ve tú mismo y provócale repitiéndoselas.

143 Apenas lo oyó, adelantóse el buen hijo de Alcínoo, púsose en medio de todos y dijo a Odiseo:

145 LAODAMANTE . — Ea, padre huésped, ven tú también a probar la mano en los juegos, si aprendiste alguno; y debes de conocerlos, que no hay gloria más ilustre para el varón en esta vida, que la de campear por las obras de sus pies o de sus manos. Ea, pues, ven a ejercitarte y echa del alma las penas, pues tu viaje no se diferirá mucho: ya la nave ha sido botada y los que te han de acompañar están prestos.

[152] Respondióle el ingenioso Odiseo:

[153] ODISEO. — ¡Laodamante! ¿Por qué me ordenáis tales cosas para hacerme la burla? Más que en los juegos ocúpase mi alma en sus penas, que son muchísimas las que he padecido y arrastrado. Y ahora, anhelando volver a la patria, me siento en vuestra ágora, para suplicar al rey y a todo el pueblo.

[158] Mas Euríalo le contestó, echándole en cara este baldón:

[159] EURÍALO. — ¡Huésped! No creo, en verdad, que seas varón instruido en los muchos juegos que se usan entre los hombres; antes pareces capitán de marineros traficantes, sepultado asiduamente en la nave de muchos bancos para cuidar de la carga y vigilar las mercancías y el lucro debido a las rapiñas. No, no tienes traza de atleta.

[165] Mirándole con torva faz, le repuso el ingenioso Odiseo:

[166] ODISEO. — ¡Huésped! Mal hablaste y me pareces un insensato. Los dioses no han repartido de igual modo a todos los hombres sus amables presentes: hermosura, ingenio y elocuencia. Hombre hay que, inferior por su aspecto, recibe de una deidad el adorno de la facundia y ya todos se complacen en mirarlo, cuando los arenga con firme voz y suave modestia y le contemplan como a un numen si por la ciudad anda; mientras que, por el contrario, otro se parece a los inmortales por su exterior y no tiene donaire alguno en sus dichos. Así tu aspecto es distinguido y un dios no te habría configurado de otra suerte; mas tu inteligencia es ruda. Me has movido el ánimo en el pecho con decirme cosas inconvenientes. No soy ignorante en los juegos, como tú afirmas, antes pienso que me podían contar entre los primeros mientras tuve confianza en mi juventud y en mis manos. Ahora me hallo agobiado por la desgracia y las fatigas, pues he tenido que sufrir mucho, ya combatiendo con los hombres, ya surcando las temibles olas. Pero aun así, siquiera haya padecido gran copia de males, probaré la mano en los juegos: tus palabras fueron mordaces y me incitaste al proferirlas.

[186] Dijo; y, levantándose impetuosamente sin dejar el manto, tomó un disco mayor, más grueso y mucho más pesado que el que solían tirar los feacios. Hízole dar algunas vueltas, despidiólo del robusto brazo, y la piedra partió silbando y con tal ímpetu que los feacios, ilustres navegantes que usan largos remos, se inclinaron al suelo. El disco, corriendo veloz desde que lo soltó la mano, pasó las señales de todos los tiros. Y Atenea, transfigurada en varón, puso la conveniente señal y así les dijo:

[195] ATENEA. — Hasta un ciego, oh huésped, distinguiría a tientas la señal de tu golpe, porque no está mezclada con la multitud de las otras, sino mucho más allá. En este juego puedes estar tranquilo, que ninguno de los feacios llegará a tu golpe y mucho menos logrará pasarlo.

[199] Así habló. Regocijóse el paciente divinal Odiseo, holgándose de haber dado, dentro del circo, con un compañero benévolo. Y entonces dijo a los feacios, con voz ya más suave:

[202] ODISEO. — Llegad a esta señal, oh jóvenes, y espero que pronto enviaré otro disco o tan lejos o más aún. Y en los restantes juegos, aquél

a quien le impulse el corazón y el ánimo a probarse conmigo, venga acá (ya que me habéis encolerizado fuertemente), pues en el pugilato, la lucha o la carrera, a nadie rehusó de entre todos los feacios a excepción del mismo Laodamante, que es mi huésped: ¿quién lucharía con el que le acoge amistosamente? Insensato y miserable es el que provoca en los juegos al que le ha recibido como huésped en tierra extraña, pues con ello a sí mismo se perjudica. De los demás a ninguno rechazo ni desprecio; sino que mi ánimo es conocerlos y probarme con todos frente a frente; pues no soy completamente inepto para cuantos juegos se hallan en uso entre los hombres. Sé manejar bien el pulido arco, y sería quien primero hiriese a un hombre, si lo disparara contra una turba de enemigos, aunque gran número de compañeros estuviesen a mi lado tirándoles flechas. El único que lograba vencerme, cuando los aqueos nos servíamos del arco allá en el pueblo de los troyanos, era Filoctetes, mas yo os aseguro que les llevo gran ventaja a todos los demás, a cuantos mortales viven actualmente y comen pan en el mundo, pues no me atreviera a competir con los antiguos varones (ni con Heracles, ni con Eurito ecaliense) que hasta con los inmortales contendían con el arco. Por ello murió el gran Eurito en edad temprana y no pudo llegar a viejo en su palacio: lo mató Apolo, irritado de que le desafiase a tirar con el arco. Con la lanza llegó a donde otro no tirará una flecha. Tan sólo en el correr temería que alguno de los feacios me superara, pues me quebrantaron de deplorable manera muchísimas olas, no siempre tuve provisiones en la nave , y mis miembros están desfallecidos.

234 Así habló. Todos enmudecieron y quedaron silenciosos. Y solamente Alcínoo le contestó diciendo:

236 ALCÍNOO. — ¡Huésped! No nos desplacieron tus palabras, ya que con ellas te propusiste mostrar el valor que tienes, enojado de que ese hombre te increpase dentro del circo, siendo así que ningún mortal que pensara razonablemente pondría tacha a tu bravura. Mas ahora, presta atención a mis palabras para que, cuando estés en tu casa y comiendo con tu esposa y tus hijos te acuerdes de nuestra destreza, puedas referir a algún otro héroe qué obras nos asignó Zeus desde nuestros antepasados. No somos irreprensibles púgiles ni luchadores, sino muy ligeros en el correr y excelentes en gobernar las naves; y siempre nos placen los convites, la cítara, los bailes, las vestiduras limpias, los baños calientes y la cama. Pero, ea, danzadores feacios, salid los más hábiles a bailar, para que el huésped diga a sus amigos al volver a su morada cuánto sobrepujamos a los demás hombres en la navegación, la carrera, el baile y el canto. Y vaya alguno en busca de la cítara, que quedó en nuestro palacio, y tráigala presto a Demódoco.

256 Así dijo el deiforme Alcínoo. Levantóse el heraldo y fue a traer del palacio del rey la hueca cítara. Alzáronse también nueve jueces, que habían sido elegidos entre los ciudadanos y cuidaban de todo lo relativo a los juegos; y al instante allanaron el piso y formaron un ancho y hermoso corro. Volvió el heraldo y trajo la melodiosa cítara a Demódoco; éste

se puso en medio, y los adolescentes hábiles en la danza, habiéndose colocado a su alrededor, hirieron con los pies el divinal circo. Y Odiseo contemplaba con gran admiración los rápidos y deslumbradores movimientos que con los pies hacían.

[266] Mas el aedo, pulsando la cítara, empezó a cantar hermosamente los amores de Ares y Afrodita, la de bella corona: cómo se unieron a hurto y por vez primera en casa de Hefesto, y cómo aquél hizo muchos regalos e infamó el lecho marital del soberano dios. El Sol, que vio el amoroso acceso, fue en seguida a contárselo a Hefesto; y éste, al oír la punzante nueva, se encaminó a su fragua, agitando en lo íntimo de su alma ardides siniestros, puso encima del tajo el enorme yunque y fabricó unos hilos inquebrantables para que permanecieran firmes donde los dejara. Después que, poseído de cólera contra Ares, construyó esta trampa, fuese a la habitación en que tenía el lecho y extendió los hilos en círculo y por todas partes alrededor de los pies de la cama y colgando de las vigas, como tenues hilos de araña que nadie hubiese podido ver, aunque fuera alguno de los bienaventurados dioses, por haberlos labrado aquél con gran artificio. Y no bien acabó de sujetar la trampa en torno de la cama, fingió que se encaminaba a Lemnos, ciudad bien construida, que es para él la más agradable de todas las tierras. No en balde estaba al acecho Ares, que usa áureas riendas, y cuando vio que Hefesto, el ilustre artífice, se alejaba, fuese al palacio de este ínclito dios, ávido del amor de Citérea, la de hermosa corona. Afrodita, recién venida de junto a su padre, el preponte Cronión, se hallaba sentada; y Ares, entrando en la casa, tomóla de la mano y así le dijo: «Ven al lecho, amada mía, y acostémonos; que ya Hefesto no está entre nosotros, pues partió sin duda hacia Lemnos y los sinties de bárbaro lenguaje». Así se expresó; y a ella parecióle grato acostarse. Metiéronse ambos en la cama, y se extendieron a su alrededor los lazos artificiosos del prudente Hefesto, de tal suerte que aquéllos no podían mover ni levantar ninguno de sus miembros; y entonces comprendieron que no había medio de escapar. No tardó en presentárseles el ínclito Cojo de ambos pies, que se volvió antes de llegar a la tierra de Lemnos, porque el Sol estaba en acecho y fue a avisarle. Encaminóse a su casa con el corazón triste, detúvose en el umbral y, poseído de feroz cólera, gritó de un modo tan horrible que le oyeron todos los dioses: «¡Padre Zeus, bienaventurados y sempiternos dioses! Venid a presenciar estas cosas ridículas e intolerables: Afrodita, hija de Zeus, me infama de continuo, a mí, que soy cojo, queriendo al pernicioso Ares porque es gallardo y tiene los pies sanos, mientras que yo nací débil; mas de ello nadie tiene la culpa sino mis padres que no debieron haberme engendrado. Veréis cómo se han acostado en mi lecho y duermen amorosamente unidos, y yo me angustio al contemplarlo. Mas no espero que les dure el yacer de este modo ni siquiera breves instantes, aunque mucho se amen: pronto querrán entrambos no dormir, pero los engañosos lazos los sujetarán hasta que el padre me restituya íntegra la dote que le entregué por su hija desvergonzada. Que ésta es hermo-

sa, pero no sabe contentarse.» Así dijo; y los dioses se juntaron en la morada de pavimento de bronce. Compareció Posidón, que ciñe la tierra; presentóse también el benéfico Hermes; llegó asimismo el soberano Apolo, que hiere de lejos. Las diosas quedáronse, por pudor, cada una en su casa. Detuviéronse los dioses, dadores de los bienes, en el umbral y una risa inextinguible se alzó entre los bienaventurados númenes al ver el artificio del ingenioso Hefesto. Y uno de ellos dijo al que tenía más cerca: «No prosperan las malas acciones y el más tardo alcanza al más ágil; como ahora Hefesto, que es cojo y lento, aprisionó con su artificio a Ares, el más veloz de los dioses que poseen el Olimpo, quien tendrá que pagarle la multa del adulterio.» Así éstos conversaban. Mas el soberano Apolo, hijo de Zeus, habló a Hermes de esta manera: «¡Hermes, hijo de Zeus, mensajero, dador de bienes! ¿Querrías, preso en fuertes vínculos, dormir en la cama con la áurea Afrodita?» Respondióle el mensajero Argifontes: «¡Ojalá sucediera lo que has dicho, oh soberano Apolo, que hieres de lejos! ¡Envolviéranme triple número de inextricables vínculos, y vosotros los dioses y aun las diosas todas me estuvierais mirando, con tal que yo durmiese con la áurea Afrodita!» Así se expresó; y alzóse nueva risa entre los inmortales dioses. Pero Posidón no se reía, sino que suplicaba continuamente a Hefesto, el ilustre artífice, que pusiera en libertad a Ares. Y, hablándole, estas aladas palabras le decía: «Desátale, que yo te prometo que pagará, como lo mandas, cuanto sea justo entre los inmortales dioses.» Replicóle entonces el ínclito Cojo de ambos pies: «No me ordenes semejante cosa, oh Posidón, que ciñes la tierra, pues son malas las cauciones que por los malos se prestan. ¿Cómo te podría apremiar yo ante los inmortales dioses, si Ares se fuera suelto y, libre ya de los vínculos, rehusara satisfacer la deuda?» Contestóle Posidón, que sacude la tierra: «Si Ares huyere, rehusando satisfacer la deuda, yo mismo te lo pagaré todo.» Respondióle el ínclito Cojo de ambos pies: «No es posible, ni sería conveniente, negarte lo que pides.» Dicho esto, la fuerza de Hefesto les quitó los lazos. Ellos, al verse libres de los mismos, que tan recios eran, se levantaron sin tardanza y fuéronse él a Tracia y la risueña Afrodita a Chipre y Pafos, donde tiene un bosque y un perfumado altar; allí las Gracias la lavaron, la ungieron con el aceite divino que hermosea a los sempiternos dioses y le pusieron lindas vestiduras que dejaban admirado a quien las contemplaba.

367 Tal era lo que cantaba el ínelito aedo, y holgábanse de oírlo Odiseo y los feacios, que usan largos remos y son ilustres navegantes.

370 Alcínoo mandó entonces que Halio y Laodamante bailaran solos, pues con ellos no competía nadie. Al momento tomaron en sus manos una linda pelota de color de púrpura, que les había hecho el habilidoso Pólibo; y el uno, echándose hacia atrás, la arrojaba a las sombrías nubes, y el otro, dando un salto, la cogía fácilmente antes de volver a tocar con sus pies al suelo. Tan pronto como se probaron en tirar la pelota rectamente, pusiéronse a bailar en la fértil tierra, alternando con frecuencia. Aplaudieron los demás jóvenes que estaban en el circo, y

se promovió una recia gritería. Y entonces el divinal Odiseo habló a Alcínoo de esta manera:

[382] ODISEO. — ¡Rey Alcínoo, el más esclarecido de todos los ciudadanos! Prometiste demostrar que vuestros danzadores son excelentes y lo has cumplido. Atónito me quedo al contemplarlos.

[385] Así dijo. Alegróse la sacra potestad de Alcínoo y al punto habló así a los feacios, amantes de manejar los remos:

[387] ALCÍNOO. — ¡Oíd, caudillos y príncipes de los feacios! Paréceme el huésped muy sensato. Ea, pues, ofrezcámosle los dones de la hospitalidad, que esto es lo que cumple. Doce preclaros reyes gobernáis como príncipes la población y yo soy el treceno: traiga cada uno un manto bien lavado, una túnica y un talento de precioso oro; y vayamos todos juntos a llevárselo al huésped para que, al verlo en sus manos, asista a la cena con el corazón alegre. Y apacígüelo Euríalo con palabras y un regalo, porque no habló de conveniente modo.

[398] Así les arengó. Todos lo aplaudieron, y poniéndolo por obra, enviaron a sus respectivos heraldos para que les trajeran los presentes. Y Euríalo respondió de esta suerte:

[401] EURÍALO. — ¡Rey Alcínoo, el más esclarecido de todos los ciudadanos! Yo apaciguaré al huésped, como lo mandas, y le daré esta espada de bronce, que tiene la empuñadura de plata y en torno suyo una vaina de marfil recién cortado. Será un presente muy digno de tal persona.

[406] Diciendo así, puso en las manos de Odiseo la espada guarnecida de argénteos clavos y pronunció estas aladas palabras:

[408] EURÍALO. — ¡Salud, padre huésped! Si alguna de mis palabras te ha molestado, llévensela cuanto antes los impetuosos torbellinos. Y las deidades te permitan ver nuevamente a tu esposa y llegar a tu patria, ya que hace tanto tiempo que padeces trabajos lejos de los tuyos.

[412] Respondióle el ingenioso Odiseo:

[413] ODISEO. — ¡Muchas saludes te doy también, amigo! Los dioses te concedan felicidades y ojalá que nunca eches de menos esta espada de que me haces presente, después de apaciguarme con tus palabras.

[416] Dijo; y echóse al hombro aquella espada guarnecida de argénteos clavos. Al ponerse el sol, ya Odiseo tenía delante de sí los hermosos presentes. Introdujéronlos en la casa de Alcínoo los conspicuos heraldos e hiciéronse cargo de ellos los vástagos del ilustre rey, quienes transportaron los bellísimos regalos adonde estaban su veneranda madre. Volvieron todos al palacio, precedidos por la sacra potestad de Alcínoo, y sentáronse en elevadas sillas. Y entonces la potestad de Alcínoo dijo a Arete:

[424] ALCÍNOO. — Trae, mujer, un arca muy hermosa, la que mejor sea; y mete en la misma un manto bien lavado y una túnica. Poned al fuego una caldera de bronce y calentad agua para que el huésped se lave y, viendo colocados por orden cuantos presentes acaban de traerle los eximios feacios, se regocije con el banquete y el canto del aedo. Y yo le daré

mi hermosísima copa de oro, a fin de que se acuerde de mí todos los días al ofrecer en su casa libaciones a Zeus y a los restantes dioses.

433 Así dijo. Arete mandó a las esclavas que pusiesen en seguida un gran trípode que servía para los baños, echaron agua en la caldera y, recogiendo leña, encendiéronla debajo. Las llamas rodearon el vientre de la caldera y calentóse el agua. Entre tanto sacó Arete de su habitación un arca muy hermosa y puso en la misma los bellos dones —vestiduras y oro— que habían traído los feacios, y además un manto y una hermosa túnica. Y seguidamente habló al héroe con estas aladas palabras:

443 ARETE. — Examina tú mismo la tapa y échale pronto un nudo: no sea que te hurten alguna cosa en el camino, cuando en la negra nave estés entregado al dulce sueño.

446 Apenas oyó estas palabras el paciente divinal Odiseo, encajó la tapa y le echó un complicado nudo que le enseñó a hacer la veneranda Circe. Acto seguido invitóle la despensera a bañarse en una pila; y Odiseo vio con agrado el baño caliente, porque no cuidaba de su persona desde que partió de la casa de Calipso, la de los hermosos cabellos; que en ella estuvo siempre atendido como un dios. Y lavado ya y ungido con aceite por las esclavas, que le pusieron una túnica y un hermoso manto, salió y fuese hacia los hombres, bebedores de vino, que estaban allí; pero Nausícaa, a quien las deidades habían dotado de belleza, paróse ante la columna que sostenía el techo sólidamente construido, se admiró al clavar los ojos en Odiseo y le dijo estas aladas palabras:

461 NAUSÍCAA. — Salve, huésped, para que en alguna ocasión, cuando estés de vuelta en tu patria, te acuerdes de mí; que me debes antes que a nadie el rescate de tu vida.

463 Respondióle el ingenioso Odiseo:

464 ODISEO. — ¡Nausícaa, hija del magnánimo Alcínoo! Concédame Zeus, el tonante esposo de Hera, que llegue a mi casa y vea el día de mi regreso; que allí te invocaré todos los días, como a una diosa, porque fuiste tú, oh doncella, quien me salvó la vida.

469 Dijo, y fue a sentarse junto al rey Alcínoo, cuando ya se distribuían las porciones y se mezclaba el vino. Presentóse el heraldo con el amable aedo Demódoco, tan honrado por la gente, y le hizo sentar en medio de los convidados, arrimándolo a excelsa columna. Y entonces el ingenioso Odiseo, cortando una tajada del espinazo de un puerco de blancos dientes, del cual quedaba aún la mayor parte y estaba cubierto de abundante grasa, habló al heraldo de esta manera:

477 ODISEO. — ¡Heraldo! Toma, llévale esta carne a Demódoco para que coma y así le obsequiaré, aunque estoy afligido; que a los aedos por doquier les tributan honor y reverencia los hombres terrestres, porque la Musa les ha enseñado el canto y los ama a todos.

482 Así dijo; y el heraldo puso la carne en las manos del héroe Demódoco, quien, al recibirla, sintió que se le alegraba el alma. Todos echaron mano a las viandas que tenían delante. Y cuando hubieron

satisfecho las ganas de beber y de comer, el ingenioso Odiseo habló a Demódoco de esta manera:

[487] ODISEO. — ¡Demódoco! Yo te hablo más que a otro mortal cualquiera, pues deben de haberte enseñado la Musa, hija de Zeus, o el mismo Apolo, a juzgar por lo primorosamente que cantas el azar de los aqueos y todo lo que llevaron a cabo, padecieron y soportaron, como si tú en persona lo hubieras visto o se lo hubieses oído referir a alguno de ellos. Mas, ea, pasa a otro asunto y canta cómo estaba dispuesto el caballo de madera construido por Epeo con la ayuda de Atenea; máquina engañosa que el divinal Odiseo llevó a la acrópolis, después de llenarla con los guerreros que arruinaron a Troya. Si esto lo cuentas como se debe, yo diré a todos los hombres que una deidad benévola te concedió el divino canto.

[499] Así habló; y el aedo, movido por divinal impulso, entonó un canto cuyo comienzo era que los argivos diéronse a la mar en sus naves de muchos bancos, después de haber incendiado el campamento, mientras algunos se hallaban con el celebérrimo Odiseo en el ágora de los teucros, ocultos por el caballo que estos mismos llevaron arrastrando hasta la acrópolis. El caballo estaba en pie, y los teucros, sentados a su alrededor, decían muy confusas razones y vacilaban en la elección de uno de estos tres pareceres: hender el vacío leño con el cruel bronce, subirlo a una altura y despeñarlo, o dejar el gran simulacro como ofrenda propiciatoria a los dioses; esta última resolución debía prevalecer, porque era fatal que la ciudad se arruinase cuando tuviera dentro aquel enorme caballo de madera donde estaban los más valientes argivos que causaron a los teucros el estrago y la muerte. Cantó cómo los aqueos, saliendo del caballo y dejando la hueca emboscada, asolaron la ciudad; cantó asimismo cómo, dispersos unos por un lado y otros por otro, iban devastando la excelsa urbe, mientras que Odiseo, cual si fuese Ares, tomaba el camino de la casa de Deífobo, juntamente con el deiforme Menelao. Y refirió cómo aquél había osado sostener un terrible combate, del cual alcanzó victoria por el favor de la magnánima Atenea.

[521] Tal fue lo que cantó el eximio aedo; y en tanto consumíase Odiseo, y las lágrimas manaban de sus párpados y le regaban las mejillas. De la suerte que una mujer llora, abrazada a su marido, que cayó delante de su población y de su gente para que se libraran del día cruel la ciudad y los hijos, y al verlo moribundo y palpitante se le echa encima y profiere agudos gritos, los contrarios la golpean con las picas en el dorso y en las espaldas trayéndole la esclavitud a fin de que padezca trabajos e infortunios, y el dolor miserando deshace sus mejillas de semejante manera. Odiseo derramaba de sus ojos tantas lágrimas que movía a compasión. A todos les pasó inadvertido que vertiera lágrimas menos a Alcínoo; el cual, sentado junto a él, lo advirtió y notó, oyendo asimismo que suspiraba profundamente. Y en seguida dijo a los feacios, amantes de manejar los remos.

[536] ALCÍNOO. — ¡Oídme, caudillos y príncipes de los feacios! Cese Demódoco de tocar la melodiosa cítara, pues quizá lo que canta no les

sea grato a todos los oyentes. Desde que empezamos la cena y se levantó el divinal aedo, el huésped no ha dejado de verter doloroso llanto: sin duda le vino al alma algún pesar. Mas, ea, cese aquél para que nos regocijemos todos, así los albergadores del huésped como el huésped mismo; que es lo mejor que se puede hacer, ya que por el venerable huésped se han preparado estas cosas, su conducción y los dones que le hemos hecho en demostración de aprecio. Como a un hermano debe tratar al huésped y al suplicante quien tenga un poco de sensatez. Y así, no has de ocultar tampoco con astuto designio lo que voy a preguntarte, sino que será mucho mejor que lo manifiestes. Dime el nombre con que allá te llamaban tu padre y tu madre, los habitantes de la ciudad y los vecinos de los alrededores; que ningún hombre bueno o malo deja de tener el suyo desde que nace, porque los padres lo imponen a cuantos engendran. Nómbrame también tu país, tu pueblo, y tu ciudad, para que nuestros bajeles, proponiéndose cumplir tu propósito con su inteligencia, te conduzcan allá; pues entre los feacios no hay pilotos, ni sus naves están provistas de timones como los restantes barcos, sino que ya saben ellos los pensamientos y el querer de los hombres, conocen las ciudades y los fértiles campos de todos los países, atraviesan rápidamente el abismo del mar, aunque cualquier vapor o niebla las cubra, y no sienten temor alguno de recibir daño o de perderse; si bien oí decir a mi padre Nausítoo que Posidón nos mira con malos ojos porque conducimos sin recibir daño a todos los hombres, y afirmaba que el dios haría naufragar en el oscuro ponto un bien construido bajel de los feacios, al volver de conducir a alguien, y cubriría la vista de la ciudad con una gran montaña. Así se expresaba el anciano; mas el dios lo cumplirá o no, según le plegue. Ea, habla y cuéntame sinceramente por dónde anduviste perdido y a qué regiones llegaste, especificando qué gentes y qué ciudades bien pobladas había en ellas; así como también cuáles hombres eran crueles, salvajes e injustos, y cuáles hospitalarios y temerosos de los dioses. Dime por qué lloras y te lamentas en tu ánimo cuando oyes referir el azar de los argivos, de los dánaos y de Ilión. Diéronselo las deidades, que decretaron la muerte de aquellos hombres para que sirvieran a los venideros de asunto para sus cantos. ¿Acaso perdiste delante de Ilión algún deudo como tu yerno ilustre o tu suegro, que son las personas más queridas después de las ligadas con nosotros por la sangre y el linaje? ¿O fue, por ventura, un esforzado y agradable compañero, ya que no es inferior a un hermano el compañero dotado de prudencia?

RAPSODIA IX

RELATOS A ALCÍNOO. — CICLOPEA

RESPONDIÓLE el ingenioso Odiseo:

[2] ODISEO. — ¡Rey Alcínoo, el más esclarecido de todos los ciudadanos! En verdad que es linda cosa oír a un aedo como éste, cuya voz se asemeja a la de un numen. No creo que haya cosa tan agradable como ver que la alegría reina en todo el pueblo y que los convidados, sentados ordenadamente en el palacio ante las mesas abastecidas de pan y de carnes, escuchan al aedo, mientras el escanciador saca vino de la cratera y lo va echando en las copas. Tal espectáculo me parece bellísimo. Pero te movió el ánimo a desear que te cuente mis luctuosas desdichas, para que llore aún más y prorrumpa en gemidos. ¿Cuál cosa relataré en primer término, cuál en último lugar, siendo tantos los infortunios que me enviaron los celestiales dioses? Lo primero, quiero deciros mi nombre para que lo sepáis y en adelante, después de que me haya librado del día cruel, sea yo vuestro huésped, a pesar de vivir en una casa que está muy lejos. Soy Odiseo Laertíada, tan conocido de los hombres por mis astucias de toda clase y mi gloria llega hasta el cielo. Habito en Ítaca, que se ve a distancia: en ella está el monte Nérito, frondoso y espléndido, y en contorno hay muchas islas cercanas entre sí, como Duliquio, Same y la selvosa Zacinto. Ítaca no se eleva mucho sobre el mar, está situada

la más remota hacia el Occidente (las restantes, algo apartadas, se inclinan hacia el Oriente y el Mediodía), es áspera, pero buena criadora de mancebos; y yo no puedo hallar cosa alguna que sea más dulce que mi patria. Calipso, la divina entre las deidades, me detuvo allá, en huecas grutas, anhelando que fuese su esposo; y de la misma suerte la dolosa Circe de Eea me acogió anteriormente en su palacio, deseando también tomarme por marido; ni aquélla ni ésta consiguieron infundir convicción a mi ánimo. No hay cosa más dulce que la patria y los padres, aunque se habite en una casa opulenta, pero lejana, en país extraño, apartada de aquéllos. Pero voy a contarte mi vuelta, llena de trabajos, la cual me ordenó Zeus desde que salí de Troya.

[39] »Habiendo partido de Ilión, llevóme el viento al país de los cícones, a Ismaro; entré a saco la ciudad, maté a sus hombres y, tomando las mujeres y las abundantes riquezas, nos lo repartimos todo para que nadie se fuera sin su parte de botín. Exhorté a mi gente a que nos retiráramos con pie ligero, y los muy simples no se dejaron persuadir. Bebieron mucho vino y, mientras degollaban en la playa gran número de ovejas y de flexípedes bueyes de retorcidos cuernos, los cícones fueron a llamar a otros cícones vecinos suyos; los cuales eran más en número y más fuertes, habitaban el interior del país y sabían pelear a caballo con los hombres y aun a pie donde fuese preciso. Vinieron por la mañana tantos, cuantos son las hojas y flores que en la primavera nacen; y ya se nos presentó a nosotros, ¡oh infelices!, el funesto destino que nos había ordenado Zeus a fin de que padeciéramos multitud de males. Formáronse, nos presentaron batalla junto a las veloces naves, y nos heríamos recíprocamente con las broncíneas lanzas. Mientras duró la mañana y fuese aumentando la luz del sagrado día, pudimos resistir su arremetida, aunque eran en superior número. Mas luego, cuando el sol se encaminó al ocaso, los cícones derrotaron a los aqueos, poniéndoles en fuga. Perecieron seis compañeros, de hermosas grebas, de cada embarcación, y los restantes nos libramos de la muerte y del destino.

[62] »Desde allí seguimos adelante con el corazón triste, escapando gustosos de la muerte aunque perdimos algunos compañeros. Mas no comenzaron a moverse los cervos bajeles hasta haber llamado tres veces a cada uno de los míseros compañeros que acabaron su vida en el llano, heridos por los cícones. Zeus, que amontona las nubes, suscitó contra los barcos el viento Bóreas y una tempestad deshecha, cubrió de nubes la tierra y el ponto, y la noche cayó del cielo. Las naves iban de través, cabeceando; y el impetuoso viento rasgó las velas en tres o cuatro pedazos. Entonces las amainamos, pues temíamos nuestra perdición; y apresuradamente, a fuerza de remos, llevamos aquéllas a tierra firme. Allí permanecimos constantemente echados dos días con sus noches, royéndonos el ánimo la fatiga y los pesares. Mas, al punto que la Aurora, de lindas trenzas, nos trajo el día tercero, izamos los mástiles, descogimos las blancas velas y nos sentamos en las naves, que eran conducidas por el viento y los pilotos. Y habría llegado incólume a la tierra patria, si la

corriente de las olas y el Bóreas, que me desviaron al doblar el cabo de Malea, no me hubieran obligado a vagar lejos de Citera.

[82] »Desde allí dañosos vientos lleváronme nueve días por el ponto, abundante en peces; y al décimo arribamos a la tierra de los lotófagos, que se alimentan con un florido manjar. Saltamos en tierra, hicimos aguada, y pronto los compañeros empezaron a comer junto a las veleras naves. Y después que hubimos gustado los alimentos y la bebida, envié algunos compañeros (dos varones a quienes escogí e hice acompañar por un tercero que fue un heraldo) para que averiguaran cuáles hombres comían el pan en aquella tierra. Fueronse pronto y juntáronse con los lotófagos, que no tramaron ciertamente la perdición de nuestros amigos; pero les dieron a comer loto, y cuantos probaban este fruto, dulce como la miel, ya no querían llevar noticias ni volverse; antes deseaban permanecer con los lotófagos, comiendo loto, sin acordarse de volver a la patria. Mas yo los llevé por fuerza a las cóncavas naves y, aunque lloraban, los arrastré e hice atar debajo de los bancos. Y mandé que los restantes fieles compañeros entrasen luego en las veloces embarcaciones: no fuera que alguno comiese loto y no pensara en la vuelta. Hiciéronlo en seguida y, sentándose por orden en los bancos, comenzaron a batir con los remos el espumoso mar.

[105] »Desde allí continuamos la navegación con ánimo afligido, y llegamos a la tierra de los cíclopes soberbios y sin ley; quienes, confiados en los dioses inmortales, no plantan árboles, ni labran los campos, sino que todo les nace sin semilla y sin arada (trigo, cebada y vides, que producen vino de unos grandes racimos) y se lo hace crecer la lluvia enviada por Zeus. No tienen ágoras donde se reúnan para deliberar, ni leyes tampoco, sino que viven en las cumbres de los altos montes, dentro de excavadas cuevas; cada cual impera sobre sus hijos y mujeres, y no se entrometen los unos con los otros.

[116] »Delante del puerto, no muy cercana ni a gran distancia tampoco de la región de los cíclopes, hay una isleta poblada de bosque, con una infinidad de cabras monteses, pues no las ahuyenta el paso de hombre alguno ni van allá los cazadores, que se fatigan recorriendo las selvas en las cumbres de las montañas. No se ven en ella ni rebaños ni labradíos, sino que el terreno está siempre sin sembrar y sin arar, carece de hombres, y cría bastantes cabras. Pues los cíclopes no tienen naves de rojas proas, ni poseen artífices que se las construyen de muchos bancos (como las que transportan mercancías a distintas poblaciones en los frecuentes viajes que los hombres efectúan por mar, yendo los unos en busca de los otros), los cuales hubieran podido hacer que fuese muy poblada aquella isla, que no es mala y daría a su tiempo frutos de toda especie, porque tiene junto al espumoso mar prados húmedos y tiernos y allí la vida jamás se perdiera. La parte interior es llana y labradera; y podrían segarse en la estación oportuna mieses altísimas por ser el suelo muy pingüe. Posee la isla un cómodo puerto, donde no se requieren amarras, ni es preciso echar áncoras, ni atar cuerdas; pues, en aportando allí, se está a

salvo cuanto se quiere, hasta que el ánimo de los marineros les incita a partir y el viento sopla. En lo alto del puerto mana una fuente de agua límpida, debajo de una cueva a cuyo alrededor han crecido álamos. Allá, pues, nos llevaron las naves, y algún dios debió de guiarnos en aquella noche oscura en la que nada distinguíamos, pues la niebla era cerrada alrededor de los bajeles y la luna no brillaba en el cielo, que cubrían los nubarrones. Nadie vio con sus ojos la isla ni las ingentes olas que se quebraban en la tierra, hasta que las naves de muchos bancos hubieron abordado. Entonces amainamos todas las velas, saltamos a la orilla del mar y, entregándonos al sueño, aguardamos que amaneciera la divina Aurora.

152 »No bien se descubrió la hija de la mañana, la Aurora de rosáceos dedos, anduvimos por la isla muy admirados. En esto las ninfas, prole de Zeus que lleva la égida, levantaron montaraces cabras para que comieran mis compañeros. Al instante tomamos de los bajeles los corvos arcos y los venablos de larga punta, nos distribuimos en tres grupos, tiramos, y muy presto una deidad nos facilitó abundante caza. Doce eran las naves que me seguían y a cada una le correspondieron nueve cabras, apartándose diez para mí solo. Y ya todo el día, hasta la puesta del sol, estuvimos sentados, comiendo carne en abundancia y bebiendo dulce vino; que el rojo licor aún no faltaba en las naves, pues habíamos hecho gran provisión en ánforas al tomar la sagrada ciudad de los cícones. Estando allí echábamos la vista a la tierra de los cíclopes, que se hallaban cerca, y divisábamos el humo y oíamos las voces que ellos daban, y los balidos de las ovejas y de las cabras. Cuando el sol se puso y sobrevino la oscuridad, nos acostamos en la orilla del mar. Mas, así que se descubrió la hija de la mañana, la Aurora de rosáceos dedos, los llamé a junta y les dije estas razones:

172 »Odiseo. — Quedaos aquí, mis fieles amigos, y yo con mi nave y mis compañeros iré allá y procuraré averiguar qué hombres son aquéllos: si son violentos, salvajes e injustos, u hospitalarios y temerosos de las deidades.

177 »Cuando así hube hablado, subí a la nave y ordené a los compañeros que me siguieran y desataran las amarras. Ellos se embarcaron al instante y, sentándose por orden en los bancos, comenzaron a batir con los remos el espumoso mar. Y tan luego como llegamos a dicha tierra, que estaba próxima, vimos en uno de los extremos y casi tocando al mar una excelsa gruta, a la cual daban sombra algunos laureles: en ella reposaban muchos hatos de ovejas y de cabras, y en contorno había una alta cerca labrada con piedras profundamente hundidas, grandes pinos y encinas de elevada copa. Allí moraba un varón gigantesco, solitario, que entendía en apacentar rebaños lejos de los demás hombres, sin tratarse con nadie, y, apartado de todos, ocupaba su ánimo en cosas inicuas. Era un monstruo horrible y no se asemejaba a los hombres que viven de pan, sino a una selvosa cima que entre altos montes se presentase aislada de las demás cumbres.

[193] »Entonces ordené a mis fieles compañeros que se quedasen a guardar la nave; escogí los doce mejores y juntos echamos a andar, con un pellejo de cabra lleno de negro y dulce vino que me había dado Marón, vástago de Evantes y sacerdote de Apolo, el dios tutelar de Ismaro porque, respetándole, lo salvamos con su mujer e hijos que vivían en un espeso bosque consagrado a Febo Apolo. Hízome Marón ricos dones, pues me regaló siete talentos de oro bien labrado, una cratera de plata y doce ánforas de un vino dulce y puro, bebida de dioses, que no conocían sus siervos ni sus esclavas, sino tan sólo él, su esposa y una despensera. Cuando bebían este rojo licor, dulce como la miel, echaban una copa del mismo en veinte de agua y de la cratera salía un olor tan suave y divinal. que no sin pena se hubiese renunciado a saborearlo. De este vino llevaba un gran odre completamente lleno y además viandas en un zurrón; pues ya desde el primer instante se figuró mi ánimo generoso que se nos presentaría un hombre dotado de extraordinaria fuerza, salvaje, e ignorante de la justicia y de las leyes.

[216] »Pronto llegamos a la gruta; mas no dimos con él, porque estaba apacentando las pingües ovejas. Entramos y nos pusimos a contemplar con admiración y una por una todas las cosas: había zarzos cargados de quesos; los establos rebosaban de corderos y cabritos, hallándose encerrados separadamente los mayores, medianos y los recentales, y goteaba el suero de todas las vasijas, tarros y barreños, de que se servía para ordeñar. Los compañeros empezaron a suplicarme que nos apoderásemos de algunos quesos y nos fuéramos; y que luego, sacando prestamente de los establos los cabritos y los corderos, y conduciéndolos a la velera nave, surcáramos de nuevo el salobre mar. Mas yo no me dejé persuadir (mucho mejor hubiera sido seguir su consejo), con el propósito de ver a aquél y probar si me ofrecería los dones de la hospitalidad. Pero su venida no había de serles grata a mis compañeros.

[231] »Encendimos fuego, ofrecimos un sacrificio a los dioses, tomamos algunos quesos, comimos, y le aguardamos, sentados en la gruta, hasta que volvió con el ganado. Traía una gran carga de leña seca para preparar su comida y descargóla dentro de la cueva con tal estruendo que nosotros, llenos de temor, nos refugiamos apresuradamente en lo más hondo de la mina. Luego metió en el espacioso antro todas las pingües ovejas que tenía que ordeñar, dejando a la puerta, dentro del recinto de altas paredes, los carneros y los bucos. Después cerró la puerta con un pedrejón grande y pesado que llevó a pulso y que no hubiesen podido mover del suelo veintidós sólidos carros de cuatro ruedas. ¡Tan inmenso era el peñasco que colocó en la entrada! Sentóse en seguida, ordeñó las ovejas y las baladoras cabras, todo como debe hacerse, y a cada una le puso su hijito. A la hora, haciendo cuajar la mitad de la blanca leche, la amontonó en canastillos de mimbre, y vertió la restante en unos vasos para bebérsela y así le serviría de cena. Acabadas con prontitud tales faenas, encendió fuego y, al vernos, nos hizo estas preguntas:

[273] »POLIFEMO. — ¡Oh forasteros! ¿Quiénes sois? ¿De dónde llegasteis navegando por húmedos caminos? ¿Venís por algún negocio o andáis por el mar, a la ventura, como los piratas que divagan, exponiendo su vida y produciendo daño a los hombres de extrañas tierras?

[256] »ODISEO. — Somos aqueos a quienes extraviaron, al salir de Troya, vientos de toda clase que nos llevan por el gran abismo del mar: deseosos de volver a nuestra patria, llegamos aquí por otra ruta, por otros caminos, porque de tal suerte debió de ordenarlo Zeus. Nos preciamos de ser guerreros de Agamenón Atrida cuya gloria es inmensa debajo del cielo (¡tan grande ciudad ha destruido y a tantos hombres ha hecho perecer!) y venimos a abrazar tus rodillas por si quisieras presentarnos los dones de la hospitalidad o hacernos algún otro regalo, como es costumbre entre los huéspedes. Respeta, pues, a los dioses, varón excelente; que nosotros somos ahora tus suplicantes. Y a suplicantes y forasteros los venga Zeus hospitalario, el cual acompaña a los venerados huéspedes.

[272] »Así le hablé; y respondióme en seguida con ánimo cruel:

[273] »POLIFEMO. — ¡Oh forastero! Eres un simple o vienes de lejanas tierras cuando me exhortas a temer a los dioses y a guardarme de su cólera; que los Cíclopes no se cuidan de Zeus, que lleva la égida, ni de los bienaventurados númenes, porque aún les ganan en ser poderosos; y yo no te perdonaría ni a ti ni a tus compañeros por temor a la enemistad de Zeus, si mi ánimo no me lo ordenase. Pero dime en qué sitio, al venir, dejaste la bien construida embarcación: si fue, por ventura, en lo más apartado de la playa o en un paraje cercano, a fin de que yo lo sepa.

[281] »Así dijo para tentarme. Pero su intención no me pasó inadvertida a mí, que sé tanto, y de nuevo le hablé con engañosas palabras:

[283] »ODISEO. — Posidón, que sacude la tierra, rompió mi nave llevándola a un promontorio y estrellándola contra las rocas, en los confines de vuestra tierra; el viento que soplaba del ponto se la llevó y pude librarme, junto con éstos, de una muerte terrible.

[287] »Así le dije. El Cíclope, con ánimo cruel, no me dio respuesta; pero, levantándose de súbito, echó mano a los compañeros, agarró a dos y, cual si fuesen cachorrillos, arrojólos a tierra con tamaña violencia que el encéfalo fluyó al suelo y mojó el piso. De contado despedazó los miembros, se aparejó una cena y se puso a comer como montaraz león; no dejando ni los intestinos, ni la carne, ni los medulosos huesos. Nosotros contemplábamos aquel horrible espectáculo con lágrimas en los ojos, alzando nuestras manos a Zeus; pues la desesperación se había señoreado de nuestro ánimo. El Cíclope, tan luego como hubo llenado su vientre, devorando carne humana y bebiendo encima leche sola, se acostó en la gruta tendiéndose en medio de las ovejas. Entonces formé en mi magnánimo corazón el propósito de acercarme a él y, sacando la aguda espada que colgaba de mi muslo, herirle el pecho donde las entrañas rodean el hígado, palpando previamente; mas otra consideración me contuvo. Habríamos, en efecto, perecido allí de espantosa muerte, a causa de no poder apartar con nuestras manos el grave pedrejón que el Cíclope colo-

có en la alta entrada. Y así, dando suspiros, aguardamos que apareciera la divina Aurora.

307 »Cuando se descubrió la hija de la mañana, la Aurora de rosáceos dedos, el Cíclope encendió fuego y ordeñó las gordas ovejas, todo como debe hacerse, y a cada una le puso su hijito. Acabadas con prontitud tales faenas, echó mano a otros dos de los míos, y con ellos se aparejó el almuerzo. En acabando de comer, sacó de la cueva los pingües ganados, removiendo con facilidad el enorme pedrejón de la puerta; pero al instante lo volvió a colocar, del mismo modo que si a un carcaj le pusiera su tapa. Mientras el Cíclope aguijaba con gran estrépito sus pingües rebaños hacia el monte, yo me quedé meditando siniestras trazas, por si de algún modo pudiese vengarme y Atenea me otorgara la victoria. Al fin parecióme que la mejor resolución sería la siguiente: echada en el suelo del establo veíase una gran clava de olivo verde, que el Cíclope había cortado para llevarla cuando se secase. Nosotros, al contemplarla, la comparábamos con el mástil de un negro y ancho bajel de transporte que tiene veinte remos y atraviesa el dilatado abismo del mar: tan larga y tan gruesa se nos presentó a la vista. Acerquéme a ella y corté una estaca de una braza, que di a los compañeros mandándoles que la puliesen. No bien la dejaron lisa, agucé uno de sus cabos, la endurecí, pasándola por el ardiente fuego, y la oculté cuidadosamente debajo del abundante estiércol esparcido por la gruta. Ordené entonces que se eligieran por suerte los que, uniéndose conmigo, deberían atreverse a levantar la estaca y clavarla en el ojo del Cíclope cuando el dulce sueño le rindiese. Cayóles la suerte a los cuatro que yo mismo hubiera escogido en tal ocasión, y me junté con ellos formando el quinto. Por la tarde volvió el Cíclope con el rebaño de hermoso vellón, que venía de pacer, e hizo entrar en la espaciosa gruta a todas las pingües reses, sin dejar a ninguna fuera del recinto; ya porque sospechase algo, ya porque algún dios así se lo ordenara. Cerró la puerta con el pedrejón, que llevó a pulso, sentóse, ordeñó las ovejas y las baladoras cabras, todo como debe hacerse, y a cada una le puso su hijito. Acabadas con prontitud tales cosas, agarró a otros dos de mis amigos y con ellos se aparejó la cena. Entonces lleguéme al Cíclope y, teniendo en la mano una copa de negro vino, le hablé de esta manera:

347 »Odiseo. — Toma, Cíclope, bebe vino, ya que comiste carne humana, a fin de que sepas qué bebida se guardaba en nuestro buque. Te lo traía para ofrecer una libación en el caso de que te apiadases de mí y me enviaras a mi casa, pero tú te enfureces de intolerable modo. ¡Cruel! ¿Cómo vendrá en lo sucesivo ninguno de los muchos hombres que existen, si no te portas como debieras?

353 »Así le dije. Tomó el vino y bebióselo. Y gustóle tanto el dulce licor que me pidió más:

355 »Polifemo. — Dame de buen grado más vino y hazme saber inmediatamente tu nombre para que te ofrezca un don hospitalario con el cual te huelgues. Pues también a los Cíclopes la fértil tierra les produce

vino en gruesos racimos, que crecen con la lluvia enviada por Zeus; mas éste se compone de ambrosía y néctar.

360 »Así habló, y volví a servirle el negro vino: tres veces se lo presenté y tres veces bebió incautamente. Y cuando los vapores del vino envolvieron la mente del Cíclope, díjele con suaves palabras:

364 »ODISEO — ¡Cíclope! Preguntas cuál es mi nombre ilustre, y voy a decírtelo; pero dame el presente de hospitalidad que me has prometido. Mi nombre es Nadie; y Nadie me llaman mi madre, mi padre y mis compañeros todos.

368 »Así le hablé; y en seguida me respondió, con ánimo cruel:

369 »POLIFEMO. — A Nadie me lo comeré al último, después de sus compañeros, y a todos los demás antes que a él; tal será el don hospitalario que te ofrezca.

371 »Dijo, tiróse hacia atrás y cayó de espaldas. Así echado, dobló la gruesa cerviz y vencióle el sueño, que todo lo rinde: salíale de la garganta el vino con pedazos de carne humana, y eructaba por estar cargado de vino. Entonces metí la estaca debajo del abundante rescoldo, para calentarla, y animé con mis palabras a todos los compañeros; no fuera que alguno, poseído de miedo, se retirase. Mas cuando la estaca de olivo, con ser verde, estaba a punto de arder y relumbraba intensamente, fui y la saqué del fuego; rodeáronme mis compañeros, y una deidad nos infundió gran audacia. Ellos, tomando la estaca de olivo, hincáronla por la aguzada punta en el ojo del Cíclope; y yo, alzándome, hacíala girar por arriba. De la suerte que cuando un hombre taladra con el barreno el mástil de un navío, otros lo mueven por debajo con una correa, que asen por ambas extremidades, y aquél da vueltas continuamente, así nosotros, asiendo la estaca de ígnea punta, la hacíamos girar en el ojo del Cíclope y la sangre brotaba alrededor del caliente palo. Quemóle el ardoroso vapor párpados y cejas, en cuanto la pupila estaba ardiendo y sus raíces crepitaban por la acción del fuego. Así como el broncista, para dar el temple que es la fuerza del hierro, sumerge en agua fría una gran segur o una hacha que rechina grandemente, de igual manera rechinaba el ojo del Cíclope en torno de la estaca de olivo. Dio el Cíclope un fuerte y horrendo gemido, retumbó la roca, y nosotros, amedrentados, huimos prestamente; mas él se arrancó la estaca, toda manchada de sangre, arrojóla furioso lejos de sí y se puso a llamar con altos gritos a los Cíclopes que habitaban a su alrededor, dentro de cuevas, en los ventosos promontorios. En oyendo sus voces acudieron muchos, quién por un lado y quién por otro, y parándose junto a la cueva, le preguntaron qué le angustiaba:

403 »LOS CÍCLOPES. — ¿Por qué tan enojado, oh Polifemo, gritas de semejante modo en la divina noche, despertándonos a todos? ¿Acaso algún hombre se lleva tus ovejas mal de tu grado? ¿O, por ventura, te matan con engaño o con fuerza?

407 »Respondióles desde la cueva el robusto polifemo:

408 »POLIFEMO. — ¡Oh amigos! Nadie me mata con engaño, no con fuerza.

409 »Y ellos le contestaron con estas aladas palabras:

410 »LOS CÍCLOPES. — Pues si nadie te hace fuerza, ya que estás solo, no es posible evitar la enfermedad que envía el gran Zeus; pero, ruega a tu padre, el soberano Posidón.

413 »Apenas acabaron de hablar, se fueron todos; y yo me reí en mi corazón de cómo mi nombre y mi excelente artificio les había engañado. El Cíclope, gimiendo por los grandes dolores que padecía, anduvo a tientas, quitó el peñasco de la puerta y se sentó en la entrada, tendiendo los brazos por si lograba echar mano a alguien que saliera con las ovejas; ¡tan mentecato esperaba que yo fuese! Mas yo meditaba cómo pudiera aquel lance acabar mejor, y si hallaría algún arbitrio para librar de la muerte a mis compañeros y a mí mismo. Revolví toda clase de engaños y de artificios, como que se trataba de la vida y un gran mal era inminente, y al fin parecióme la mejor resolución la que voy a decir. Había unos carneros bien alimentados, hermosos, grandes, de espesa y oscura lana; y, sin desplegar los labios, los até de tres en tres, entrelazando mimbres de aquellos sobre los cuales dormía el monstruoso e injusto Cíclope: y así el del centro llevaba a un hombre y los otros dos iban a entrambos lados para que salvaran a mis compañeros. Tres carneros llevaban, por tanto, a cada varón; mas yo, viendo que había otro carnero que sobresalía entre todas las reses, lo así por la espalda; me deslicé al vedijudo vientre y me quedé agarrado con ambas manos a la abundantísima lana, manteniéndome en esta postura con ánimo paciente. Así, profiriendo suspiros, aguardamos la aparición de la divina Aurora.

437 »Cuando se descubrió la hija de la mañana, la Aurora de rosáceos dedos, los machos salieron presurosos a pacer, y las hembras, como no se las había ordeñado, balaban en el corral con las tetas retesadas. Su amo, afligido por los dolores, palpaba el lomo a todas las reses, que estaban de pie, y el simple no advirtió que mis compañeros iban atados a los pechos de los vedijudos animales. El último en tomar el camino de la puerta fue mi carnero, cargado de su lana y de mí mismo que pensaba en muchas cosas. Y el robusto Polifemo lo palpó y así le dijo:

447 »POLIFEMO. — ¡Carnero querido! ¿Por qué sales de la gruta el postrero del rebaño? Nunca te quedaste detrás de las ovejas, sino que, andando a buen paso, pacías el primero las tiernas flores de la hierba, llegabas el primero a las corrientes de los ríos y eras quien primero deseaba volver al establo al caer de la tarde; mas ahora vienes, por el contrario, el último de todos. Sin duda echarás de menos el ojo de tu señor, a quien cegó un hombre malvado con sus perniciosos compañeros, perturbándole las mientes con el vino, Nadie, pero me figuro que aún no se ha librado de una terrible muerte. ¡Si tuvieras mis sentimientos y pudieses hablar, para indicarme dónde evita mi furor! Pronto su cerebro, molido a golpes, se esparciría acá y acullá por el suelo de la gruta, y mi corazón se aliviaría de los daños que me ha causado ese despreciable Nadie.

461 »Diciendo así, dejó el carnero y lo echó afuera. Cuando estuvimos algo apartados de la cueva y del corral, soltéme del carnero y desaté

a los amigos. Al punto antecogimos aquellas gordas reses de gráciles piernas y, dando muchos rodeos, llegamos por fin a la nave. Nuestros compañeros se alegraron de vernos a nosotros, que nos habíamos librado de la muerte, y empezaron a gemir y a sollozar por los demás. Pero yo, haciéndoles una señal con las cejas, les prohibí el llanto y les mandé que cargaran presto en la nave muchas de aquellas reses de hermoso vellón y volviéramos a surcar el agua salobre. Embarcáronse en seguida y, sentándose por orden en los bancos, tornaron a batir con los remos el espumoso mar. Y, en estando tan lejos cuanto se deja oír un hombre que grita, hablé al Cíclope con estas mordaces palabras:

475 »ODISEO. — ¡Cíclope! No debías emplear tu gran fuerza para comerte en la honda gruta a los amigos de un varón indefenso. Las consecuencias de tus malas acciones habían de alcanzarte, oh cruel, ya que no temiste devorar a tus huéspedes en tu misma morada: por esto Zeus y los demás dioses te han castigado.

480 »Así le dije; y él, airándose más en su corazón, arrancó la cumbre de una gran montaña, arrojóla delante de nuestra embarcación de azulada proa, y poco faltó para que no diese en la extremidad del gobernalle. Agitóse el mar por la caída del peñasco, y las olas, al refluir desde el ponto, empujaron la nave hacia el continente y la llevaron a tierra firme. Pero yo, asiendo con ambas manos un larguísimo botador, echéla al mar y ordené a mis compañeros haciéndoles con la cabeza silenciosa señal, que apretaran con los remos a fin de librarnos de aquel peligro. Encorváronse todos y empezaron a remar. Mas, al hallarnos dentro del mar, a una distancia doble de la de antes, hablé al Cíclope, a pesar de que mis compañeros me rodeaban y pretendían disuadirme con suaves palabras, unos por un lado y otros por el opuesto:

494 »LOS COMPAÑEROS. — ¡Desgraciado! ¿Por qué quieres irritar a ese hombre feroz que con lo que tiró al ponto hizo volver la nave a tierra firme donde creímos encontrar la muerte? Si oyera que alguien da voces o habla, nos aplastaría la cabeza y el maderamen del barco, arrojándonos áspero peñón. ¡Tan lejos llegan sus tiros!

500 »Así se expresaban. Mas no lograron quebrantar la firmeza de mi corazón magnánimo; y, con el corazón irritado, le hablé otra vez con estas palabras:

502 »ODISEO. — ¡Cíclope! Si alguno de los mortales hombres te preguntan la causa de tu vergonzosa ceguera, dile que quien te privó del ojo fue Odiseo, el asolador de ciudades, hijo de Laertes, que tiene su casa en Ítaca.

506 »Así dije; y él, dando un suspiro, respondió:

507 »POLIFEMO. — ¡Oh dioses! Cumpliéronse los antiguos pronósticos. Hubo aquí un adivino excelente y grande, Télemo Eurímida, el cual descollaba en el arte adivinatoria y llegó a la senectud profetizando entre los cíclopes: éste, pues, me vaticinó lo que hoy sucede: que sería privado de la vista por mano de Odiseo. Mas esperaba yo que llegase un varón de gran estatura, gallardo, de mucha fuerza; y es un hombre pe-

queño, despreciable y menguado quien me cegó el ojo, subyugándome con el vino. Pero, ea, vuelve, Odiseo, para que te ofrezca los dones de la hospitalidad y exhorte al ínclito dios que bate la tierra, a que te conduzca a la patria; que soy tu hijo y él se gloría de ser mi padre. Y será él, si le place, quien me curará y no otro alguno de los bienaventurados dioses ni de los mortales hombres.

522 »Habló, pues, de esta suerte; y le contesté diciendo:

523 »Odiseo. — ¡Así pudiera quitarte el alma y la vida, y enviarte a la morada de Hades, como ni el mismo dios que sacude la tierra te curará el ojo!

526 »Así dije. Y el Cíclope oró en seguida al soberano Posidón, alzando las manos al estrellado cielo:

528 »Polifemo. — ¡Óyeme, Posidón, que ciñes la tierra, dios de cerúlea cabellera! Si en verdad soy tuyo y tú te glorías de ser mi padre, concédeme que Odiseo, el asolador de ciudades, hijo de Laertes, que tiene su casa en Ítaca, no vuelva nunca a su palacio. Mas si le está destinado que ha de ver a los suyos y volver a su bien construida casa y a su patria, sea tarde y mal, en nave ajena, después de perder todos los compañeros y se encuentre con nuevas cuitas en su morada.

536 »Así dijo rogando, y le oyó el dios de cerúlea cabellera. Acto seguido tomó el Cíclope un peñasco mucho mayor que el de antes, lo despidió, haciéndolo voltear con fuerza inmensa, arrojólo detrás de nuestro bajel de azulada proa, y poco faltó para que no diese en la extremidad del gobernalle. Agitóse el mar por la caída del peñasco, y las olas, empujando la embarcación hacia adelante, hiciéronla llegar a tierra firme.

543 »Así que arribamos a la isla donde estaban juntos los restantes navíos, de muchos barcos, y en su contorno los compañeros que nos aguardaban llorando, saltamos a la orilla del mar y sacamos la nave a la arena. Y, tomando de la cóncava embarcación las reses del Cíclope, nos las repartimos de modo que ninguno se quedara sin su parte. En esta partición que se hizo del ganado, mis compañeros, de hermosas grebas, asignáronme el carnero además de lo que me correspondía; y yo lo sacrifiqué en la plaza a Zeus Cronida, que amontona las nubes y sobre todos reina, quemando en su obsequio ambos muslos. Pero el dios, sin hacer caso del sacrificio, meditaba cómo podrían llegar a perderse todas mis naves, de muchos bancos, con los fieles compañeros. Y ya todo el día, hasta la puesta del sol, estuvimos sentados, comiendo carne en abundancia y bebiendo dulce vino. Cuando el sol se puso y sobrevino la oscuridad, nos acostamos en la orilla del mar. Pero, apenas se descubrió la hija de la mañana, la Aurora de rosáceos dedos, ordené a mis compañeros que subieran a la nave y desataran las amarras. Embarcáronse prestamente y, sentándose por orden en los bancos, tornaron a batir con los remos el espumoso mar.

565 »Desde allí seguimos adelante, con el corazón triste, escapando gustosos de la muerte aunque perdimos algunos compañeros.

RAPSODIA X

LO RELATIVO A ÉOLO, A LOS LESTRIGONES Y CIRCE

LLEGAMOS a la isla Eolia, donde moraba Éolo Hipótada, caro a los inmortales dioses; isla flotante, a la cual cerca broncíneo e inquebrantable muro, y en cuyo interior álzase escarpada roca. A Éolo naciéronle doce vástagos en el palacio: seis hijas y seis hijos florecientes; y dio aquéllas a éstos para que fuesen sus esposas. Todos juntos, a la vera de su padre querido y de su madre veneranda, disfrutan de un continuo banquete en el que se les sirven muchísimos manjares. Durante el día percíbese en la casa el olor del asado y resuena toda con la flauta; y por la noche duerme cada uno con su púdica mujer sobre tapetes, en torneado lecho. Llegamos, pues, a su ciudad y a sus magníficas viviendas, y Éolo tratóme como a un amigo por espacio de un mes y me hizo preguntas sobre muchas cosas (sobre Ilión, sobre las naves de los argivos, sobre la vuelta de los aqueos), de todo lo cual le informé debidamente. Cuando quise partir y le rogué que me despidiera no se negó y preparó mi viaje. Diome entonces, encerrados en un cuero de un buey de nueve años que antes había desollado, los soplos de los mugidores vientos; pues el Cronida habíale hecho árbitro de ellos, con facultad de aquietar o de excitar al que quisiera. Y ató dicho pellejo en la cóncava nave con un reluciente hilo de plata, de manera que no saliese ni el menor soplo; enviándome el

Céfiro para que, soplando, llevara nuestras naves y a nosotros en ellas. Mas, en vez de suceder así, había de perdernos nuestra propia imprudencia.

28 »Navegamos seguidamente por espacio de nueve días con sus noches. Y en el décimo se nos mostró la tierra patria, donde vimos a los que encendían fuego cerca del mar. Entonces me sentí fatigado y me rindió el dulce sueño; pues había gobernado continuamente el timón de la nave, que no quise confiar a ninguno de los amigos para que llegáramos más pronto. Los compañeros hablaban los unos con los otros de lo que yo llevaba a mi palacio, figurándose que era oro y plata, recibidos como dádiva del magnánimo Éolo Hipótada. Y alguno de ellos dijo de esta suerte al que tenía más cercano:

38 »Una voz. — ¡Oh dioses! ¡Cuán querido y honrado es este varón, de cuantos hombres habitan en las ciudades y tierras donde llega! Muchos y valiosos objetos se ha llevado del botín de Troya; mientras que los demás, con haber hecho el mismo viaje, volveremos a casa con las manos vacías. Y ahora Éolo, obsequiándole como a un amigo, acaba de darle estas cosas. Ea, veamos pronto lo que son, y cuánto oro y plata hay en el cuero.

46 »Así hablaban. Prevaleció aquel mal consejo y, desatando mis amigos el odre, escapáronse con gran ímpetu todos los vientos. En seguida arrebató las naves una tempestad y llevólas al ponto: ellos lloraban, al verse lejos de la patria, y yo, recordando, medité en mi inocente pecho si debía tirarme del bajel y morir en el ponto, o sufrirlo todo en silencio y permanecer entre los vivos. Lo sufrí, quedéme en el barco y, cubriéndome, me acosté de nuevo. Las naves tornaron a ser llevadas a la isla Eolia por la funesta tempestad que promovió el viento, mientras gemían cuantos me acompañaban.

56 »Llegados allá, saltamos en tierra, hicimos aguada, y a la hora empezamos a comer junto a las veleras naves. Mas, así que hubimos gustado la comida y la bebida, tomé un heraldo y un compañero y encaminándonos al ínclito palacio de Éolo, hallamos a éste celebrando un banquete con su esposa y sus hijos. Llegados a la casa, nos sentamos al umbral, cerca de las jambas; y ellos se pasmaron al vernos y nos hicieron estas preguntas:

64 »Los hijos de Éolo. — ¿Cómo aquí, Odiseo? ¿Que funesto numen te persigue? Nosotros te enviamos con gran recaudo para que llegases a tu patria y a tu casa, o a cualquier sitio que te pluguiera.

67 »Así hablaron. Y yo, con el corazón afligido, les dije:

68 »Odiseo. — Mis imprudentes compañeros y un sueño pernicioso causáronme este daño; pero remediadlo vosotros, oh amigos, ya que podéis hacerlo.

70 »Así me expresé, halagándoles con suaves palabras. Todos enmudecieron y, por fin, el padre me respondió:

72 »Éolo. — ¡Sal de la isla y muy pronto, malvado más que ninguno de los que hoy viven! No me es permitido tomar a mi cuidado y asegurar-

le la vuelta a varón que se ha hecho odioso a los bienaventurados dioses. Vete noramala; pues si viniste ahora, es porque los inmortales te aborrecen.

76 »Hablando de esta manera me despidió del palacio, a mí, que profería hondos suspiros. Luego seguimos adelante, con el corazón angustiado. Y ya iba agotando el ánimo de los hombres aquel molesto remar, que a nuestra necedad debíamos; pues no se presentaba medio alguno de volver a la patria.

80 »Navegamos sin interrupción seis días con sus noches, y el séptimo llegamos a Telépilo de Lamos, la excelsa ciudad de la Lestrigonia, donde el pastor, al recoger su rebaño, llama a otro que sale en seguida con el suyo. Allí un hombre que no durmiese, podría ganar dos salarios: uno, guardando bueyes; y otro, apacentando blancas ovejas. ¡Tan inmediatamente sucede al pasto del día el de la noche! Apenas arribamos al magnífico puerto, el cual estaba rodeado de ambas partes por escarpadas rocas y tenía en sus extremos riberas prominentes y opuestas que dejaban un estrecho paso, todos llevaron a éste las corvas naves y las amarraron en el cóncavo puerto, muy juntas, porque allí no se levantan olas ni grandes ni pequeñas y una plácida calma reina en derredor; mas yo dejé mi negra embarcación fuera del puerto, cabe a uno de sus extremos, e hice atar las amarras a un peñasco. Subí luego a una áspera atalaya y desde ella no columbré labores de bueyes ni de hombres, sino tan sólo el humo que se alzaba de la tierra. Quise enviar algunos compañeros para que averiguaran cuáles hombres comían el pan en aquella comarca; y designé a dos, haciéndoles acompañar por un tercero, que fue un heraldo. Fuéronse y, siguiendo un camino llano por donde las carretas arrastraban la leña de los altos montes a la ciudad, poco antes de llegar a la población, encontraron una doncella, la eximia hija del lestrigón Antifates, que bajaba a la fuente Artacia, de hermosa corriente, pues allá iban a proveerse de agua los ciudadanos. Detuviéronse y hablaron a la joven, preguntándole quién era el rey y sobre quiénes reinaba; y ella les mostró en seguida la elevada casa de su padre. Llegáronse entonces a la magnífica morada, hallaron dentro a la esposa, que era alta como la cumbre de un monte, y cobráronle un poco miedo. La mujer llamó del ágora a su marido el preclaro Antífates, y éste maquinó contra mis compañeros cruda muerte: agarrando prestamente a uno, aparejóse con su cuerpo la cena, mientras los otros dos volvían a los barcos en precipitada fuga. Antífates gritó por la ciudad y, al oírle, acudieron de todos lados innumerables forzudos lestrigones, que no parecían hombres, sino gigantes, y desde las peñas tiraron pedruscos muy pesados: pronto se alzó en las naves un deplorable estruendo causado a la vez por los gritos de los que morían y por la rotura de los barcos; y los lestrigones, atravesando a los hombres como si fueran peces, se los llevaban para celebrar nefasto festín. Mientras así los mataban en el hondísimo puerto, saqué la aguda espada que llevaba junto al muslo y corté las amarras de mi bajel de azulada proa. Acto continuo exhorté a mis amigos, mandándoles que

batieran los remos para librarnos de aquel peligro; y todos azotaron el mar por temor de la muerte. Con satisfacción huimos en mi nave desde las rocas prominentes al ponto; mas las restantes se perdieron en aquel sitio, todas juntas.

133 »Desde allí seguimos adelante, con el corazón triste, escapando gustosos de la muerte aunque perdimos algunos compañeros. Llegamos luego a la isla Eea, donde moraba Circe, la de lindas trenzas, deidad poderosa, dotada de voz, hermana carnal del terrible Eetes; pues ambos fueron engendrados por el Sol, que alumbra a los montes, y tienen por madre a Perse, hija del Océano. Acercamos silenciosamente el barco a la ribera, haciéndolo entrar en un amplio puerto, y alguna divinidad debió de conducirnos. Saltamos a tierra, permanecimos echados dos días con sus noches, y nos roían el ánimo el cansancio y los pesares. Mas, al punto que la Aurora, de lindas trenzas, nos trajo el día tercero, tomé mi lanza y mi aguda espada y me fui prestamente desde la nave a una atalaya, por si conseguía ver labores de hombres mortales u oír su voz. Y, habiendo subido a una altura muy escarpada, me paré y aparecióseme el humo que se alzaba de la espaciosa tierra, en el palacio de Circe, entre un espeso encinar y una selva. Al punto que divisé el negro humo, se me ocurrió en la mente y en el ánimo ir yo en persona a enterarme; mas, considerándolo bien, parecióme mejor regresar a la orilla, donde se hallaba la velera nave, disponer que comiesen mis compañeros y enviar a algunos para que se informaran. Emprendí la vuelta, y ya estaba a poca distancia del corvo bajel, cuando algún dios me tuvo compasión al verme solo, y me deparó en el camino un gran ciervo de altos cuernos, que desde el pasto de la selva bajaba al río para beber, pues el calor del sol le había entrado. Apenas se presentó, acertéle con la lanza en el espinazo, en medio de la espalda, de tal manera que el bronce lo atravesó de lleno en lleno. Cayó el ciervo, quedando tendido en el polvo, y perdió la vida. Lleguéme a él y saquéle la broncínea lanza, poniéndola en el suelo; arranqué después varitas y mimbres, y formé una soga como de una braza, bien torcida de ambas partes, con la cual pude atar juntos los pies de la enorme bestia. Me la colgué al cuello y enderecé mis pasos a la negra nave, apoyándome en la pica, ya que no hubiera podido sostenerla en la espalda con sólo la otra mano, por ser tan grande aquella pieza. Por fin le dejé en el suelo, junto a la embarcación; y comencé a animar a mis compañeros, acercándome a los mismos y hablándoles con dulces palabras:

174 »Odiseo. — ¡Amigos! No descenderemos a la morada de Hades, aunque nos sintamos afligidos, hasta que no nos llegue el día fatal. Mas, ea, en cuanto haya víveres y bebida en la embarcación, pensemos en comer y no nos dejemos consumir por el hambre.

178 »Así les dije; y, obedeciendo al instante mis palabras, quitáronse la ropa con que se habían tapado allí, en la playa del mar estéril, y admiraron el ciervo, pues era grandísimo aquel bestión. Después que se hubieron deleitado en contemplarlo con sus propios ojos, laváronse las manos y aparejaron un banquete espléndido. Y ya todo el día, hasta la

puesta del sol, estuvimos sentados, comiendo carne en abundancia y bebiendo dulce vino. Cuando el sol se puso y llegó la noche, nos acostamos en la orilla del mar. Pero, no bien se descubrió la hija de la mañana, la Aurora de rosáceos dedos, reuní en junta a mis amigos y les hablé de esta manera:

[189] »ODISEO. — Oíd mis palabras, compañeros, aunque padezcáis tantos males. ¡Oh amigos! Puesto que ignoramos dónde está el poniente y el sitio en que aparece la aurora, por dónde el sol que alumbra a los mortales desciende debajo de la tierra y por dónde vuelve a salir, examinemos prestamente si nos será posible tomar alguna resolución, aunque yo no lo espero. Desde escarpada altura he contemplado esta isla, que es baja y a su alrededor forma una corona el ponto inmenso, y con mis propios ojos he visto salir humo de en medio de ella, por entre los espesos encinares y la selva.

[198] »Así dije. A todos se les quebraba el corazón, acordándose de los hechos del lestrigón Antífates y de las violencias del feroz Cíclope, que se comía a los hombres, y se echaron a llorar ruidosamente, vertiendo abundantes lágrimas; aunque de nada les sirvió su llanto.

[203] »Formé con mis compañeros de hermosas grebas dos secciones, a las que di sendos capitanes; pues yo me puse al frente de una y el deiforme Euríloco mandaba la otra. Echamos suertes en broncíneo yelmo y, como saliera la del magnánimo Euríloco, partió con veintidós compañeros que lloraban; y nos dejaron a nosotros, que también sollozábamos. Dentro de un valle y en lugar vistoso descubrieron el palacio de Circe, construido de piedra pulimentada. En torno suyo encontrábanse lobos montaraces y leones, a los que Circe había encantado, dándoles funestas drogas; pero estos animales no acometieron a mis hombres, sino que, levantándose, fueron a halagarles con sus colas larguísimas. Bien así como los perros halagan a su amo siempre que vuelve del festín, porque les trae algo que satisface su apetito, de esa manera los lobos, de uñas fuertes, y los leones fueron a halagar a mis compañeros, que se asustaron de ver tan espantosos monstruos. En llegando a la mansión de la diosa de lindas trenzas, detuviéronse en el vestíbulo y oyeron a Circe que con voz pulcra cantaba en el interior, mientras labraba una tela grande, divinal y tan fina, elegante y espléndida como son las labores de las diosas. Y Polites, caudillo de hombres, que era para mí el más caro y respetable de los compañeros, empezó a hablarles de esta manera:

[226] »POLITES. — ¡Oh amigos! En el interior está cantando hermosamente alguna diosa o mujer que labra una gran tela, y hace resonar todo el pavimento. Llamémosla cuanto antes.

[229] »Así les dijo; y ellos la llamaron a voces. Circe se alzó en seguida, abrió la magnífica puerta, los llamó y siguiéronle todos imprudentemente, a excepción de Euríloco, que se quedó fuera por temor de algún engaño. Cuando los tuvo dentro, los hizo sentar en sillas y sillones, confeccionó un potaje de queso, harina y miel fresca con vino de Pramnio, y echó en él drogas perniciosas para que los míos olvidaran por entero la tierra

patria. Dióselo, bebieron, y, de contado, los tocó con una varita y los encerró en pocilgas. Y tenían la cabeza, la voz, las cerdas y el cuerpo como los puercos, pero sus mientes quedaron tan enteras como antes. Así fueron encerrados y todos lloraban; y Circe les echó, para comer, fabucos, bellota, y el fruto del cornejo, que es lo que comen los puercos, que se echan en la tierra.

244 »Euríloco volvió sin dilación al ligero y negro bajel, para enterarnos de la aciaga suerte que les había cabido a los compañeros. Mas no le era posible proferir una sola palabra, no obstante su deseo, por tener el corazón sumido en grave dolor; los ojos se le llenaron de lágrimas y su ánimo únicamente en sollozar pensaba. Todos le contemplábamos con asombro y le hacíamos preguntas, hasta que por fin nos contó la pérdida de los demás compañeros:

251 »EURÍLOCO. — Nos alejamos por el encinar como mandaste, preclaro Odiseo, y dentro de un valle y en lugar vistoso descubrimos un hermoso palacio, hecho de piedra pulimentada. Allí, alguna diosa o mujer cantaba con voz sonora, labrando una gran tela. Llamáronla a voces. Alzóse en seguida, abrió la magnífica puerta, nos llamó, y siguiéronla todos imprudentemente; pero yo me quedé fuera, temiendo que hubiese algún engaño. Todos a una desaparecieron y ninguno ha vuelto a presentarse, aunque he permanecido acechándolos un buen rato.

261 »Así dijo. Yo entonces, colgándome del hombro la grande broncínea espada, de clavazón de plata, y tomando el arco, le mandé que, sin pérdida de tiempo, me guiase por el camino que habían seguido. Mas él comenzó a suplicarme; abrazando con entrambas manos mis rodillas; y entre lamentos decíame estas aladas palabras:

266 »EURÍLOCO. — ¡Oh alumno de Zeus! No me lleves allá mal de mi grado; déjame aquí; pues sé que no volverás ni traerás a ninguno de tus compañeros. Huyamos en seguida con los presentes, que aún nos podremos librar del día cruel.

270 »Así me habló; y le contesté diciendo:

271 »ODISEO. — ¡Euríloco! Quédate tú en este lugar, a comer y beber junto a la cóncava y negra embarcación; mas yo iré, que la dura necesidad me lo manda.

274 »Dicho esto, alejéme de la nave y del mar. Pero cuando, yendo por el sacro valle, estaba a punto de llegar al gran palacio de Circe, la conocedora de muchas drogas, y ya enderezaba mis pasos al mismo, salióme al encuentro Hermes, el de áurea vara, en figura de un mancebo barbiponiente y graciosísimo en la flor de la juventud. Y, tomándome la mano, me habló diciendo:

281 »HERMES. — ¡Ah, infeliz! ¿Adónde vas por estos altozanos, solo y sin conocer la comarca? Tus amigos han sido encerrados en el palacio de Circe, como puercos, y se hallan en pocilgas sólidamente labradas. ¿Vienes quizás a libertarlos? Pues no creo que vuelvas, antes te quedarás donde están ellos. Ea, quiero preservarte de todo mal, quiero salvarte: toma este excelente remedio, que apartará de tu cabeza el día cruel, y

ve a la morada de Circe cuyos malos intentos he de referirte íntegramente. Te preparará una mixtura y te echará drogas en el manjar; mas, con todo eso, no podrá encantarte porque lo impedirá el excelente remedio que vas a recibir. Te diré ahora lo que ocurrirá después. Cuando Circe te hiriere con su larguísima vara, tira de la aguda espada que llevas cabe el muslo, y acométela como si desearas matarla. Entonces, cobrándote algún temor, te invitará a que yazgas con ella: tú no te niegues a participar del lecho de la diosa, para que libre a tus amigos y te acoja benignamente, pero hazle prestar el solemne juramento de los bienaventurados dioses de que no maquinará contra ti ningún otro funesto daño: no sea que, cuando te desnudes de las armas, te prive de tu valor y de tu fuerza.

302 »Cuando así hubo dicho, el Argifontes me dio el remedio, arrancando de tierra una planta cuya naturaleza me enseñó. Tenía negra la raíz y era blanca como la leche su flor, llámanla *moly* los dioses, y es muy difícil de arrancar para un mortal; pero las deidades lo pueden todo.

307 »Hermes se fue al vasto Olimpo, por entre la selvosa isla; y yo me encaminé a la morada de Circe, resolviendo en mi corazón muchas trazas. Llegado al palacio de la diosa de lindas trenzas, paréme en el umbral y empecé a dar gritos; la deidad oyó mi voz y, alzándose al punto, abrió la magnífica puerta y me llamó; y yo, con el corazón angustiado, me fui tras ella. Cuando me hubo introducido, hízome sentar en una silla de argénteos clavos, hermosa, labrada, con un escabel para los pies; y en copa de oro preparóme la mixtura para que bebiese, echando en la misma cierta droga y maquinando en su mente cosas perversas. Mas, tan luego como me la dio y bebí, sin que lograra encantarme, tocóme con la vara mientras me decía estas palabras:

320 »CIRCE. — Ve ahora a la pocilga y échate con tus compañeros.

321 »Así habló. Desenvainé entonces la aguda espada que llevaba cerca del muslo y arremetí contra Circe, como deseando matarla. Ella lanzó agudos gritos, se echó al suelo, me abrazó por las rodillas y me dirigió entre sollozos estas aladas palabras:

325 »CIRCE. — ¿Quién eres y de qué país procedes? ¿Dónde se hallan tu ciudad y tus padres? Me tiene suspensa que hayas bebido estas drogas sin quedar encantado, pues ningún otro pudo resistirlas, tan luego como las tomó y pasaron el cerco de sus dientes. Alienta en tu pecho un ánimo indomable. Eres sin duda aquel Odiseo de multiforme ingenio, de quien me hablaba siempre el Argifontes que lleva áurea vara, asegurándome que vendrías cuando volvieses de Troya en la negra y velera nave. Mas, ea, envaina la espada y vámonos a la cama para que, unidos por el lecho y el amor, crezca entre nosotros la confianza.

336 »Así se expresó y le repliqué diciendo:

337 »ODISEO. — ¡Oh Circe! ¿Cómo me pides que te sea benévolo, después que en este mismo palacio convertiste a mis compañeros en cerdos y ahora me detienes a mí, maquinas engaños y me ordenas que entre en tu habitación y suba a tu lecho a fin de privarme del valor y de la fuerza; apenas deje las armas? Yo no querría subir a la cama si no te

atrevieras, oh diosa, a prestar solemne juramento de que no maquinarás contra mí ningún otro pernicioso daño.

45 »Así le dije. Juró al instante, como se lo mandaba. Y en seguida que hubo prestado el juramento, subí al magnífico lecho de Circe.

348 »Aderezaban el palacio cuatro siervas, que son las criadas de Circe y han nacido de las fuentes, de los bosques, o de los sagrados ríos que corren hacia el mar. Ocupábase una en cubrir los sillones con hermosos tapetes de púrpura, dejando a los pies un lienzo; colocaba otra argénteas mesas delante de los asientos, poniendo encima canastillos de oro; mezclaba la tercera el dulce y suave vino en una cratera de plata y lo distribuía en áureas copas; y la cuarta traía agua y encendía un gran fuego debajo del trípode donde aquélla se calentaba. Y cuando el agua hirvió dentro del reluciente bronce, llevóme a la bañera y allí me lavó, echándome la deliciosa agua del gran trípode a la cabeza y a los hombros hasta quitarme de los miembros la fatiga que roe el ánimo. Después que me hubo lavado y ungido con pingüe aceite, vistióme un hermoso manto y una túnica y me condujo, para que me sentase, a una silla de argénteos clavos, hermosa, labrada y provista de un escabel para los pies. Una esclava diome aguamanos que traía en magnífico jarro de oro y vertió en fuente de plata y me puso delante una pulimentada mesa. La veneranda despensera trajo pan, y dejó en la mesa buen número de manjares, obsequiándome con los que tenía guardados. Circe invitóme a comer, pero no le plugo a mi ánimo y seguí quieto, pensando en otras cosas, pues mi corazón presagiaba desgracias.

375 »Cuando Circe notó que yo seguía quieto, sin echar mano a los manjares, y abrumado por fuerte pesar, se vino a mi lado y me habló con estas aladas palabras:

373 »CIRCE. — ¿Por qué, Odiseo, permaneces así como un mudo, y consumes tu ánimo, sin tocar la comida ni la bebida? Sospechas que haga yo algún engaño y has de desechar todo temor, pues ya te presté solemne juramento.

382 »Así se expresó; y le repuse diciendo:

383 »ODISEO. — ¡Oh Circe! ¿Qué hombre, que fuese razonable, osara probar la comida y la bebida antes de libertar a los compañeros y contemplarlos con sus propios ojos? Si me invitas de buen grado a beber y a comer, suelta mis fieles amigos para que con mis ojos pueda verlos.

383 »Así dije. Circe salió del palacio con la vara en la mano, abrió las puertas de la pocilga y sacó a mis compañeros en figura de puercos de nueve años. Colocáronse delante y anduvo por entre ellos, untándolos con una nueva droga; en el acto cayeron de los miembros las cerdas que antes les hizo crecer la perniciosa droga suministrada por la veneranda Circe, y mis amigos tornaron a ser hombres, pero más jóvenes aún y mucho más hermosos y más altos. Conociéronme y uno por uno me estrecharon la mano. Alzóse entre todos un dulce llanto, la casa resonaba fuertemente y la misma deidad hubo de apiadarse. Y deteniéndose junto a mí, dijo de esta suerte la divina entre las diosas:

401 »CIRCE. — ¡Laertíada, del linaje de Zeus! ¡Odiseo fecundo en ardides! Ve ahora a donde tienes la velera nave en la orilla del mar y ante todo sacadla a tierra firme; llevad a las grutas las riquezas y los aparejos todos, y trae en seguida tus fieles compañeros.

406 »Así habló, y mi ánimo generoso se dejó persuadir. Enderecé el camino a la velera nave y a la orilla del mar, y hallé junto a aquélla a mis fieles compañeros, que se lamentaban tristemente y derramaban abundantes lágrimas. Así como las terneras que tienen su cuadra en el campo, saltan y van juntas al encuentro de las gregales vacas que vuelven al apriseo hartas de hierba, y ya los cercados no las detienen, sino que, mugiendo sin cesar, corren en torno de las madres, así aquéllos, al verme con sus propios ojos, me rodearon llorando, pues a su ánimo les produjo casi el mismo efecto que si hubiesen llegado a su patria y a su ciudad, a la áspera Ítaca donde se habían criado y nacido. Y sollozando estas aladas palabras me decían:

419 »LOS COMPAÑEROS. — Tu vuelta, oh alumno de Zeus, nos alegra tanto como si hubiésemos llegado a Ítaca, nuestra patria tierra. Mas ea, cuéntanos la pérdida de los demás compañeros.

422 »Así hablaban. Entonces les dije con suaves palabras:

423 »ODISEO. — Primeramente saquemos la nave a tierra firme y llevemos a las grutas nuestras riquezas y los aparejos todos; y después daos prisa en seguirme juntos para que veáis cómo los amigos beben y comen en la sagrada mansión de Circe, pues todo lo tienen en gran abundancia.

428 »Así les hablé; y al instante obedecieron mi mandato. Euríloco fue el único que intentó detener a los compañeros, diciéndoles estas aladas palabras:

431 »EURÍLOCO. — ¡Ah, infelices! ¿Adónde vamos? ¿Por qué buscáis vuestro daño, yendo al palacio de Circe que a todos nos transformará en puercos, lobos o leones para que le guardemos, mal de nuestro grado, su espaciosa mansión? Se repetirá lo que ocurrió con el Cíclope cuando los nuestros llegaron a su cueva con el audaz Odiseo y perecieron por la loca temeridad de éste.

438 »Así dijo. Yo revolvía en mi pensamiento desenvainar la espada de larga punta, que llevaba a un lado del vigoroso muslo, y de un golpe echarle la cabeza al suelo, aunque Euríloco era deudo mío muy cercano; pero me contuvieron los amigos, unos por un lado y otros por el opuesto, diciéndome con dulces palabras:

443 »LOS COMPAÑEROS. — ¡Alumno de Zeus! A éste lo dejaremos aquí, si tú lo mandas, y se quedará a guardar la nave; pero a nosotros llévanos a la sagrada mansión de Circe.

446 »Hablando así, alejáronse de la nave y del mar. Y Euríloco no se quedó cerca del cóncavo bajel; pues fue siguiéndonos, amedrentado por mi terrible amenaza.

449 »En tanto Circe lavó cuidadosamente en su morada a los demás compañeros, los ungió con pingüe aceite, les puso lanosos mantos y túnicas; y ya los hallamos celebrando alegre banquete en el palacio. Después

que se vieron los unos a los otros y contaron lo ocurrido, comenzaron a sollozar y la casa resonaba en torno suyo. La divina entre las diosas se detuvo entonces a mi lado y me habló de esta manera:

456 »CIRCE. — ¡Laertíada, del linaje de Zeus! ¡Odiseo, fecundo en ardides! Ahora dad tregua al copioso llanto: sé yo también cuántas fatigas habéis soportado en el ponto, abundante en peces, y cuántos hombres enemigos os dañaron en la tierra. Mas, ea, comed viandas y bebed vino hasta que recobréis el ánimo que teníais en el pecho cuando por primera vez dejasteis vuestra patria, la escabrosa Ítaca. Actualmente estáis flacos y desmayados, trayendo de continuo a la memoria la peregrinación molesta, y no cabe en vuestro ánimo la alegría por lo mucho que habéis padecido.

466 »Así dijo, y nuestro animo generoso se dejó persuadir. Allí nos quedamos día tras día un año entero y siempre tuvimos en los banquetes carne en abundancia y dulce vino. Mas cuando se acabó el año y volvieron a sucederse las estaciones, después de transcurrir los meses y de pasar muchos días, llamáronme los fieles compañeros y me hablaron de este modo:

472 »LOS COMPAÑEROS. — ¡Ilustre! Acuérdate ya de la patria tierra, si el destino ha decretado que te salves y llegues a tu casa, de alta techumbre, y a la patria tierra.

475 »Así dijeron, y mi ánimo generoso se dejó persuadir. Y todo aquel día hasta la puesta del sol estuvimos sentados, comiendo carne en abundancia y bebiendo dulce vino. Cuando el sol se puso y sobrevino la oscuridad, acostáronse los compañeros en las oscuras salas.

480 »Mas yo subí a la magnífica cama de Circe y empecé a suplicar a la deidad, que oyó mi voz y a la cual abracé las rodillas. Y, hablándole, estas aladas palabras le decía:

483 »ODISEO. — ¡Oh Circe! Cúmpleme la promesa que me hiciste de mandarme a mi casa. Ya mi ánimo me incita a partir y también el de los compañeros, quienes apuran mi corazón, rodeándome llorosos, cuando tú estás lejos.

487 »Así le hablé. Y la divina entre las diosas contestóme acto seguido:

488 »CIRCE. — ¡Laertíada, del linaje de Zeus! ¡Odiseo, fecundo en ardides! No os quedéis por más tiempo en esta casa, mal de vuestro grado. Pero ante todas cosas habéis de emprender un viaje a la morada de Hades y de la veneranda Persefonea, para consultar el alma del tebano Tiresias, adivino ciego, cuyas mientes se conservan íntegras. A él tan sólo, después de muerto, diole Persefonea inteligencia y saber; pues los demás revolotean como sombras.

496 »Así dijo. Sentí que se me partía el corazón y, sentado en el lecho, lloraba y no quería vivir ni ver más la lumbre del sol. Pero cuando me harté de llorar y de dar vuelcos en la cama, le contesté con estas palabras:

501 »ODISEO. — ¡Oh Circe! ¿Quién nos guiará en ese viaje, ya que ningún hombre ha llegado jamás al Hades en negro navío?

[503] »Así le hablé. Respondióme en el acto la divina entre las diosas:

[504] »CIRCE. — ¡Laertíada, del linaje de Zeus! ¡Odiseo, fecundo en ardides! No te dé cuidado el deseo de tener quien guíe el negro bajel: iza el mástil, descoge las blancas velas y quédate sentado, que el soplo del Bóreas conducirá la nave. Y cuando hayas atravesado el Océano y llegues a donde hay una playa estrecha y bosques consagrados a Persefonea y elevados álamos y estériles sauces, detén la nave en el Océano, de profundos remolinos, y encamínate a la tenebrosa morada de Hades. Allí el Piriflegetón y el Cocito, que es un arroyo del agua de la Estix, llevan sus aguas al Aqueronte; y hay una roca en el lugar donde confluyen aquellos sonoros ríos. Acercándote, pues, a este paraje, como te lo mando, oh héroe, abre un hoyo que tenga un codo por cada lado; haz en torno suyo una libación a todos los muertos, primeramente con aguamiel, luego con dulce vino y la tercera vez con agua; y polvoréalo de blanca harina. Eleva después muchas súplicas a las inanes cabezas de los muertos y vota que, en llegando a Ítaca, les sacrificarás en el palacio una vaca no paridera, la mejor que haya, y llenarás la pira de cosas excelentes, en su obsequio; y también que a Tiresias le inmolarás aparte un carnero completamente negro que descuelle entre vuestros rebaños. Así que hayas invocado con tus preces al ínclito pueblo de los difuntos, sacrifica un carnero y una oveja negra, volviendo el rostro al Érebo, y apártate un poco hacia la corriente del río: allí acudirán muchas almas de los que murieron. Exhorta en seguida a los compañeros y mándales que desuellen las reses, tomándolas del suelo donde yacerán degolladas por el cruel bronce, y las quemen prestamente, haciendo votos al poderoso Hades y a la veneranda Persefonea; y tú desenvaina la espada que llevas cabe al muslo, siéntate y no permitas que las inanes cabezas de los muertos se acerquen a la sangre hasta que hayas interrogado a Tiresias. Pronto comparecerá el adivino, príncipe de hombres, y te dirá el camino que has de seguir, cuál será su duración y cómo podrás volver a la patria, atravesando el mar en peces abundoso.

[541] »Así dijo, y al momento llegó la Aurora, de áureo trono. Circe me vistió un manto y una túnica; y se puso amplia vestidura blanca, fina y hermosa, ciñó el talle con lindo cinturón de oro y veló su cabeza. Yo anduve por la casa y amonesté a los compañeros acercándome a ellos y hablándoles con dulces palabras:

[548] ODISEO. — No permanezcáis acostados, disfrutando del dulce sueño. Partamos ya, pues la veneranda Circe me lo aconseja.

[550] »Así les dije y su ánimo generoso se dejó persuadir. Mas ni de allí pude llevarme indemnes todos los compañeros. Un tal Elpénor, el más joven de todos, que ni era muy valiente en los combates, ni estaba muy en su juicio, yendo a buscar la frescura después que se cargara de vino, habíase acostado separadamente de sus compañeros en la sagrada mansión de Circe, y al oír el vocerío y estrépito de los camaradas que empezaban a moverse, se levantó de súbito, olvidósele volver atrás a fin de

bajar por la larga escalera, cayó desde el techo, se le rompieron las vértebras del cuello y su alma descendió al Hades.

561 »Cuando ya todos se hubieron reunido, les dije estas palabras:

562 »ODISEO. — Creéis sin duda que vamos a casa, a nuestra patria tierra; pues bien, Circe nos ha indicado que hemos de hacer un viaje a la morada de Hades y de la veneranda Persefonea para consultar el alma del tebano Tiresias.

566 »Así les hablé. A todos se les partía el corazón y, sentándose allí mismo, lloraban y se mesaban los cabellos. Mas ningún provecho sacaron de sus lamentaciones.

569 »Tan luego como nos encaminamos, afligidos, a la velera nave y a la orilla del mar, vertiendo copiosas lágrimas, acudió Circe y ató al oscuro bajel un carnero y una oveja negra. Y al hacerlo logró pasar inadvertida muy fácilmente, ¿pues quién podrá ver con sus propios ojos a una deidad que va o viene, si a ella no le place?

RAPSODIA XI

EVOCACIÓN DE LOS MUERTOS

En llegando a la nave y al divino mar, echamos al agua la negra embarcación, izamos el mástil y descogimos el velamen; cargamos luego las reses, y por fin nos embarcamos nosotros, muy tristes y vertiendo copiosas lágrimas. Por detrás de la nave de azulada proa soplaba favorable viento, que henchía las velas; buen compañero que nos mandó Circe, la de lindas trenzas, deidad poderosa, dotada de voz. Colocados cada uno de los aparejos en su sitio, nos sentamos en la nave. A ésta conducíanla el viento y el piloto, y durante el día fue andando a velas desplegadas, hasta que se puso el sol y las tinieblas ocuparon todos los caminos.

13 »Entonces arribamos a los confines del Océano, de profunda corriente. Allí están el pueblo y la ciudad de los Cimerios entre nieblas y nubes, sin que jamás el sol resplandeciente los ilumine con sus rayos, ni cuando sube al cielo estrellado, ni cuando vuelve del cielo a la tierra, pues una noche perniciosa se extiende sobre los míseros mortales. A este paraje fue nuestro bajel, que sacamos a la playa; y nosotros, asiendo las ovejas, anduvimos a lo largo de la corriente del Océano hasta llegar al sitio indicado por Circe.

23 »Allí Perimedes y Euríloco sostuvieron las víctimas, y yo, desenvainando la aguda espada que cabe al muslo llevaba, abrí un hoyo de un codo por lado; hice a su alrededor libación a todos los muertos, primeramente con aguamiel, luego con dulce vino y a la tercera vez con agua; y lo despolvorée todo con blanca harina. Acto seguido supliqué con fervor a las inanes cabezas de los muertos, y voté que, cuando llegara a Ítaca, les sacrificaría en el palacio una vaca no paridera, la mejor que hubiese, y que en su obsequio llenaría la pira de cosas excelentes, y también que a Tiresias le inmolaría aparte un carnero completamente negro que descollase entre nuestros rebaños. Después de haber rogado con votos y súplicas al pueblo de los difuntos tomé las reses, las degollé encima del hoyo, corrió la negra sangre y al instante se congregaron, saliendo del Érebo, las almas de los fallecidos: mujeres jóvenes, mancebos, ancianos que en otro tiempo padecieron muchos males, tiernas doncellas con el ánimo angustiado por reciente pesar, y muchos varones que habían muerto en la guerra, heridos por broncíneas lanzas, y mostraban ensangrentadas

armaduras: agitábanse todas con grandísimo murmuro alrededor del hoyo, unas por un lado y otras por otro; y el pálido terror se enseñoreó de mí. Al punto exhorté a los compañeros y les di orden de que desollaran las reses, tomándolas del suelo donde yacían degolladas por el cruel bronce, y las quemaran inmediatamente, haciendo votos al poderoso Hades y a la veneranda Persefonea; y yo, desenvainando la aguda espada que cabe al muslo llevaba, me senté y no permití que las inanes cabezas de los muertos se acercaran a la sangre antes que hubiese interrogado a Tiresias.

51 »La primera que vino fue el alma de nuestro compañero Elpénor, el cual aún no había recibido sepultura en la tierra inmensa; pues dejamos su cuerpo en la mansión de Circe sin enterrarlo ni llorarlo porque nos apremiaban otros trabajos. Al verlo lloré, le compadecí en mi corazón, y, hablándole, le dije estas aladas palabras:

57 »ODISEO. — ¡Oh Elpénor! ¿Cómo viniste a estas tinieblas caliginosas? Tú has llegado a pie, antes que yo en la negra nave.

59 »Así le hablé; y él, dando un suspiro, me respondió con estas palabras:

60 »ELPÉNOR. — ¡Laertíada, del linaje de Zeus! ¡Odiseo, fecundo en ardides! Dañáronme la mala voluntad de algún dios y el exceso de vino. Habiéndome acostado en la mansión de Circe, no pensé en volver atrás, a fin de bajar por la larga escalera, y caí desde el techo; se me rompieron las vértebras del cuello, y mi alma descendió a la mansión de Hades. Ahora te suplico en nombre de los que se quedaron en tu casa y no estén presentes (de tu esposa, de tu padre, que te crió cuando eras niño, y de Telémaco, el único vástago que dejaste en el palacio): sé que, partiendo de acá, de la morada de Hades, detendrás la bien construida nave en la isla Eea: pues yo te ruego, oh rey, que al llegar te acuerdes de mí. No te vayas, dejando mi cuerpo sin llorarle ni enterrarle, a fin de que no excite contra ti la cólera de los dioses; por el contrario, quema mi cadáver con las armas de que me servía y erígeme un túmulo en la ribera del espumoso mar, para que de este hombre desgraciado tengan noticias los venideros. Hazlo así y clava en el túmulo aquel remo con que, estando vivo, bogaba yo con mis compañeros.

79 »Tales fueron sus palabras; y le respondí diciendo:

80 »ODISEO. — Todo te lo haré, oh infeliz, todo te lo llevaré a cumplimiento.

81 »De tal suerte, sentados ambos, nos decíamos estas tristes razones: yo tenía la espada levantada sobre la sangre; y mi compañero, desde la parte opuesta, hablaba largamente.

84 »Vino luego el alma de mi difunta madre Anticlea, hija del magnánimo Autólico, a la cual había dejado viva cuando partí para la sagrada Ilión. Lloré al verla, compadeciéndola en mi corazón; mas con todo eso, a pesar de sentirme muy afligido, no permití que se acercara a la sangre antes de interrogar a Tiresias.

90 »Vino después el alma de Tiresias, el tebano, que empuñaba áureo cetro. Conocióme, y me habló de esta manera:

92 »TIRESIAS. — ¡Laertíada, del linaje de Zeus! ¡Odiseo, fecundo en ardides! ¿Por qué, oh infeliz, has dejado la luz del sol y vienes a ver a los muertos y esta región desapacible? Apártate del hoyo y retira la aguda espada, para que, bebiendo sangre, te revele la verdad de lo que quieras.

97 »Así dijo. Me aparté y metí en la vaina la espada guarnecida de argénteos clavos. El eximio vate bebió la negra sangre, y hablóme al punto con estas palabras:

100 »TIRESIAS. — Buscas la dulce vuelta, preclaro Odiseo, y un dios te la hará difícil; pues no creo que le pases inadvertido al que sacude la tierra, quien te guarda rencor en su corazón, porque se irritó cuando le cegaste el hijo. Pero aún llegaríais a la patria, después de padecer trabajos, si quisieras contener tu ánimo y el de tus compañeros así que ancles la bien construida embarcación en la isla Trinacia, escapando del violáceo ponto, y halléis paciendo las vacas y las pingües ovejas del Sol, que todo lo ve y todo lo oye. Si las dejaras indemnes, ocupándote tan sólo en preparar tu vuelta aún llegarías a Ítaca, después de soportar muchas fatigas; pero, si les causares daño, desde ahora te anuncio la perdición de la nave y la de tus amigos. Y aunque tú te libres, llegarás tarde y mal, habiendo perdido todos los compañeros, en nave ajena, y hallarás en tu palacio otra plaga: unos hombres soberbios, que se comen tus bienes y pretenden a tu divinal consorte, a la cual ofrecen regalos de boda. Tú, en llegando, vengarás sus demasías. Mas, luego que en tu mansión hayas dado muerte a los pretendientes, ya con astucia, ya cara a cara con el agudo bronce, toma un manejable remo y anda hasta que llegues a aquellos hombres que nunca vieron el mar, ni comen manjares sazonados con sal, ni conocen las naves de encarnadas proas, ni tienen noticia de los manejables remos que son como las alas de los buques. Para ello te diré una señal muy manifiesta, que no te pasará inadvertida. Cuando encontrares otro caminante y te dijere que llevas un aventador sobre el gallardo hombro, clava en tierra el manejable remo, haz al soberano Posidón hermosos sacrificios de un carnero, un toro y un verraco y vuelve a tu casa, donde sacrificarás sagradas hecatombes a los inmortales dioses que poseen el anchuroso cielo, a todos por su orden. Te vendrá más adelante y lejos del mar muy suave muerte, que te quitará la vida cuando ya estés abrumado por placentera vejez; y a tu alrededor los ciudadanos serán dichosos. Cuanto te digo es cierto.

138 »Así se expresó; y yo le respondí:

139 »ODISEO. — ¡Tiresias! Esas cosas decretáronlas sin duda los propios dioses. Mas, ea, habla y responde sinceramente. Veo el alma de mi difunta madre, que está silenciosa junto a la sangre, sin que se atreva a mirar frente a frente a su hijo ni a dirigirle la voz. Dime, oh rey, cómo podrá reconocerme.

45 »Así le hablé y al punto me contestó diciendo:

146 »TIRESIAS. — Con unas sencillas palabras que pronuncie te lo daré a entender. Aquel de los difuntos a quien permitieres que se acerque a la

sangre, te dará noticias ciertas; aquel a quien se lo negares, se volverá en seguida.

150 »Diciendo así, el alma del soberano Tiresias se fue a la morada de Hades apenas hubo proferido los oráculos. Mas yo me estuve quedo hasta que vino mi madre y bebió la negruzca sangre. Reconocióme de súbito y díome entre sollozos estas aladas palabras:

155 »Anticlea. — ¡Hijo mío! ¿Cómo has bajado en vida a esta oscuridad tenebrosa? Difícil es que los vivientes puedan contemplar estos lugares, separados como están por grandes ríos, por impetuosas corrientes y, principalmente, por el Océano, que no se puede atravesar a pie sino en una nave bien construida. ¿Vienes acaso de Troya, después de vagar mucho tiempo con la nave y los amigos? ¿Aún no llegaste a Ítaca, ni viste a tu mujer en el palacio?

63 »Así dijo; y yo le respondí de esta suerte:

164 »Odiseo. — ¡Madre mía! La necesidad me trajo a la morada de Hades, a consultar el alma de Tiresias el tebano; pero aún no me acerqué a la Acaya, ni entré en mi tierra, pues voy siempre errante y padeciendo desgracias desde el punto que seguí al divino Agamenón hasta Ilión, la de hermosos corceles, para combatir con los troyanos. Mas, ea, habla y responde sinceramente: ¿Cuál hado de la aterradora muerte acabó contigo? ¿Fue una larga enfermedad, o Ártemis, que se complace en tirar flechas, la que te mató con sus suaves tiros? Háblame de mi padre y del hijo que dejé, y cuéntame si mi dignidad real la conservan ellos o la tiene algún otro varón, porque se figuran que yo no he de volver. Revélame también la voluntad y el pensamiento de mi legítima esposa: Ella vive con mi hijo y todo lo guarda y mantiene en pie, o ya se casó con el mejor de los aqueos.

180 »Así le hablé; y respondióme en seguida mi veneranda madre:

181 »Anticlea. — Aquélla continúa en tu palacio, con el ánimo afligido, y pasa los días y las noches tristemente, llorando sin cesar. Nadie posee aún tu hermosa autoridad real: Telémaco cultiva en paz tus heredades y asiste a decorosos banquetes, como debe hacerlo el varón que administra justicia, pues todos le convidan. Tu padre se queda en el campo, sin bajar a la ciudad, y no tiene lecho, ni cama ni mantas, ni colchas espléndidas: sino que en el invierno duerme entre los esclavos de la casa, en la ceniza, junto al hogar, llevando miserables vestiduras; y, no bien llega el verano y el fructífero otoño, se le ponen por todas partes, en la fértil viña, humildes lechos de hojas secas donde yace afligido y acrecienta sus penas anhelando tu regreso, además de sufrir las molestias de la senectud a que ha llegado. Así morí yo también, cumpliendo mi destino: ni la que con certera vista se complace en arrojar saetas me hirió con sus suaves tiros en el palacio, ni me acometió enfermedad alguna de las que se llevan el vigor de los miembros por una odiosa consunción; antes bien la soledad que de ti sentía y la memoria de tus cuidados y de tu ternura, preclaro Odiseo, me privaron de la dulce vida.

204 »Así se expresó. Quise entonces efectuar el designio, que tenía formado en mi espíritu, de abrazar el alma de mi difunta madre. Tres veces me acerqué a ella, pues el ánimo incitábame a abrazarla; tres veces se me fue volando de entre las manos como sombra o sueño. Entonces sentí en mi corazón un agudo dolor que iba en aumento, y dije a mi madre estas aladas palabras:

210 »ODISEO. — ¡Madre mía! ¿Por qué huyes cuando a ti me acerco, ansioso de asirte, a fin de que en la misma morada de Hades nos echemos en brazos el uno del otro y nos saciemos de triste llanto? ¿Por ventura envióme esta vana imagen la ilustre Persefonea, para que se acrecienten mis lamentos y suspiros?

215 »Así le dije; y al momento me contestó mi veneranda madre:

216 »ANTICLEA. — ¡Ay de mí, hijo mío, el más desgraciado de todos los hombres! No te engaña Persefonea, hija de Zeus; sino que ésta es la condición de los mortales cuando fallecen: los nervios ya no mantienen unidos la carne y los huesos, pues los consume la viva fuerza de las ardientes llamas tan pronto como la vida desampara la blanca osamenta, y el alma se va volando, como un sueño. Mas, procura volver lo antes posible a la luz y llévate sabidas todas estas cosas para que luego las refieras a tu consorte.

225 »Mientras así conversábamos vinieron (enviadas por la ilustre Persefonea) cuantas mujeres fueron esposas o hijas de eximios varones. Reuniéronse en tropel alrededor de la negra sangre, y yo pensaba de qué modo podría interrogarlas por separado. Al fin parecióme que la mejor resolución sería la siguiente: desenvainé la espada de larga punta que traía al lado del muslo y no permití que bebieran a un tiempo la denegrida sangre. Entonces se fueron acercando sucesivamente, me declararon su respectivo linaje, y a todas les hice preguntas.

235 »La primera que vi fue Tiro, de ilustre nacimiento, la cual manifestó que era hija del insigne Salmoneo y esposa de Creteo Eólida. Habíase enamorado de un río que es el más bello de los que discurren por el orbe, el divinal Enipeo, y frecuentaba los sitios próximos a su hermosa corriente; pero el que ciñe y bate la tierra, tomando la figura de Enipeo, se acostó con ella en la desembocadura del vorticoso río. La ola purpúrea, grande como una montaña, se encorvó alrededor de entrambos, y ocultó al dios y a la mujer mortal. Posidón desatóle a la doncella el virgíneo cinto y le infundió sueño. Mas, tan pronto como hubo logrado sus amorosos deseos, le tomó la mano y le dijo estas palabras:

248 »POSIDÓN. — Huélgate, mujer, con este amor. En el transcurso del año parirás hijos ilustres, que nunca son estériles las uniones de los inmortales. Cuídalos y críalos. Ahora vuelve a tu casa y abstente de nombrarme, pues sólo para ti soy Posidón, que sacude la tierra.

253 »Cuando esto hubo dicho, sumergióse en el agitado ponto. Tiro quedó encinta y parió a Pelias y a Neleo, que habían de ser esforzados servidores del gran Zeus; y vivieron Pelias, rico en ganado, en la extensa Yaoleo, y Neleo, en la arenosa Pilos. Además, la reina de las mujeres

tuvo de Creteo otros hijos: Esón, Feres y Amitaón, que combatía en carro.

260 »Después vi a Antíope, hija de Asopo, que se gloriaba de haber dormido en brazos de Zeus. Parió dos hijos —Anfión y Zeto—, los primeros que fundaron y torrearon a Tebas, las de las siete puertas; pues no hubieran podido habitar aquella vasta ciudad desguarnecida de torres, no obstante ser ellos muy esforzados.

266 »Después vi a Alcmena, esposa de Anfitrión, la cual del abrazo del gran Zeus tuvo al fornido Heracles, de corazón de león; y luego parió a Megara, hija del animoso Creonte, a la cual tuvo por mujer el Anfitriónida, de valor siempre indómito.

271 »Vi también a la madre de Edipo, la bella Epicasta, que cometió sin querer una gran falta, casándose con su hijo; pues éste, luego de matar a su propio padre, la tomó por esposa. No tardaron los dioses en revelar a los hombres lo que había ocurrido; y, con todo, Edipo, si bien tuvo sus contratiempos, siguió reinando sobre los cadmeos en la agradable Tebas, por los perniciosos designios de las deidades; mas ella, abrumada por el dolor, fuese a la morada de Hades, de sólidas puertas, atando un lazo al elevado techo, y dejóle tantos dolores como causan las Erinies de una madre.

281 »Vi igualmente a la bellísima Cloris —a quien por su hermosura tomó Neleo por esposa, consignándole una dote inmensa—, hija menor de Anfión Yásida, el que imperaba poderosamente en Orcómeno Minieo: ésta reinó en Pilos y tuvo de Neleo hijos ilustres: Néstor, Cromio y el arrogante Periclimeno. Parió después a la ilustre Pero, encanto de los mortales, que fue pretendida por todos sus vecinos; mas Neleo se empeñó en no darla sino al que le trajese de Fílace las vacas de retorcidos cuernos y espaciosa frente del robusto Ificlo; empresa difícil de llevar al cabo. Tan sólo un eximio vate prometió presentárselas; pero el hado funesto de un dios, juntamente con unas fuertes cadenas y los boyeros del campo, se lo impidieron. Mas, después que pasaron días y meses y, transcurrido el año, volvieron a sucederse las estaciones, el robusto Ificlo soltó al adivino, que le había revelado todos los oráculos, y cumplióse entonces la voluntad de Zeus.

298 »Vi también a Leda, la esposa de Tindaro, que le parió dos hijos de ánimo esforzado: Cástor, domador de caballos, y Polideuces, excelente púgil. A éstos los mantiene vivos la alma tierra, y son honrados por Zeus debajo de ella de suerte que viven y mueren alternativamente, pues el día que vive el uno muere el otro y viceversa. Ambos disfrutan de los mismos honores que los númenes.

305 »Después vi a Ifimedia, esposa de Aloeo, la cual se preciaba de haber tenido acceso con Posidón. Había dado a luz dos hijos de corta vida: Oto, igual a un dios, y el celebérrimo Efialtes; que fueron los mayores hombres que criara la fértil tierra y los más gallardos, si se exceptúa el ínclito Orión, pues a los nueve años tenían nueve codos de ancho y nueve brazas de estatura. Oto y Efialtes amenazaron a los inmortales del

Olimpo con llevarles el tumulto de la impetuosa guerra. Quisieron poner el Osa sobre el Olimpo, y encima del Osa el frondoso Pelión, para que el cielo les fuese accesible. Y dieran fin a su traza, si hubiesen llegado a la flor de la juventud; pero el hijo de Zeus, a quien parió Leto, la de hermosa cabellera, exterminólos a entrambos antes que el vello floreciese debajo de sus sienes y su barba se cubriera de suaves pelos.

321 »Vi a Fedra, a Procris y a la hermosa Ariadna, hija del artero Minos, que Teseo se llevó de Creta al feraz territorio de la sagrada Atenas; mas no pudo lograrla, porque Ártemis la mató en Día, situada en medio de las olas, por la acusación de Dióniso.

326 »Vi a Mera, a Clímene y a la odiosa Erifle que aceptó el preciado oro por traicionar a su marido. Y no pudiera decir ni nombrar todas las mujeres e hijas de héroes que vi después, porque antes llegará a su término la divinal noche. Mas ya es hora de dormir, sea yendo a la velera nave donde están los compañeros, sea permaneciendo aquí. Y cuidarán de acompañarme a mi patria los dioses, y también vosotros.

333 Así se expresó. Enmudecieron los oyentes en el oscuro palacio, y quedaron silenciosos, arrobados por el placer de oírle. Pero Arete, la de los níveos brazos, empezó a hablarles diciendo:

336 Arete. — ¡Feacios! ¿Qué os parece este hombre por su aspecto, estatura y sereno juicio? Es mi huésped, pero de semejante honra participáis todos. Por tanto, no apresuréis su partida, ni le escatiméis las dádivas, ya que se halla en la necesidad y abundan en vuestros palacios las riquezas, por la voluntad de los dioses.

342 Entonces el anciano héroe Equeneo, que era el de más edad de los feacios, hablóles de esta suerte:

344 Equeneo. — ¡Amigos! Nada nos ha dicho la sensata reina que no sea a propósito y conveniente. Obedecedla, pues; aunque Alcínoo es quien puede, con sus palabras y obras, dar el ejemplo.

347 Alcínoo le contestó de esta manera:

348 Alcínoo. — Se cumplirá lo que decís en cuanto yo viva y reine sobre los feacios, amantes de manejar los remos. El huésped, siquiera esté deseoso de volver a su patria, resígnese a quedarse aquí hasta mañana, a fin de que le prepare todos los regalos. Y de su partida se cuidarán todos los varones y principalmente yo, cuyo es el mando en este pueblo.

354 El ingenioso Odiseo respondióle diciendo:

355 Odiseo. — ¡Rey Alcínoo, el más esclarecido de todos los ciudadanos! Si me mandarais quedarme aquí un año entero y durante el mismo dispusierais mi vuelta y me hicierais espléndidos presentes, me quedaría de muy buena gana: pues fuera mejor llegar a la patria con las manos llenas y verme así más honrado y querido de cuantos hombres presenciasen mi regreso a Ítaca.

362 Entonces Alcínoo le contestó, hablándole de esta guisa:

363 Alcínoo. — ¡Oh Odiseo! Al verte no sospechamos que seas un impostor ni un embustero, como otros muchos que cría la oscura tierra; los cuales, dispersos por doquier, forjan mentiras que nadie lograra des-

cubrir: tú das belleza a las palabras, tienes excelente ingenio e hiciste la narración con tanta habilidad como un aedo, contándonos los deplorables trabajos de todos los argivos y de ti mismo. Mas, ea, habla y dime sinceramente si viste a algunos de los deiformes amigos que te acompañaron a Ilión y allí recibieron la fatal muerte. La noche es muy larga, inmensa, y aún no llegó la hora de recogerse en el palacio. Cuéntame, pues, esas hazañas admirables, que yo me quedaría hasta la divinal aurora, si te decidieras a referirme en esta sala tus desventuras.

377 Respondióle el ingenioso Odiseo:

378 ODISEO. — ¡Rey Alcínoo, el más esclarecido de todos los ciudadanos! Hay horas oportunas para largos relatos y horas destinadas al sueño mas si tienes todavía voluntad de escucharme, no me niego a referirte otros hechos aún más miserandos: los infortunios de mis compañeros que, después de haber escapado de la luctuosa guerra de los teucros, murieron al volver a su patria porque así lo quiso una mujer perversa.

385 »Después que la casta Persefonea hubo dispersado acá y acullá las almas de las mujeres, presentóse muy angustiada la de Agamenón Atrida, a cuyo alrededor se congregaban las de cuantos en la mansión de Egisto perecieron con el héroe, cumpliendo su destino. Reconocióme así que bebió la negra sangre y al punto comenzó a llorar ruidosamente: derramaba copiosas lágrimas y me tendía las manos con el deseo de abrazarme; mas ya no disfrutaba del firme vigor, ni de la fortaleza que antes tenía en los flexibles miembros. Al verlo lloré, y, compadeciéndole en mi corazón le dije estas aladas palabras:

397 »ODISEO. — ¡Atrida gloriosísimo, rey de hombres Agamenón! ¿Cuál hado de la aterradora muerte te quitó la vida? ¿Acaso Posidón te mató en tus naves, desencadenando el fuerte soplo de terribles vientos, o unos hombres enemigos acabaron contigo en la tierra firme, porque te llevabas sus bueyes y sus hermosos rebaños de ovejas o porque combatías para apoderarte de su ciudad y de sus mujeres?

404 »Así le dije y me respondió en seguida:

405 »AGAMENÓN. — ¡Laertíada, del linaje de Zeus! ¡Odiseo, fecundo en ardides! Ni Posidón me mató en las naves, desencadenando el fuerte soplo de terribles vientos, ni hombres enemigos acabaron conmigo en la tierra firme; Egisto fue quien me preparó la muerte y el hado, pues, de acuerdo con mi funesta esposa, me llamó a su casa, me dio de comer y me quitó la vida como se mata a un buey junto al pesebre. Morí de este modo, padeciendo deplorable muerte; y a mi alrededor fueron asesinados mis compañeros, unos en pos de otros, como en la casa de un hombre rico y poderosísimo son degollados los puercos de albos dientes para una comida de bodas, un festín a escote, o un banquete espléndido. Ya has presenciado la matanza de un tropel de hombres que son muertos aisladamente en el duro combate; pero hubieras sentido grandísima compasión al contemplar aquel espectáculo, al ver cómo yacíamos en la sala alrededor de la cratera y de las mesas llenas, y cómo el suelo manaba sangre por todos lados. Oí la misérrima voz de Casandra, hija de Príamo,

a la cual estaba matando, junto a mí, la dolosa Clitemnestra; y yo, en tierra y moribundo, alzaba los brazos para asirle la espada. Mas la descarada fuese luego, sin que se dignara bajarme los párpados ni cerrarme la boca, aunque me veía descender a la morada de Hades. Así es que nada hay tan horrible e impudente como la mujer que concibe en su espíritu intentos como el de aquélla, que cometió la inicua acción de tramar la muerte contra su esposo legítimo. Figurábame que, al tornar a mi casa, se alegrarían de verme mis hijos y mis esclavos; pero aquélla, ladina más que otra alguna en cometer maldades, cubrióse de infamia a sí misma y hasta a las mujeres que han de nacer, por virtuosas que fueren.

435 »Así se expresó; y le contesté diciendo:

436 »ODISEO. — ¡Oh dioses! En verdad que el largovidente Zeus aborreció de extraordinaria manera la estirpe de Atreo, ya desde su origen, a causa de la perfidia de las mujeres: por Helena nos perdimos muchos, y Clitemnestra te preparó una celada mientras te hallabas ausente.

440 »Así le hablé y en seguida me respondió:

441 »AGAMENÓN. — Por tanto, jamás seas benévolo con tu mujer ni le descubras todo lo que pienses; antes bien, particípale unas cosas y ocúltale otras. Mas a ti, oh Odiseo, no te vendrá la muerte por culpa de tu mujer, porque la prudente Penélope, hija de Icario, es muy sensata y sus intentos son razonables. La dejamos recién casada al partir para la guerra y daba el pecho a su hijo, infante todavía; el cual debe de contarse ahora, feliz y dichoso, en el número de los hombres. Y su padre, volviendo a la patria, le verá; y él abrazará a su padre, como es justo. Pero mi esposa no dejó que me saciara contemplando con estos ojos al mío, ya que me mató antes. Otra cosa voy a decir que pondrás en tu corazón: al tomar puerto en la patria tierra, hazlo ocultamente y no a la descubierta, pues ya no hay que fiar en las mujeres. Mas, ea, habla y dime sinceramente si oíste que mi hijo vive en Orcómeno, o en la arenosa Pilos o quizá con Menelao en la extensa Esparta; pues el divinal Orestes aún no ha desaparecido de la tierra.

62 »De esta suerte habló; y le respondí diciendo:

463 »ODISEO. — ¡Oh Atrida! ¿Por qué me haces esa pregunta? Ignoro si aquél vive o ha muerto, y es malo hablar inútilmente.

465 »Mientras nosotros estábamos afligidos, diciéndonos tan tristes razones y derramando copiosas lágrimas, vinieron las almas de Aquileo Pelida, de Patroelo, del intachable Antíloco y de Ayante, que fue el más excelente de todos los dánaos en cuerpo y hermosura, después del eximio Pelión. Reconocióme el alma del Eácida, el de los pies ligeros, y lamentándose me dijo estas aladas palabras:

473 »AQUILEO. — ¡Laertíada, del linaje de Zeus! ¡Odiseo, fecundo en ardides! ¡Desdichado! ¿Qué otra empresa mayor que las pasadas revuelves en tu pecho? ¿Cómo te atreves a bajar a la mansión de Hades, donde residen los muertos, que están privados de sentido y son imágenes de los hombres que ya fallecieron?

477 »Así se expresó; y le respondí diciendo:

478 »ODISEO. — ¡Oh Aquileo, hijo de Peleo, el más valiente de los aquivos! Vine por el oráculo de Tiresias, a ver si me daba algún consejo para llegar a la escabrosa Ítaca: que aún no me acerqué a la Acaya, ni entré en mi tierra, sino que padezco infortunios continuamente. Pero tú, oh Aquileo, eres el más dichoso de todos los hombres que nacieron y han de nacer, puesto que antes, cuando vivías, los argivos te honrábamos como a una deidad, y ahora, estando aquí, imperas poderosamente sobre los difuntos. Por lo cual, oh Aquileo, no has de entristecerte porque estés muerto.

487 »Así le dije; y me contestó en seguida:

488 »AQUILEO. — No intentes consolarme de la muerte, esclarecido Odiseo: preferiría ser labrador y servir a otro, a un hombre indigente que tuviera poco caudal para mantenerse, a reinar sobre todos los muertos. Mas, ea, háblame de mi ilustre hijo: dime si fue a la guerra para ser el primero en las batallas, o se quedó en casa. Cuéntame también si oíste algo del eximio Peleo y si conserva la dignidad real entre los numerosos mirmidones, o les menosprecian en la Hélade y en Ptia porque la senectud debilitó sus pies y sus manos. ¡Así pudiera valerle, a los rayos del sol, siendo yo cual era en la vasta Troya cuando mataba guerreros muy fuertes, combatiendo por los argivos! Si, siendo tal, volviese, aunque por breve tiempo, a la casa de mi padre, daríales terrible prueba de mi valor y de mis invictas manos a cuantos le hagan violencia o intenten quitarle la dignidad regia.

504 »Así habló; y le contesté diciendo:

505 »ODISEO. — Nada ciertamente he sabido del intachable Peleo; mas de tu hijo Neoptólemo te diré toda la verdad, como lo mandas, pues yo mismo lo llevé, en una cóncava y bien proporcionada nave, desde Esciro al campamento de los aqueos, de hermosas grebas. Cuando teníamos consejo en los alrededores de la ciudad de Troya, hablaba siempre antes que ninguno y sin errar; y de ordinario tan sólo el divino Néstor y yo le aventajábamos. Mas, cuando peleábamos con las broncíneas armas en la llanura de los troyanos, nunca se quedaba entre muchos guerreros ni en la turba; sino que se adelantaba a toda prisa un buen espacio, no cediendo a nadie en valor, y mataba a gran número de hombres en el terrible combate. Yo no pudiera decir ni nombrar a cuántos guerreros dio muerte, luchando por los argivos; pero referiré que mató con el bronce a un varón como el héroe Euripilo Teléfida, en torno del cual perdieron la vida muchos de sus compañeros ceteos a causa de los presentes que se habían enviado a una mujer. Aún no he conseguido ver a un hombre más gallardo, fuera del divinal Memnón. Y cuando los más valientes argivos penetramos en el caballo que fabricó Epeo y a mí se me confió todo (así el abrir como el cerrar la sólida emboscada), los caudillos y príncipes de los dánaos se enjugaban las lágrimas y les temblaban los miembros; pero nunca vi con estos ojos que a él se le mudara el color de la linda faz, ni que se secara las lágrimas de las mejillas: sino que me suplicaba con insistencia que le dejase salir del caballo, y acariciaba el puño de la espada

y la lanza que el bronce hacía ponderosa, meditando males contra los teucros. Y así que devastamos la excelsa ciudad de Priamo y hubo recibido su parte de botín y además una señalada recompensa, embarcóse sano y salvo, sin que le hubiesen herido con el agudo bronce ni de cerca ni de lejos, como ocurre frecuentemente en las batallas, pues Ares se enfurece contra todos sin distinción alguna.

538 »Así le dije; y el alma del Eácida, el de pies ligeros, se fue a buen paso por la pradera de asfódelos, gozosa de que le hubiese participado que su hijo era insigne.

541 »Las otras almas de los muertos se quedaron aún y nos refirieron, muy tristes, sus respectivas cuitas. Sólo el alma de Ayante Telamoníada permanecía algo distante, enojada porque le vencí en el juicio que se celebró cerca de las naves para adjudicar las armas de Aquileo; juicio propuesto por la veneranda madre del héroe y fallado por los teucros y por Palas Atenea. ¡Ojalá no le hubiese vencido en el fallo! Por tales armas guarda la tierra en su seno una cabeza cual la de Ayante, quien, por su gallardía y sus proezas, descollaba entre los dánaos después del intachable Pelión. Mas entonces le dije con suaves palabras:

553 »ODISEO. — ¡Oh Ayante, hijo del egregio Telamón! ¿No debías, ni aun después de muerto, deponer la cólera que contra mí concebiste con motivo de las perniciosas armas? Los dioses las convirtieron en una plaga contra los argivos, ya que pereciste tú que tal baluarte eras para todos. A los aqueos nos ha dejado tu muerte constantemente afligidos, tanto como la del Pelida Aquileo. Mas nadie tuvo culpa sino Zeus, que, tocado del odio contra los belicosos dánaos, te impuso semejante destino. Ea, ven aquí, oh rey, a escuchar mis palabras; y reprime tu ira y tu corazón valeroso.

563 »Así le hablé; pero nada me respondió y se fue hacia el Érebo a juntarse con las otras almas de los difuntos. Desde allí quizá me hubiese dicho algo, aunque estaba irritado, o por lo menos yo a él, pero en mi pecho incitábame el corazón a ver las almas de los demás muertos.

568 »Allí vi a Minos, ilustre vástago de Zeus, sentado y empuñando áureo cetro, pues administraba justicia a los difuntos. Éstos, unos sentados y otros en pie a su alrededor, exponían sus causas al soberano en la morada, de anchas puertas de Hades.

572 »Vi después al gigantesco Orión, el cual perseguía por la pradera de asfódelos las fieras que antes había herido de muerte en las solitarias montañas, manejando irrompible clava toda de bronce.

576 »Vi también a Titio, el hijo de la augusta Tierra, echado en el suelo, donde ocupaba nueve yugadas. Dos buitres, uno a cada lado, le roían el hígado, penetrando con el pico en sus entrañas, sin que pudiera rechazarlos con las manos; porque intentó hacer fuerza a Leto, la gloriosa consorte de Zeus, que se encaminaba a Pito por entre la amena Panopeo.

582 »Vi asimismo a Tántalo, el cual padecía crueles tormentos, de pie en un lago cuya agua le llegaba a la barba. Tenía sed y no conseguía

tomar el agua y beber: cuantas veces se bajaba el anciano con la intención de beber, otras tantas desaparecía el agua absorbida por la tierra; la cual se mostraba negruzca en torno a sus pies y un dios la secaba. Encima de él colgaban las frutas de altos árboles (perales, manzanos de espléndidas pomas, higueras y verdes olivos); y cuando el viejo levantaba los brazos para cogerlas, el viento se las llevaba a las sombrías nubes.

593 »Vi de igual modo a Sísifo, el cual padecía duros trabajos empujando con entrambas manos una enorme piedra. Forcejeaba con los pies y las manos e iba conduciendo la piedra hacia la cumbre de un monte; pero cuando ya le faltaba poco para doblarla, una fuerza poderosa derrocaba la insolente piedra que caía rodando a la llanura. Tornaba entonces a empujarla, haciendo fuerza, y el sudor le corría de los miembros y el polvo se levantaba sobre su cabeza.

601 »Vi después al fornido Heracles o, por mejor decir, su imagen; pues él está con los inmortales dioses, se deleita en sus banquetes, y tiene por esposa a Hebe, la de los pies hermosos, hija de Zeus y de Hera, la de las áureas sandalias. En torno suyo dejábase oír la gritería de los muertos (cual si fueran aves), que huían espantados a todas partes; y Heracles, semejante a tenebrosa noche, traía desnudo el arco con la flecha sobre la cuerda, y volvía los ojos atrozmente como si fuese a disparar. Llevaba alrededor del pecho un tahalí de oro, de horrenda vista, en el cual se habían labrado obras admirables: osos, agrestes jabalíes, leones de relucientes ojos, luchas, combates, matanzas y homicidios. Ni el mismo que con su arte construyó aquel tahalí, hubiera podido hacer otro igual. Reconocióme Heracles, apenas me vio con sus ojos, y lamentándose me dijo estas aladas palabras:

617 »HERACLES. — ¡Laertíada, del linaje de Zeus! ¡Odiseo, fecundo en ardides! ¡Ah mísero! Sin duda te persigue algún hado funesto, como el que yo padecía mientras me alumbraban los rayos del sol. Aunque era hijo de Zeus Cronida, hube de arrostrar males sin cuento por verme sometido a un hombre muy inferior que me ordenaba penosos trabajos. Una vez me envió aquí para que sacara el can, figurándose que ningún otro trabajo sería más difícil; y yo me lo llevé y lo saqué del Hades, guiado por Hermes y por Atenea, la de ojos de lechuza.

627 »Cuando así hubo dicho, volvió a internarse en la morada de Hades; y yo me quedé inmóvil, por si acaso venía algún héroe de los que murieron anteriormente. Y hubiera visto a los hombres antiguos a quienes deseaba conocer (a Teseo y a Pirítoo, hijos gloriosos de las deidades); pero congregóse, antes que llegaran, un sinnúmero de difuntos con gritería inmensa, y el pálido terror se apoderó de mí, temiendo que la ilustre Persefonea no me enviase del Hades la cabeza de Gorgo, horrendo monstruo. Volví en seguida al bajel y ordené a mis compañeros que se embarcaran y desataran las amarras. Embarcáronse acto continuo y se sentaron en los bancos. Y la onda de la corriente llevaba nuestra embarcación por el río Océano, empujada al principio por los remos y más adelante por próspero viento.

RAPSODIA XII

LAS SIRENAS, ESCILA, CARIBDIS, LAS VACAS DEL SOL

TAN luego como la nave, dejando la corriente del río Océano, llegó a las olas del vasto mar y a la isla Eea (donde están la mansión y las danzas de la Aurora, hija de la mañana, y el orto del Sol), la sacamos a la arena, después de saltar a la playa, nos entregamos al sueño, y aguardamos la aparición de la divinal Aurora.

8 »Cuando se descubrió la hija de la mañana, la Aurora de rosáceos dedos, envié algunos compañeros a la morada de Circe para que trajesen el cadáver del difunto Elpénor. Luego cortamos troncos y, afligidos y vertiendo abundantes lágrimas, celebramos las exequias en el lugar más eminente de la orilla. Y no bien hubimos quemado el cadáver y las armas del difunto, le erigimos un túmulo, con su correspondiente cipo, y clavamos en la parte más alta el manejable remo.

16 »Mientras en tales cosas nos ocupábamos, no se le encubrió a Circe nuestra llegada del Hades, y se atavió y vino muy presto con criadas que traían pan, mucha carne y vino rojo, de color de fuego. Y puesta en medio de nosotros, dijo así la divina entre las diosas.

21 »CIRCE. — ¡Oh desdichados, que, viviendo aún, bajasteis a la morada de Hades, y habréis muerto dos veces cuando los demás hombres mueren una sola! Ea, quedaos aquí, y comed manjares y bebed vino,

todo el día de hoy; pues así que despunte la aurora volveréis a navegar, y yo os mostraré el camino y os indicaré cuanto sea preciso para que no padezcáis, a causa de una maquinación funesta, ningún infortunio ni en el mar ni en la tierra firme.

28 »Así dijo; y nuestro ánimo generoso se dejó persuadir. Y ya todo el día, hasta la puesta del sol, estuvimos sentados, comiendo carne en abundancia y bebiendo dulce vino. Apenas el sol se puso y sobrevino la oscuridad, los demás se acostaron junto a las amarras del buque. Pero a mí Circe me cogió de la mano, me hizo sentar separadamente de los compañeros y, acomodándose cerca de mí, me preguntó cuanto me había ocurrido; y yo se lo conté por su orden. Entonces me dijo estas palabras la veneranda Circe:

37 »Circe. — Así, pues, se han llevado a cumplimiento todas estas cosas. Oye ahora lo que voy a decir y un dios en persona te lo recordará más tarde. Llegarás primero a las sirenas, que encantan a cuantos hombres van a su encuentro. Aquel que imprudentemente se acerca a ellas y oye su voz, ya no vuelve a ver a su esposa ni a sus hijos pequeñuelos rodeándole, llenos de júbilo, cuando torna a sus hogares; sino que le hechizan las sirenas con el sonoro canto, sentadas en una pradera y teniendo a su alrededor enorme montón de huesos de hombres putrefactos cuya piel se va consumiendo. Pasa de largo y tapa las orejas de tus compañeros con cera blanda, previamente adelgazada, a fin de que ninguno la oiga; mas si tú deseares oírlas, haz que te aten en la velera embarcación de pies y manos, derecho y arrimado, a la parte inferior del mástil, y que las sogas se liguen al mismo; y así podrás deleitarte escuchando a las sirenas. Y en caso de que supliques o mandes a los compañeros que te suelten, átente con más lazos todavía.

55 »Después que tus compañeros hayan conseguido llevaros más allá de las Sirenas, no te indicaré con precisión cuál de dos caminos te cumple recorrer; considéralo en tu ánimo, pues voy a decir lo que hay a entrambas partes. A un lado se alzan peñas prominentes, contra las cuales rugen las inmensas olas de la ojizarca. Anfitrite: llámanlas Erráticas los bienaventurados dioses. Por allí no pasan las aves sin peligro, ni aun las tímidas palomas que llevan la ambrosía al padre Zeus; pues cada vez la lisa peña arrebata alguna y el padre manda otra para completar el número. Ninguna embarcación de hombres, en llegando allá, pudo escapar salva; pues las olas del mar y las tempestades, cargadas de pernicioso fuego, se llevan juntamente las tablas del barco y los cuerpos de los hombres. Tan sólo logró doblar aquellas rocas una nave surcadora del ponto, Argos, por todos tan celebrada, al volver del país de Eetes; y también a ésta habríala estrellado el oleaje contra las grandes peñas, si Hera no la hubiese hecho pasar junto a ellas por su afecto a Jasón.

73 »Al lado opuesto hay dos escollos. El uno alcanza al anchuroso cielo con su pico agudo, coronado por el pardo nubarrón que jamás le suelta; en términos que la cima no aparece despejada nunca, ni siquiera en verano, ni en otoño. Ningún hombre mortal, aunque tuviese veinte

manos e igual número de pies, podría subir al tal escollo ni bajar de él, pues la roca es tan lisa que semeja pulimentada. En medio del escollo hay un antro sombrío que mira al ocaso, hacia el Érebo, y a él enderezaréis el rumbo de la cóncava nave, preclaro Odiseo. Ni un hombre joven, que disparara el arco desde la cóncava nave, podría llegar con sus tiros a la profunda cueva. Allí mora Escila, que aúlla terriblemente, con voz semejante a la de una perra recién nacida, y es un monstruo perverso a quien nadie se alegrara de ver, aunque fuese un dios el que con ella se encontrase. Tiene doce pies, todos deformes, y seis cuellos larguísimos, cada cual con una horrible cabeza en cuya boca hay tres hileras de abundantes y apretados dientes, llenos de negra muerte. Está sumida hasta la mitad del cuerpo en la honda gruta, saca las cabezas fuera de aquel horrendo báratro y, registrando alrededor del escollo, pesca delfines, perros de mar, y también, si puede cogerlo, alguno de los monstruos mayores que cría en cantidad inmensa la ruidosa Anfitrite. Por allí jamás pasó embarcación cuyos marineros pudieran gloriarse de haber escapado indemnes; pues Escila les arrebata con sus cabezas sendos hombres de la nave de azulada proa.

[101] »El otro escollo es más bajo y lo verás, Odiseo, cerca del primero; pues hállase a tiro de flecha. Hay allí un cabrahígo grande y frondoso, y a su pie la divinal Caribdis sorbe la turbia agua. Tres veces al día la echa afuera y otras tantas vuelve a sorberla de un modo horrible. No te encuentres allí cuando la sorbe, pues ni el que sacude la tierra podría librarte de la perdición. Debes, por el contrario, acercarte mucho al escollo de Escila y hacer que tu nave pase rápidamente; pues mejor es que eches de menos a seis compañeros que no a todos juntos.

[111] »Así se expresó; y le contesté diciendo:

[112] »ODISEO. — Ea, oh diosa, háblame sinceramente: Si por algún medio lograse escapar de la funesta Caribdis, ¿podré rechazar a Escila cuando quiera dañar a mis compañeros?

[115] »Así le dije, y al punto me respondió la divina entre las diosas:

[116] »CIRCE. — ¡Oh infeliz! ¿Aún piensas en obras y trabajos bélicos, y no has de ceder ni ante los inmortales dioses? Escila no es mortal, sino una plaga imperecedera, grave, terrible, cruel e ineluctable. Contra ella no hay que defenderse; huir de su lado es lo mejor. Si, armándote, demorares junto al peñasco, temo que se lanzará otra vez y te arrebatará con sus cabezas sendos varones. Debes hacer, por tanto, que tu navío pase ligero, e invocar, dando gritos, a Crateis, madre de Escila, que les parió tal plaga a los mortales; y ésta la contendrá, para que no os acometa nuevamente.

[127] »Llegarás más tarde a la isla de Trinacia, donde pacen las muchas vacas y pingües ovejas del Sol. Siete son las vacadas, otras tantas las hermosas greyes de ovejas, y cada una está formada por cincuenta cabezas. Dicho ganado no se reproduce ni muere, y son sus pastoras dos deidades, dos ninfas de hermosas trenzas: Faetusa y Lampetia, las cuales concibió del Sol Hiperión la divina Neera. La veneranda madre, después que

las dio a luz y las hubo criado, llevólas a la isla de Trinacia, allá muy lejos, para que guardaran las ovejas de su padre y las vacas de retorcidos cuernos. Si a éstas las dejaras indemnes, ocupándote tan sólo en preparar tu regreso, aún llegarías a Ítaca, después de pasar muchos trabajos, pero, si les causaras daño, desde ahora te anuncio la perdición de la nave y la de tus amigos. Y aunque tú escapes, llegarás tarde y mal a la patria, después de perder todos los compañeros.

142 »Así dijo; y al punto apareció la Aurora, de áureo solio. La divina entre las diosas se internó en la isla, y yo, encaminándome al bajel, ordené a mis compañeros que subieran a la nave y desataran las amarras. Embarcáronse acto continuo y, sentándose por orden en los bancos, comenzaron a batir con los remos el espumoso mar. Por detrás de la nave de azulada proa soplaba próspero viento que henchía las velas; buen compañero que nos mandó Circe, la de lindas trenzas, deidad poderosa, dotada de voz. Colocados los aparejos cada uno en su sitio, nos sentamos en la nave, que era conducida por el viento y el piloto. Entonces alcé la voz a mis compañeros, con el corazón triste, y les hablé de este modo:

154 »ODISEO. — ¡Oh amigos! No conviene que sean únicamente uno o dos quienes conozcan los vaticinios que me reveló Circe, la divina entre las diosas; y os los voy a referir para que, sabedores de ellos, o muramos o nos salvemos, librándonos de la muerte y de la Parca. Nos ordena lo primero rehuir la voz de las divinales sirenas y el florido prado en que éstas moran. Manifestóme que tan sólo yo debo oírlas; pero atadme con fuertes lazos, de pie y arrimado a la parte inferior del mástil, para que me esté allí sin moverme, y las sogas líguense al mismo. Y en el caso de que os ruegue o mande que me soltéis, atadme con más lazos todavía.

165 »Mientras hablaba, declarando estas cosas a mis compañeros, la nave bien construida llegó muy presto a la isla de las sirenas, pues la empujaba favorable viento. Desde aquel instante echóse el viento y reinó sosegada calma, pues algún numen adormeció las olas. Levantáronse mis compañeros, amainaron las velas y pusiéronse en la cóncava nave; y, habiéndose sentado nuevamente en los bancos, emblanquecían el agua, agitándola con los remos de pulimentado abeto. Tomé al instante un gran pan de cera y lo partí con el agudo bronce en pedacitos, que me puse luego a apretar con mis robustas manos. Pronto se calentó la cera, porque hubo de ceder a la gran fuerza y a los rayos del soberano Sol Hiperiónida, y fui tapando con ella los oídos de todos los compañeros. Atáronme éstos en la nave, de pies y manos, derecho y arrimado a la parte inferior del mástil; ligaron las sogas al mismo; y, sentándose en los bancos, tornaron a batir con los remos el espumoso mar. Hicimos andar la nave muy rápidamente, y, al hallarnos tan cerca de la orilla que allá pudieran llegar nuestras voces, no se les encubrió a las sirenas que la ligera embarcación navegaba a poca distancia y empezaron un sonoro canto:

184 »LAS SIRENAS. — ¡Ea, célebre Odiseo, gloria insigne de los aqueos! Acércate y detén la nave para que oigas nuestra voz. Nadie ha pasado en

su negro bajel sin que oyera la suave voz que fluye de nuestra boca; sino que se van todos después de recrearse con ella, sabiendo más que antes; pues sabemos cuántas fatigas padecieron en la vasta Troya argivos y teucros, por la voluntad de los dioses, y conocemos también todo cuanto ocurre en la fértil tierra.

192 »Esto dijeron con su hermosa voz. Sintióse mi corazón con ganas de oírlas, y moví las cejas, mandando a los compañeros que me desatasen; pero todos se inclinaron y se pusieron a remar. Y, levantándose al punto Perimedes y Euríloco, atáronme con nuevos lazos, que me sujetaban más reciamente. Cuando dejamos atrás las sirenas y ni su voz ni su canto se oían ya, quitáronse mis fieles compañeros la cera con que había yo tapado sus oídos y me soltaron las ligaduras.

201 »Al poco rato de haber dejado atrás la isla de las sirenas, vi humo e ingentes olas y percibí fuerte estruendo. Los míos, amedrentados, hicieron volar los remos, que cayeron con gran fragor en la corriente; y la nave se detuvo porque ya las manos no batían los largos remos. A la hora anduve por la embarcación y amonesté a los compañeros, acercándome a ellos y hablándoles con dulces palabras:

208 »ODISEO. — ¡Oh amigos! No somos novatos en padecer desgracias y la que se nos presenta no es mayor que la experimentada cuando el Cíclope, valiéndose de su poderosa fuerza, nos encerró en la excavada gruta. Pero de allí nos escapamos también por mi valor, decisión y prudencia, como me figuro que todos recordaréis. Ahora, ea, hagamos todos lo que voy a decir. Vosotros, sentados en los bancos, batid con los remos las grandes olas del mar, por si acaso Zeus nos concede que escapemos de esta desgracia, librándonos de la muerte. Y a ti, piloto, voy a darte una orden que fijarás en tu memoria, puesto que gobiernas el timón de la cóncava nave. Apártala de ese humo y de esas olas, y procura acercarla al escollo: no sea que la nave se lance allá, sin que tú lo adviertas, y a todos nos lleves a la ruina.

222 »Así les dije, y obedecieron sin tardanza mi mandato. No les hablé de Escila, azar inevitable, para que los compañeros no dejaran de remar, escondiéndose dentro del navío. Olvidé entonces la penosa recomendación de Circe de que no me armase en ningún modo; y, poniéndome la magnífica armadura, tomé dos grandes lanzas y subí al tablado de proa, lugar desde donde esperaba ver primeramente a la pétrea Escila que iba a producir tal estrago en mis compañeros. Mas no pude verla en lado alguno y mis ojos se cansaron de mirar a todas partes, registrando la oscura peña.

234 »Pasábamos el estrecho llorando, pues a un lado estaba Escila y al otro la divina Caribdis, que sorbía de horrible manera la salobre agua del mar. Al vomitarla dejaba oír sordo murmurio, revolviéndose toda como una caldera que está sobre un fuego, y la espuma caía sobre las cumbres de ambos escollos. Mas, apenas sorbía la salobre agua del mar, mostrábase agitada interiormente, el peñasco sonaba alrededor con espantoso ruido y en lo hondo se descubría la tierra mezclada con cerúlea

arena. El pálido temor se enseñoreó de los míos, y mientras contemplábamos a Caribdis, temerosos de la muerte, Escila me arrebató de la cóncava embarcación los seis compañeros que más sobresalían por sus manos y por su fuerza. Cuando quise volver los ojos a la velera nave y a los amigos, ya vi en el aire los pies y manos de los que eran arrebatados a lo alto y me llamaban con el corazón afligido, pronunciando mi nombre por la vez postrera. De la suerte que el pescador, al echar desde un promontorio el cebo a los pececillos valiéndose de la luenga caña, arroja al ponto el cuerno de un toro montaraz y así que coge un pez lo saca palpitante, de esa manera, mis compañeros, palpitantes también, eran llevados a las rocas y allí, en la entrada de la cueva, devorábalos Escila mientras gritaban y me tendían los brazos en aquella lucha horrible. De todo lo que padecí, peregrinando por el mar, fue este espectáculo el más lastimoso que vieron mis ojos.

260 »Después que nos hubimos escapado de aquellas rocas, de la horrenda Caribdis y de Escila, llegamos muy pronto a la intachable isla del dios, donde estaban las hermosas vacas de ancha frente, y muchas pingües ovejas del Sol, hijo de Hiperión. Desde el mar, en la negra nave, oí el mugido de las vacas encerradas en los establos y el balido de las ovejas, y me acordé de las palabras del vate ciego Tiresias el tebano, y de Circe de Eea, los cuales me encargaron reiteradamente que huyese de la isla del Sol que alegra a los mortales. Y entonces, con el corazón afligido, dije a los compañeros:

271 »ODISEO. — Oíd mis palabras, amigos, aunque padezcáis tantos males, para que os revele los oráculos de Tiresias y de Circe de Eea; los cuales me encargaron reiteradamente que huyese de la isla del Sol, que alegra a los mortales, diciendo que allí nos aguarda el más terrible de los infortunios. Por tanto, encaminad el negro bajel por fuera de la isla.

277 »Así les dije. A todos se les partía el corazón, y Euríloco me respondió en seguida con estas odiosas palabras:

279 »EURÍLOCO. — Eres cruel, Odiseo, disfrutas de vigor grandísimo, y tus miembros no se cansan, y debes de ser de hierro, ya que no permites a los teucros, molidos de la fatiga y del sueño, tomar tierra en esa isla azotada por las olas, donde aparejaríamos una agradable carne; sino que les mandas que se alejen y durante la rápida noche anden a la ventura por el sombrío ponto. Por la noche se levantan fuertes vientos, azotes de las naves. ¿Adónde iremos, para librarnos de una muerte cruel, si de súbito viene una borrasca suscitada por el Noto o por el impetuoso Céfiro, que son los primeros en destruir una embarcación hasta contra la voluntad de los soberanos dioses? Obedezcamos ahora a la oscura noche y aparejemos la comida junto a la velera nave; y al amanecer nos embarcaremos nuevamente para lanzarnos al dilatado ponto.

294 »Tales razones profirió Euríloco y los demás compañeros las aprobaron. Conocí entonces que algún dios meditaba causarnos daño y, dirigiéndome a aquél, le dije estas aladas palabras:

297 »ODISEO. — ¡Euríloco! Gran fuerza me hacéis, porque estoy solo. Mas, ea, prometed todos con firme juramento que si damos con alguna manada de vacas o grey numerosa de ovejas, ninguno de vosotros matará, cediendo a funesta locura, ni una vaca tan sólo, ni una oveja; sino que comeréis tranquilos los manjares que nos dio la inmortal Circe.

303 »Así les hablé; y en seguida juraron, como se los mandaba. Apenas hubieron acabado de prestar el juramento, detuvimos la bien construida nave en el hondo puerto, cabe a una fuente de agua dulce; y los compañeros desembarcaron, y luego aparejaron muy hábilmente la comida. Ya satisfecho el deseo de comer y de beber, lloraron, acordándose de los amigos a quienes devoró Escila después de arrebatarlos de la cóncava embarcación; y mientras lloraban les sobrevino dulce sueño. Cuando la noche hubo llegado a su último tercio y ya los astros declinaban, Zeus, que amontona las nubes, suscitó un viento impetuoso y una tempestad deshecha, cubrió de nubes la tierra y el ponto, y la noche cayó del cielo. Apenas se descubrió la hija de la mañana, la Aurora de rosáceos dedos, pusimos la nave en seguridad, llevándola a una profunda cueva, donde las Ninfas tenían asiento y hermosos lugares para las danzas. Acto continuo los reuní a todos en junta y les hablé de esta manera:

320 »ODISEO. — ¡Oh amigos! Puesto que hay en la velera nave alimentos y bebida, abstengámonos de tocar esas vacas, a fin de que no nos venga ningún mal, porque tanto las vacas como las pingües ovejas son de un dios terrible, del Sol, que todo lo ve y todo lo oye.

324 »Así les dije y su ánimo generoso se dejó persuadir. Durante un mes entero sopló incesantemente el Noto, sin que se levantaran otros vientos que el Euro y el Noto; y mientras no les faltó pan y rojo vino, abstuviéronse de tocar las vacas por el deseo de conservar la vida. Pero tan pronto como, agotados todos los víveres de la nave, viéronse obligados a ir errantes tras de alguna presa (peces o aves, cuanto les viniese a las manos), pescando con corvos anzuelos, porque el hambre les atormentaba el vientre, yo me interné en la isla con el fin de orar a los dioses y ver si alguno me mostraba el camino para llegar a la patria. Después que, andando por la isla, estuve lejos de los míos, me lavé las manos en un lugar resguardado del viento, y oré a todos los dioses que habitan el Olimpo, los cuales infundieron en mis párpados dulces sueños. Y en tanto, Euríloco comenzó a hablar con los amigos para darles este pernicioso consejo:

340 »EURÍLOCO . — Oíd mis palabras, compañeros, aunque padezcáis tantos infortunios. Todas las muertes son odiosas a los infelices mortales, pero ninguna es tan mísera como morir de hambre y cumplir de esta suerte el propio destino. Ea, tomemos las más excelentes de las vacas del Sol y ofrezcamos un sacrificio a los dioses que poseen el anchuroso cielo. Si consiguiésemos volver a Ítaca, la patria tierra, erigiríamos un rico templo al Sol, hijo de Hiperión, poniendo en él muchos y preciosos simulacros. Y si, irritado a causa de las vacas de erguidos cuernos, quisiera el Sol perder nuestra nave y lo consintiesen los restantes dioses, prefiero morir

de una vez, tragando el agua de las olas, a consumirme con lentitud, en una isla inhabitada.

[352] »Así habló Euríloco y aplaudiéronle los demás compañeros. Seguidamente, habiendo echado mano a las más excelentes vacas del Sol, que estaban allí cerca (pues las hermosas vacas de retorcidos cuernos y ancha frente pacían a poca distancia de la nave de azulada proa), se pusieron a su alrededor y oraron a los dioses, después de arrancar tiernas hojas de una alta encina porque ya no tenían blanca cebada en la nave de muchos bancos. Terminada la plegaria, degollaron y desollaron las reses; luego cortaron los muslos, los pringaron con gordura por uno y otro lado y los cubrieron de trozos de carne; y como carecían de vino que pudiesen verter en el fuego sacro, hicieron libaciones con agua mientras asaban los intestinos. Quemados los muslos, probaron las entrañas; y, dividiendo lo restante en pedazos muy pequeños, lo espetaron en los asadores.

[366] »Entonces huyó de mis párpados el dulce sueño y emprendí el regreso a la velera nave y a la orilla del mar. Al acercarme al corvo bajel llegó hasta mí el suave olor de la grasa quemada y, dando un suspiro, clamé de este modo a los inmortales dioses:

[371] »ODISEO. — ¡Padre Zeus, bienaventurados y sempiternos dioses! Para mi daño, sin duda, me adormecisteis con el cruel sueño; y mientras tanto los compañeros, quedándose aquí, han consumado un gran delito.

[374] »Lampetia, la del ancho peplo, fue como mensajera veloz a decirle al Sol, hijo de Hiperión que habíamos dado muerte a sus vacas. Inmediatamente el Sol, con el corazón airado, habló de esta guisa a los inmortales:

[377] »EL SOL. — ¡Padre Zeus, bienaventurados y sempiternos dioses! Castigad a los compañeros de Odiseo Laertíada, pues, ensoberbeciéndose, han matado mis vacas; y yo me holgaba de verlas así al subir al estrellado cielo, como al volver nuevamente del cielo a la tierra. Que si no me diere la condigna compensación por estas vacas, descenderé a la morada de Hades y alumbraré a los muertos.

[384] »Y Zeus, que amontona las nubes, le respondió diciendo:

[385] »ZEUS. — ¡Oh Sol! Sigue alumbrando a los inmortales y a los mortales hombres que viven en la fértil tierra; pues yo despediré el ardiente rayo contra su velera nave, y la haré pedazos en el vinoso ponto.

[389] »Esto me lo refirió Calipso, la de hermosa cabellera, y afirmaba que se lo había oído contar a Hermes, el mensajero.

[391] »Luego que hube llegado a la nave y al mar, reprendí a mis compañeros (acercándome ora a éste, ora a aquel), mas no pudimos hallar remedio alguno, porque ya las vacas estaban muertas. Pronto los dioses les mostraron varios prodigios: los cueros serpeaban, las carnes asadas y las crudas mugían en los asadores, y dejábanse oír voces como de vacas.

[397] »Por seis días mis fieles compañeros celebraron festines, para los cuales echaban mano a las mejores vacas del Sol; mas, así que Zeus Cronión nos trajo el séptimo día, cesó la violencia del vendaval que cau-

saba la tempestad y nos embarcamos, lanzando la nave al vasto ponto después de izar el mástil y de descoger las blancas velas.

[403] »Cuando hubimos dejado atrás aquella isla y ya no se divisaba tierra alguna, sino tan solamente cielo y mar, Zeus colocó por cima de la cóncava nave una parda nube debajo de la cual se oscureció el ponto. No anduvo la embarcación largo rato, pues sopló en seguida el estridente Céfiro y, desencadenándose, produjo gran tempestad: un torbellino rompió los dos cables del mástil, que se vino hacia atrás, y todos los aparejos se juntaron en la sentina. El mástil, al caer en la popa, hirió la cabeza del piloto, aplastándole todos los huesos; cayó el piloto desde el tablado, como salta un buzo, y su alma generosa se separó de los huesos. Zeus despidió un trueno y al propio tiempo arrojó un rayo en nuestra nave: ésta se estremeció, al ser herida por el rayo de Zeus, llenándose del olor del azufre; y mis hombres cayeron en el agua. Llevábalos el oleaje alrededor del negro bajel como cornejas, y un dios les privó de la vuelta a la patria.

[420] »Seguí andando por la nave, hasta que el ímpetu del mar separó los flancos de la quilla, la cual flotó sola en el agua y el mástil se rompió en su unión con ella. Sobre el mástil hallábase una soga hecha de cuero de buey: até con ella mástil y quilla y, sentándome en ambos, dejéme llevar por los perniciosos vientos.

[426] »Pronto cesó el soplo violento del Céfiro, que causaba la tempestad, y de repente sobrevino el Noto, el cual me afligió el ánimo con llevarme de nuevo hacia la perniciosa Caribdis. Toda la noche anduve a merced de las olas, y al salir el sol llegué al escollo de Escila y a la horrenda Caribdis, que estaba sorbiendo la salobre agua del mar; pero yo me lancé al alto cabrahígo y me agarré como un murciélago, sin que pudiera afirmar los pies en parte alguna ni tampoco encaramarme en el árbol, porque estaban lejos las raíces y a gran altura los largos y gruesos ramos que daban sombra a Caribdis. Me mantuve, pues, reciamente asido, esperando que Caribdis devolviera el mástil y la quilla; y éstos aparecieron por fin, cumpliéndose mi deseo. A la hora en que el juez se levanta en el ágora, después de haber fallado muchas causas de jóvenes litigantes, dejáronse ver los maderos fuera ya de Caribdis. Soltéme de pies y manos y caí con gran estrépito en medio del agua, junto a los larguísimos maderos; y, sentándome encima, me puse a remar con los brazos. Y no permitió el padre de los hombres y de los dioses que Escila me viese; pues no me hubiera librado de una terrible muerte.

[447] »Desde aquel lugar fui errante nueve días y en la noche del décimo lleváronme los dioses a la isla Ogigia donde vive Calipso, la de lindas trenzas, deidad poderosa, dotada de voz; la cual me acogió amistosamente y tuvo gran cuenta conmigo. Mas, ¿a qué contar el resto? Os lo referí ayer en esta casa a ti y a tu ilustre esposa, y me es enojoso repetir lo que queda explicado claramente.

RAPSODIA XIII

PARTIDA DE ODISEO DEL PAÍS DE LOS FEACIOS Y SU LLEGADA A ÍTACA

Así dijo. Enmudecieron los oyentes y, arrobados por el placer de escucharle, se quedaron silenciosos en el oscuro palacio. Mas Alcínoo le respondió diciendo:

[4] ALCÍNOO. — ¡Oh Odiseo! Pues llegaste a mi mansión de pavimento de bronce y elevada techumbre, creo que tornarás a tu patria sin tener que andar vagueando, aunque sean en tan gran número los males que hasta ahora has padecido. Y dirigiéndome a vosotros todos, los que siempre bebéis en mi palacio el negro vino de honor y oís al aedo, mirad lo que os encargo: ya tiene el huésped en pulimentada arca vestiduras y oro labrado y los demás presentes que los consejeros feacios le han traído; ea, démosle sendos trípodes grandes y calderos; y reunámonos después para hacer una colecta por la población, porque nos sería difícil a cada uno de nosotros obsequiarle con tal regalo, valiéndonos de sola nuestra posibilidad.

[16] Así les habló Alcínoo, y a todos les plugo cuanto dijo. Salieron entonces para acostarse en sus respectivas casas; y así que se descubrió la hija de la mañana, la Aurora de rosáceos dedos, encamináronse diligentemente hacia la nave, llevando a ella el varonil bronce. La sacra po-

testad de Alcínoo fue también, y él mismo colocó los presentes debajo de los bancos: no fuera que se dañara alguno de los hombres cuando, para mover la embarcación, aprestasen con los remos. Acto continuo trasladáronse al palacio de Alcínoo y se ocuparon en aparejar el convite.

24 Para ellos la sacra potestad de Alcínoo sacrificó un buey a Zeus Cronida, el dios de las sombrías nubes, que reina sobre todos. Quemados los muslos, celebraron suntuoso festín, y cantó el divinal aedo, Demódoco, tan honrado por el pueblo. Mas Odiseo volvía a menudo la cabeza hacia el sol resplandeciente, con gran afán de que se pusiera, pues ya anhelaba irse a su patria. Como el labrador apetece la cena después de pasar el día rompiendo con la yunta de negros bueyes y el sólido arado unta tierra noval, se le pone el sol muy a su gusto para ir a comer, y, al andar, siente el cansancio en las rodillas, así, con ese gozo, vio Odiseo que se ponía el sol. Y al momento, dirigiéndose a los feacios, amantes de manejar los remos, y especialmente a Alcínoo, les habló de esta manera:

38 ODISEO. — ¡Rey Alcínoo, el más esclarecido de todos los ciudadanos! Ofreced las libaciones, despedidme sano y salvo, y vosotros quedad con alegría. Ya se ha cumplido cuanto mi ánimo deseaba: mi expedición y las amistosas dádivas; hagan los dioses celestiales que éstas sean para mi dicha y que halle en mi palacio a mi irreprensible consorte e incólumes a los amigos. Y vosotros, que os quedáis, sed el gozo de vuestras legítimas mujeres y de vuestros hijos; los dioses os concedan toda clase de bienes, y jamás a esta población le sobrevenga mal alguno.

47 Así se expresó. Todos aplaudieron sus palabras y aconsejaron que se llevase al huésped a su patria, puesto que hablaba razonablemente. Y entonces la potestad de Alcínoo dijo al heraldo:

50 ALCÍNOO . — ¡Pontónoo! Mezcla el vino en la cratera y distribúyelo a cuantos se hallan en la sala, a fin de que, después de orar al padre Zeus, enviemos el huésped a su patria tierra.

53 Así habló. Pontónoo mezcló el vino dulce como la miel y lo sirvió a todos, ofreciéndoselo sucesivamente: ellos lo libaban, desde sus mismos asientos, a los bienaventurados dioses que poseen el anchuroso cielo; y el divinal Odiseo, levantándose, puso en las manos de Arete una copa doble, mientras le decía estas aladas palabras:

59 ODISEO. — Sé constantemente dichosa, oh reina, hasta que vengan la senectud y la muerte, de las cuales no se libran los humanos. Yo me voy. Tú prosigue holgándote en esta casa con tus hijos, el pueblo y el rey Alcínoo.

63 Dicho esto, el divino Odiseo transpuso el umbral. La potestad de Alcínoo le hizo acompañar por un heraldo que lo condujese a la velera nave, a la orilla del mar. Y Arete le envió también algunas esclavas: cuál le llevaba un manto muy limpio y una túnica; cuál, una sólida arca; y cuál otra, pan y rojo vino.

70 Cuando hubieron llegado a la nave y al mar, los ilustres conductores, tomando estas cosas juntamente con la bebida y los víveres, lo colocaron

todo en la cóncava embarcación y tendieron una colcha y una tela de lino sobre las tablas de la popa a fin de que Odiseo pudiese dormir profundamente. Subió éste y acostóse en silencio. Los otros se sentaron por orden en sus bancos, desataron de la piedra agujereada la amarra del barco e, inclinándose, azotaron el mar con los remos, mientras caía en los párpados de Odiseo un sueño profundo, suave, dulcísimo, muy semejante a la muerte. Del modo que los caballos de una cuadriga se lanzan a correr en un campo, a los golpes del látigo y, galopando ligeros, terminan prontamente la carrera, así se alzaba la popa del navío y dejaba tras sí muy agitadas las olas purpúreas del estruendoso mar. Corría el bajel con un andar seguro e igual, y ni el gavilán, que es el ave más ligera, hubiera atenido con él: así, corriendo con tal rapidez, cortaba las olas del mar, pues llevaba consigo un varón que en el consejo se parecía a los dioses; el cual tuvo el ánimo acongojado muchas veces, ya combatiendo con los hombres, ya surcando las temibles ondas, pero entonces dormía plácidamente, olvidado de cuanto había padecido.

[93] Cuando salía la más rutilante estrella, la que de modo especial anuncia la luz de la Aurora, hija de la mañana, entonces la nave surcadora del ponto llegó a la isla.

[96] Está en el país de Ítaca el puerto de Forcis, el anciano del mar, formado por dos orillas prominentes y escarpadas que convergen hacia las puntas y protegen exteriormente las grandes olas contra los vientos de funesto soplo; y en el interior las corvas naves, de muchos bancos. permanecen sin amarras así que llegan al fondeadero. Al cabo del puerto está un olivo de largas hojas y muy cerca una gruta agradable, sombría, consagrada a las ninfas que náyades se llaman. Hállanse allí crateras y ánforas de piedra donde las abejas fabrican los panales. Allí pueden verse unos telares también de piedra, muy largos, donde tejen las ninfas mantos de color de púrpura, encanto de la vista. Allí el agua constantemente nace. Dos puertas tiene el antro: la una mira al Bóreas y es accesible a los hombres; la otra, situada frente al Noto, es más divina, pues por ella no entran hombres, siendo el camino de los inmortales.

[113] A este sitio, que ya con anterioridad conocían, fueron a llegarse; y la embarcación andaba velozmente y varó en la playa, saliendo del agua hasta la mitad. ¡Tales eran los remeros por cuyas manos era conducida! Apenas hubieron saltado de la nave de hermosos bancos a tierra firme, comenzaron sacando del cóncavo bajel a Odiseo con la colcha espléndida y la tela de lino, y lo pusieron en la arena, entregado todavía al sueño; y seguidamente, desembarcando las riquezas que los ilustres feacios le habían dado al volver a su patria, gracias a la magnánima Atenea, las amontonaron todas al pie del olivo, algo apartadas del camino: no fuera que algún viandante se acercara a ellas en tanto que Odiseo dormía y le hurtara algo. Después de esto, volviéronse los feacios a su país. Pero el que sacude la tierra no olvidó las amenazas que desde un principio hizo a Odiseo, semejante a un dios, y quiso explorar la voluntad de Zeus:

[128] POSIDÓN. — ¡Padre Zeus! Ya no seré honrado nunca entre los inmortales dioses; puesto que no me honran en lo más mínimo ni tan siquiera los mortales, los feacios, que son de mi propia estirpe. No dejaba de figurarme que Odiseo tornaría a su patria, aunque a costa de multitud de infortunios, pues nunca le quité del todo que volviese por considerar que con tu asentimiento se lo habías prometido; mas los feacios, llevándole por el ponto en velera nave, lo han dejado en Ítaca, dormido, después de hacerle innumerables regalos: bronce, oro en abundancia, vestiduras tejidas, y tantas cosas como nunca sacara de Troya si volviese indemne y después de lograr la parte que del botín le correspondiera.

[130] Respondióle Zeus, que amontona las nubes:

[131] ZEUS. — ¡Ah, poderoso dios que bates la tierra! ¡Qué dijiste! No te desprecian los dioses, que sería difícil herir con el desprecio al más antiguo y más ilustre. Pero si deja de honrarte alguno de los hombres, por confiar en sus fuerzas y en su poder, está en tu mano tomar venganza. Obra, pues, como quieras y a tu ánimo le agrade.

[146] Contestóle Posidón, que sacude la tierra:

[147] POSIDÓN. — Al punto hubiera obrado como me aconsejas, oh dios de las sombrías nubes, pero me espanta tu cólera y procuro evitarla. Ahora quiero que naufrague en el oscuro ponto la bellísima nave de los feacios que vuelve de conducir a aquél, con el fin de que en adelante se abstengan y cesen de llevar a los hombres, y cubrir luego la vista de la ciudad con una gran montaña.

[153] Repuso Zeus, que amontona las nubes:

[154] ZEUS. — ¡Oh querido! Tengo para mí que lo mejor será que, cuando todos los ciudadanos estén mirando desde la población como el barco llega, lo tornes un peñasco, junto a la costa, de suerte que guarde la semejanza de una velera nave para que todos los hombres se maravillen, y cubras luego la vista de la ciudad con una gran montaña.

[159] Apenas lo oyó Posidón, que sacude la tierra, fuese a Esqueria donde viven los feacios, y allí se detuvo. La nave, surcadora del ponto, se acercó con rápido impulso, y el que sacude la tierra, saliéndole al encuentro, la tornó un peñasco y de un puñetazo hizo que echara raíces en el suelo, después de lo cual fuese a otra parte.

[165] Mientras tanto, los feacios, que usan largos remos y son ilustres navegantes, hablaban entre sí con aladas palabras. Y uno de ellos se expresó de esta suerte, dirigiéndose a su vecino:

[168] UNA VOZ. — ¡Ay! ¿Quién encadenó en el ponto la velera nave que tornaba a la patria y ya se descubría toda?

[170] Así alguien decía, pues ignoraban lo que había pasado. Entonces Alcínoo les arengó de esta manera:

[172] ALCÍNOO. — ¡Oh dioses! Cumpliéronse las antiguas predicciones de mi padre, el cual solía decir que Posidón nos miraba con malos ojos porque conducíamos sin recibir daño a todos los hombres; y aseguraba que el dios haría naufragar en el oscuro ponto una hermosísima nave de los feacios, al volver de llevar a alguien, y cubriría la vista de la ciudad

con una gran montaña. Así lo afirmaba el anciano y ahora todo se va cumpliendo. Ea, hagamos lo que voy a decir. Absteneos de conducir los mortales que lleguen a nuestra población y sacrifiquemos doce toros escogidos a Posidón, para ver si se apiada de nosotros y no nos cubre la vista de la ciudad con la enorme montaña.

184 Así habló. Entróles el miedo y aparejaron los toros. Y mientras los caudillos y príncipes del pueblo feacio oraban al soberano Posidón, permaneciendo de pie en torno de su altar, Odiseo recordó de su sueño en la tierra patria, de la cual había estado ausente mucho tiempo, y no pudo reconocerla porque una diosa —Palas Atenea, hija de Zeus— le cercó de una nube con el fin de hacerle incognoscible y enterarle de todo: no fuese que su esposa, los ciudadanos y los amigos lo reconocieran antes que los pretendientes pagaran por entero sus demasías. Por esta causa todo se le presentaba al rey en otra forma, así los largos caminos, como los puertos cómodos para fondear, las rocas escarpadas y los árboles florecientes. El héroe se puso en pie y contempló la patria tierra; pero en seguida gimió y, bajando los brazos, golpeóse los muslos mientras suspiraba y decía de esta suerte:

200 ODISEO. — ¡Ay de mí! ¿Qué hombres deben de habitar esta tierra a que he llegado? ¿Serán violentos, salvajes e injustos, u hospitalarios y temerosos de los dioses? ¿Adónde podré llevar tantas riquezas? ¿Adónde iré perdido? Ojalá me hubiese quedado allí, con los feacios, pues entonces me llegara a otro de los magnánimos reyes, que, recibiéndome amistosamente, me habría enviado a mi patria. Ahora ni sé dónde poner estas cosas, ni he de dejarlas aquí: no vayan a ser presa de otros hombres. ¡Oh dioses! No eran, pues, enteramente sensatos ni justos los caudillos y príncipes feacios, ya que me traen a estotra tierra; dijeron que me conducirían a Ítaca, que se ve de lejos, y no lo han cumplido. Castíguelos Zeus, el dios de los suplicantes, que vigila a los hombres e impone castigos a cuantos pecan. Mas, ea, contaré y examinaré estas riquezas: no se hayan llevado alguna cosa en la cóncava nave cuando de aquí partieron.

217 Hablando así, contó los bellísimos trípodes, los calderos, el oro y las hermosas vestiduras tejidas, y, aunque nada echó de menos, lloraba por su patria tierra, arrastrándose en la orilla del estruendoso mar y suspirando con mucha congoja. Acercósele entonces Atenea en figura de un joven pastor de ovejas, tan delicado como el hijo de un rey, que llevaba en los hombros un manto doble, hermosamente hecho; en los nítidos pies, sandalias; y en la mano, una jabalina. Odiseo se holgó de verla, salió a su encuentro y le dijo estas aladas palabras:

228 ODISEO. — ¡Amigo! Ya que te encuentro a ti antes que a nadie en este lugar, ¡salud!, y ojalá no vengas con mala intención para conmigo; antes bien, salva estas cosas y sálvame a mí mismo, que yo te lo ruego como a un dios y me postro a tus plantas. Mas dime con verdad para que yo me entere: ¿Qué tierra es ésta? ¿Qué pueblo? ¿Qué hombres hay en

la comarca? ¿Estoy en una isla que se ve a distancia o en la ribera de un fértil continente que hacia el mar se inclina?

235 Atenea, la deidad de ojos de lechuza, le respondió diciendo:

237 ATENEA. — ¡Forastero! Eres un simple o vienes de lejos cuando me preguntas por esta tierra, cuyo nombre no es tan oscuro, ya que lo conocen muchísimos, así de los que viven hacia el lado por donde salen la aurora y el sol, como de los que moran en la otra parte, hacia el tenebroso ocaso. Es, en verdad, áspera e impropia para la equitación; pero no completamente estéril, aunque pequeña, pues produce trigo en abundancia y también vino nunca le faltan ni la lluvia ni el fecundo rocío; es muy a propósito para apacentar cabras y bueyes; cría bosques de todas clases, y tiene abrevaderos que jamás se agotan. Por lo cual, oh forastero, el nombre de Ítaca llegó hasta Troya, que, según dicen, está muy apartada de la tierra aquea.

250 Así habló. Alegróse el paciente divinal Odiseo, holgándose de su tierra patria que le nombraba Palas Atenea, hija de Zeus que lleva la égida; y pronunció en seguida estas aladas palabras, ocultándole la verdad con hacerle un relato fingido, pues siempre revolvía en su pecho trazas muy astutas:

256 ODISEO. — Oí hablar de Ítaca allá en la espaciosa Creta, muy lejos, allende el ponto, y he llegado ahora con estas riquezas. Otras tantas dejé a mis hijos y voy huyendo porque maté al hijo querido de Idomeneo, a Orsíloco, el de los pies ligeros, que aventajaba en la ligereza de sus pies a los hombres industriosos de la vasta Creta; el cual deseó privarme del botín de Troya por el que tantas fatigas había yo arrostrado, ya combatiendo con los hombres, ya surcando las temibles olas, a causa de no haber consentido en complacer a su padre, sirviéndole en el pueblo de los troyanos, donde yo era caudillo de otros compañeros. Como en cierta ocasión aquél volviera del campo, envainéle la broncínea lanza, habiéndole acechado con un amigo junto a la senda: oscurísima noche cubría el cielo, ningún hombre fijó su atención en nosotros y así quedó oculto que le hubiese dado muerte. Después que lo maté con el agudo bronce, fuime hacia la nave de unos ilustres fenicios a quienes supliqué y pedí, dándoles buena parte del botín, que me llevasen y me dejasen en Pilos o en la divina Élide donde ejercen su dominio los epeos. Mas la fuerza del viento extraviólos, mal de su grado, pues no querían engañarme y, errabundos, llegamos acá por la noche. Con mucha fatiga pudimos entrar en el puerto a fuerza de remos; y, aunque muy necesitados de tomar alimento, nadie pensó en la cena: desembarcamos todos y nos echamos en la playa. Entonces me vino a mí, que estaba cansadísimo, un dulce sueño; sacaron aquéllos de la cóncava nave mis riquezas, las dejaron en la arena donde me hallaba tendido y volvieron a embarcarse para ir a la populosa Sidón; y yo me quedé aquí con el corazón triste.

287 Así se expresó. Sonrióse Atenea, la deidad de ojos de lechuza, le halagó con la mano y, transfigurándose en una mujer hermosa, alta y diestra en eximias labores, le dijo estas aladas palabras:

291 ATENEA. — Astuto y falaz habría de ser quien te aventajara en cualquier clase de engaños, aunque fuese un dios el que te saliera al encuentro. ¡Temerario, artero, incansable en el dolo! ¿Ni aun en tu patria habías de renunciar a los fraudes y a las palabras engañosas, que siempre fueron de tu gusto? Mas, ea, no se hable más de ello, que ambos somos peritos en astucias; pues si tú sobresales mucho entre los hombres por tu consejo y tus palabras, yo soy celebrada entre todas las deidades por mi prudencia y mis astucias. Pero aún no has reconocido en mí a Palas Atenea, hija de Zeus, que siempre te asisto y protejo en tus cuitas e hice que les fueras agradable a todos los feacios. Vengo ahora a fraguar contigo un designio, a esconder cuantas riquezas te dieron los ilustres feacios por mi voluntad e inspiración cuando viniste a la patria, y a revelarte todos los trabajos que has de soportar fatalmente en tu morada bien construida: toléralos, ya que es preciso, y no digas a ninguno de los hombres ni de las mujeres que llegaste peregrinando; antes bien sufre en silencio los muchos pesares y aguanta las violencias que te hicieren los hombres.

311 Respondióle el ingenioso Odiseo:

312 ODISEO. — Difícil es, oh diosa, que un mortal al encontrarse contigo logre conocerte, aunque fuere muy sabio, porque tomas la figura que te place. Bien sé que me fuiste propicia mientras los aqueos peleamos en Troya; pero después que arruinamos la excelsa ciudad de Príamo, partimos en las naves y un dios dispersó a los aqueos, nunca te he visto, oh hija de Zeus, ni he advertido que subieras a mi bajel para ahorrarme ningún pesar. Por el contrario, anduve errante constantemente, teniendo en mi pecho el corazón atravesado de dolor, hasta que los dioses me libraron del infortunio; y tú, en el rico pueblo de los feacios, me confortaste con tus palabras y me condujiste a la población. Ahora por tu padre te lo suplico (pues no creo haber arribado a Ítaca, que se ve de lejos, sino que estoy en otra tierra y que hablas de burlas para engañarme): dime si en verdad he llegado a mi querida tierra.

329 Contestóle Atenea, la deidad de ojos de lechuza:

330 ATENEA. — Siempre guardas en tu pecho la misma cordura, y no puedo desampararte en la desgracia porque eres afable, perspicaz y sensato. Cualquiera que volviese después de navegar tanto, deseara ver en su palacio a los hijos y a la esposa; mas a ti no te place saber de ellos ni preguntar por los mismos hasta que hayas probado a tu mujer, la cual permanece en tu morada y consume los días y las noches tristemente, pues de continuo está llorando. Yo jamás puse en duda, pues me constaba con certeza, que volverías a tu patria después de perder todos los compañeros; mas no quise luchar con Posidón, mi tío paterno, cuyo ánimo se encolerizó e irritó contigo porque le cegaste su caro hijo. Pero, ea, voy a mostrarte el suelo de Ítaca para que te convenzas. Éste es el puerto de Forcis, el anciano del mar; aquél, el olivo de largas hojas que existe al cabo del puerto; cerca del mismo se halla la gruta deliciosa, sombría, consagrada a las ninfas que náyades se llaman: aquí tienes la aboveda-

da cueva donde sacrificabas a las ninfas gran número de perfectas hecatombes; y allá puedes ver el Nérito, el frondoso monte.

352 Cuando así hubo hablado, la deidad disipó la nube, apareció el país y el paciente divinal Odiseo se alegró, holgándose de su tierra, y besó el fértil suelo. Y acto continuo oró a las ninfas, con las manos levantadas:

356 ODISEO. — ¡Ninfas náyades, hijas de Zeus! Ya me figuraba que no os vería más. Ahora os saludo con tiernos votos y os haremos ofrendas, como antes, si la hija de Zeus, la que impera en las batallas, permite benévola que yo viva y vea crecer a mi hijo.

361 Díjole entonces Atenea, la deidad de los ojos de lechuza:

362 ATENEA. — Cobra ánimo y eso no te de cuidado. Pero metamos ahora mismo las riquezas en lo más hondo del divino antro a fin de que las tengas seguras, y deliberemos para que todo se haga de la mejor manera.

366 Cuando así hubo hablado, penetró la diosa en la sombría cueva y fue en busca de los escondrijos; y Odiseo le fue llevando todas las cosas —el oro, el duro bronce y las vestiduras bien hechas— que le habían regalado los feacios. Así que estuvieron colocadas del modo más conveniente, Atenea, hija de Zeus que lleva la égida, cerró la entrada con una piedra.

372 Sentáronse después en las raíces del sagrado olivo y deliberaron acerca del exterminio de los orgullosos pretendientes. Atenea, la deidad de ojos de lechuza, fue quien rompió el silencio pronunciando estas palabras:

375 ATENEA. — ¡Laertíada, del linaje de Zeus! ¡Odiseo, fecundo en ardides! Piensa cómo pondrás las manos en los desvergonzados pretendientes, que tres años ha mandan en tu palacio y solicitan a tu divinal consorte, a la que ofrecen regalos de boda; mas ella, suspirando en su animo por tu regreso, si bien a todos les da esperanzas y a cada uno le hace promesas, enviándole mensajes, revuelve en su espíritu muy distintos pensamientos.

382 El ingenioso Odiseo le respondió diciendo:

383 ODISEO. — ¡Oh númenes! Sin duda iba a perecer en el palacio, con el mismo hado funesto de Agamenón Atrida, si tú, oh diosa, no me hubieses instruido convenientemente acerca de estas cosas. Mas, ea, traza un plan para que los castigue y ponte a mi lado, infundiéndome fortaleza y audacia, como en aquel tiempo en que destruíamos las lucientes almenas de Troya. Si con el mismo ardor de entonces me acompañases, oh deidad de ojos de lechuza, yo combatiría contra trescientos hombres; pero con tu ayuda, veneranda diosa, siempre que benévola me socorrieres.

392 Contestóle Atenea, la deidad de ojos de lechuza:

393 ATENEA. — Te asistiré ciertamente, sin que me pases inadvertido cuando en tales cosas nos ocupemos, y creo que alguno de los pretendientes que devoran tus bienes manchará con su sangre y sus sesos el extensísimo pavimento. Mas, ea, voy a hacerte incognoscible para todos

los mortales: arrugaré el hermoso cutis de tus ágiles miembros, raeré de tu cabeza los blondos cabellos, te pondré unos andrajos que causen horror al que te vea y haré sarnosos tus ojos, antes tan lindos, para que les parezcas despreciable a todos los pretendientes y a la esposa y al hijo que dejaste en tu palacio. Llégate primero al porquerizo, al guardián de tus puercos, que te quiere bien y adora a tu hijo y a la prudente Penelopea. Lo hallarás sentado entre los puercos, los cuales pacen junto a la roca del Cuervo, en la fuente de Aretusa, comiendo abundantes bellotas y bebiendo aguas turbias, cosas ambas que hacen crecer en ellos la floreciente grosura. Quédate allí de asiento e interrógale sobre cuanto deseares, mientras yo voy a Esparta, la de hermosas mujeres, y llamo a Telémaco, tu hijo, oh Odiseo, que se fue junto a Menelao, en la vasta Lacedemonia, para saber por la fama si aún estabas vivo en alguna parte.

416 Respondióle el ingenioso Odiseo

417 ODISEO. — ¿Y por qué no se lo dijiste, ya que tu mente todo lo sabía? ¿Acaso para que también pase trabajos, vagando por el estéril ponto, y los demás se le coman los bienes?

420 Contestóle Atenea, la deidad de ojos de lechuza:

421 ATENEA. — Muy poco has de apurarte por él. Yo misma le llevé para que, yendo allá, adquiriese ilustre fama; y no padece trabajo alguno, sino que se está muy tranquilo en el palacio del Atrida, teniéndolo todo en gran abundancia. Cierto que los jóvenes le acechan, embarcados en negro bajel, y quieren matarle cuando vuelva al patrio suelo; pero me parece que no sucederá así y que antes la tierra tendrá en su seno a algunos de los pretendientes que devoran lo tuyo.

429 Dicho esto, tocóle Atenea con una varita. La diosa le arrugó el hermoso cutis en los ágiles miembros, le rayó de la cabeza los blondos cabellos, púsole la piel de todo el cuerpo de tal forma que parecía la de un anciano; hízole sarnosos los ojos, antes tan bellos; vistióle unos andrajos y una túnica, que estaban rotos, sucios y manchados feamente por el humo; le echó encima el cuero grande, sin pelambre ya, de una veloz cierva; y le entregó un palo y un astroso zurrón lleno de agujeros, con su correa retorcida.

439 Después de deliberar así, se separaron, yéndose Atenea a la divinal Lacedemonia donde se hallaba el hijo de Odiseo.

RAPSODIA XIV

CONVERSACIÓN DE ODISEO CON EUMEO

ODISEO, dejando el puerto, empezó áspero camino por lugares selvosos, entre unas eminencias, hacia donde le había indicado Atenea que hallaría al porquerizo; el cual era, entre todos los criados adquiridos por el divinal Odiseo, quien con mayor solicitud le cuidaba los bienes.

5 Hallóle sentado en el vestíbulo de la majada excelsa, hermosa y grande, construida en lugar descubierto, que se andaba toda ella alrededor, la cual había labrado el mismo porquerizo para los cerdos del ausente rey, sin ayuda de su ama ni del anciano Laertes, empleando piedras de acarreo y cercándola con un seto espinoso. Puso fuera de la majada, acá y acullá, una larga serie de espesas estacas, que había cortado del corazón de unas encinas; y construyó dentro doce pocilgas muy juntas en que se echaban los puercos. En cada una tenía encerradas cincuenta hembras paridas de puercos, que se acuestan en el suelo; y los machos pasaban la noche fuera, siendo su número mucho menor porque los pretendientes, iguales a los dioses, los disminuían comiéndose siempre el mejor de los puercos gordos, que les enviaba el porquerizo. Eran los cerdos trescientos sesenta. Junto a ellos hallábanse constantemente cuatro perros, semejantes a fieras, que había criado el porquerizo, mayoral de los pastores. Éste cortaba entonces un cuero de buey de color vivo y hacía unas sanda-

lias, ajustándolas a sus pies; y de los otros pastores, tres se habían encaminado a diferentes lugares con las piaras de los cerdos y el cuarto había sido enviado a la ciudad por Eumeo a llevarles a los orgullosos pretendientes el obligado puerco que inmolarían para saciar con la carne su apetito.

29 De súbito los perros ladradores vieron a Odiseo y, ladrando, corrieron hacia él; mas el héroe se sentó astutamente y dejó caer el garrote que llevaba en la mano. Entonces quizás hubiera padecido vergonzoso infortunio junto a sus propios establos; pero el porquerizo siguió en seguida y con ágil pie a los canes, y, atravesando apresuradamente el umbral donde se le cayó de la mano aquel cuero, les dio voces, los echó a pedradas a cada uno por su lado, y habló al rey de esta manera:

37 EUMEO. — ¡Oh anciano! En un tris estuvo que los perros te despedazaran súbitamente, con lo cual me habrías causado gran oprobio. Ya los dioses me tienen dolorido y me hacen gemir por una causa bien distinta, pues mientras lloro y me angustio, pensando en mi señor, igual a un dios, he de criar estos puercos gordos para que otros se los coman; y quizás él esté hambriento y ande peregrino por pueblos y ciudades de gente de extraño lenguaje, si aún vive y contempla la lumbre del sol. Pero ven, anciano, sígueme a la cabaña, para que, después de saciarte de manjares y de vino conforme a tu deseo, me digas dónde naciste y cuántos infortunios has sufrido.

48 Diciendo así, el divinal porquerizo guióle a la cabaña, introdújole en ella, e hízole sentar, después de esparcir por el suelo muchas ramas secas las cuales cubrió con la piel de una cabra montés, grande, vellosa y tupida, que le servía de lecho. Holgóse Odiseo del recibimiento que le hacía Eumeo, y le habló de esta suerte:

53 ODISEO. — ¡Zeus y los inmortales dioses te concedan, oh huésped, lo que más anheles; ya que con tal benevolencia me has acogido!

55 Y tú le contestate así, porquerizo Eumeo:

56 EUMEO. — ¡Oh forastero! No me es lícito despreciar al huésped que se presente, aunque sea más miserable que tú, pues son de Zeus todos los forasteros y todos los pobres. Cualquier donación nuestra les es grata, aunque sea exigua; que así suelen hacerlas los siervos, siempre temerosos cuando mandan amos jóvenes. Pues las deidades atajaron sin duda la vuelta del mío, el cual, amándome por todo extremo, me habría procurado una posesión una casa, un peculio y una mujer muy codiciada; todo lo cual da un amo benévolo a su siervo, cuando ha trabajado mucho para él y las deidades hacen prosperar su obra como hicieron prosperar ésta en que me ocupo. Grandemente me ayudara mi señor, si aquí envejeciese; pero murió ya. ¡Así hubiera perecido completamente la estirpe de Helena, por la cual a tantos hombres les quebraron las rodillas! Que aquél fue a Troya, la de hermosos corceles, para honrar a Agamenón combatiendo contra los teucros.

72 Diciendo así, en un instante se sujetó la túnica con el cinturón, se fue a las pocilgas donde estaban las piaras de los puercos, volvió con dos,

y a entrambos los sacrificó, los chamuscó y, después de descuartizarlos, los espetó en los asadores. Cuando la carne estuvo asada, se la llevó a Odiseo, caliente aún y en los mismos asadores, polvoreándola de blanca harina; echó en una copa de hiedra vino dulce como la miel, sentóse enfrente de Odiseo, e, invitándole, hablóle de esta suerte:

80 EUMEO. — Come, oh huésped, esta carne de puerco, que es la que está a la disposición de los esclavos; pues los pretendientes devoran los cerdos más gordos, sin pensar en la venganza de las deidades, ni sentir piedad alguna. Pero los bienaventurados númenes no se agradan de las obras perversas, sino que honran la justicia y las acciones sensatas de los hombres. Y aun los varones malévolos y enemigos que invaden el país ajeno y, permitiéndoles Zeus que recojan botín, vuelven a la patria con las naves repletas, aun éstos sienten que un fuerte temor de la venganza divina les oprime el corazón. Mas los pretendientes algo deben de saber de la deplorable muerte de aquél, por la voz de alguna deidad que han oído, cuando no quieren pedir de justo modo el casamiento, ni restituirse a sus casas, antes muy tranquilos consumen los bienes orgullosa e inmoderadamente. En ninguno de los días ni de las noches, que proceden de Zeus, se contentan con sacrificar una víctima, ni dos tan sólo; y agotan el vino, bebiéndolo sin tasa alguna. Pues la hacienda de mi amo era cuantiosísima, tanto como la de ninguno de los héroes que viven en el negro continente o en la propia Ítaca y ni juntando veinte hombres la suya pudieran igualarla. Te la voy a especificar. Doce vacadas hay en el continente, y otros tantos ganados de ovejas, otras tantas piaras de cerdos, y otras tantas copiosas manadas de cabras apacientan allá sus pastores y gente asalariada. Aquí pacen once hatos numerosos de cabras en la extremidad del campo, y los vigilan buenos pastores, cada uno de los cuales lleva todos los días a los pretendientes una res, aquella de las bien nutridas cabras que le parece mejor. Y yo guardo y protejo estas marranas y, separando siempre el mejor de los puercos, se lo envío también.

109 Así habló. Odiseo, sin desplegar los labios, devoraba aprisa la vianda y bebía vino con avidez, maquinando males contra los pretendientes. Después que hubo cenado y repuesto el ánimo con la comida, diole Eumeo la copa que usaba para beber, llena de vino. Aceptóla el héroe y, alegrándose en su corazón, pronunció estas aladas palabras:

115 ODISEO. — ¡Oh amigo! ¿Quién fue el que te compró con sus bienes y era tan opulento y poderoso, según cuentas? Decías que pereció por causa de la honra de Agamenón. Nómbramelo por si acaso en alguna parte hubiese conocido a tal hombre. Zeus y los dioses inmortales saben si lo he visto y podré darte alguna nueva, pues anduve perdido por muchos pueblos.

21 Respondióle el porquerizo, mayoral de los pastores:

122 EUMEO. — ¡Oh viejo! A ningún vagabundo que llegue con noticias de mi amo le darán crédito ni la mujer de éste ni su hijo; pues los que van errantes y necesitan socorro mienten sin reparo y se niegan a hablar sin-

ceramente. Todo aquel que, peregrinando, llega al pueblo de Ítaca, va a referirle patrañas a mi ama; y ésta le acoge amistosamente, le hace preguntas sobre cada punto, y al momento solloza y destila lágrimas de sus párpados, como es costumbre de la mujer cuyo marido ha muerto en otra tierra. Tú mismo, oh anciano, inventarías muy pronto cualquier relación, si te diesen un manto y una túnica con que vestirte. Mas ya los perros y las veloces aves han debido de separarle la piel de los huesos, y el alma le habrá dejado, o quizá los peces lo devoraron en el ponto y sus huesos yacen en la playa, dentro de un gran montón de arena. De tal suerte murió aquél y nos ha dejado pesares a todos sus amigos y especialmente a mí, que ya no hallaré un amo tan benévolo en ningún lugar a que me encamine, ni aun si me fuere a la casa de mi padre y de mi madre donde nací y ellos me criaron. Y lloro no tanto por ellos, aunque deseara verlos con mis ojos en la patria tierra, como porque me aqueja el deseo del ausente Odiseo; a quien, oh huésped, temo nombrar, no hallándose acá, pues me amaba mucho y se interesaba por mí en su corazón, y yo le llamo hermano del alma por más que esté lejos.

148 Díjole entonces el paciente divinal Odiseo:

149 ODISEO. — ¡Oh amigo! Ya que a todo te niegas, asegurando que aquél no ha de volver, y tu ánimo permanece incrédulo, no sólo quiero repetirte, sino hasta jurarte, que Odiseo volverá. Por albricias de la buena nueva revestidme de un manto y una túnica, que sean hermosas vestiduras, tan presto como aquél llegue a su palacio; pues antes nada aceptaría, no obstante la gran necesidad en que me veo. Me es tan odioso como las puertas del Hades aquel que, cediendo a la miseria, refiere embustes. Sean testigos primeramente Zeus entre los dioses y luego la mesa hospitalaria y el hogar del intachable Odiseo a que he llegado, de que todo se cumplirá como lo digo: Odiseo vendrá aquí este mismo año; al terminar el corriente mes y comenzar el otro volverá a su casa, y se vengará de quien ultraje a su mujer y a su preclaro hijo.

165 Y tú le contestaste así, porquerizo Eumeo:

166 EUMEO. — ¡Oh anciano! Ni tendré que pagar albricias por la buena nueva, ni Odiseo tornará a su casa; pero bebe tranquilo, cambiemos de conversación y no me traigas tal asunto a la memoria; que el ánimo se me aflige en el pecho cada vez que oigo mentar a mi venerable señor. No hagamos caso del juramento y preséntese Odiseo, como yo quisiera y también Penélope, el anciano Laertes y Telémaco, semejante a los dioses. Por este niño me lamento ahora sin cesar, por Telémaco, a quien engendró Odiseo: como las deidades le criaran a par de un pimpollo, pensé que más adelante no sería entre los hombres inferiores a su padre, sino tan digno de admiración por su cuerpo y su gentileza; mas, habiéndole trastornado alguno de los inmortales o de los hombres el buen juicio de que disfrutaba, se ha ido a la divina Pilos en busca de noticias de su progenitor, y los ilustres pretendientes le preparan asechanzas para cuando torne, a fin de que desaparezca de Ítaca sin gloria alguna el linaje de Arcesio, semejante a los dioses. Pero dejémoslo, ora sea capturado, ora

logre escapar porque el Cronida extienda su brazo encima de él. Ea, anciano, refiéreme tus cuitas, y dime la verdad de esto para que yo me entere: ¿Quién eres y de qué país procedes? ¿Dónde se hallan tu ciudad y tus padres? ¿En qué embarcación llegaste? ¿Cómo los marineros te trajeron a Ítaca? ¿Quiénes se precian de ser? Pues no me figuro que hayas venido andando.

191 Respondióle el ingenioso Odiseo:

192 ODISEO. — De todo esto voy a informarte circunstanciadamente. Si tuviéramos comida y dulce vino para mucho tiempo, y nos quedásemos a celebrar festines en esta cabaña mientras los demás fueran al trabajo, no me sería fácil referirte en todo el año cuantos pesares ha padecido mi alma por la voluntad de los dioses.

199 »Por mi linaje, me precio de ser natural de la espaciosa Creta, donde tuve por padre un varón opulento. Otros muchos hijos le nacieron también y se criaron en el palacio, todos legítimos, de su esposa, pero a mí me parió una mujer comprada, que fue su concubina pero guardábame igual consideración que a sus hijos legítimos Cástor Hilácida, cuyo vástago me glorío de ser, y a quien honraban los cretenses como a un dios por su felicidad, por sus riquezas y por su gloriosa prole. Cuando las Parcas de la muerte se lo llevaron a la morada de Hades, sus hijos magnánimos partieron entre sí las riquezas, echando suertes sobre ellas, y me dieron muy poco, asignándome una casa. Tomé mujer de gente muy rica, por sólo mi valor; que no era yo despreciable, ni tímido en la guerra. Ahora ya todo lo he perdido; esto, no obstante, viendo la paja conocerás la mies, aunque me tiene abrumado un gran infortunio. Diéronme Ares y Atenea audacia y valor para destruir las huestes de los contrarios, y en ninguna de las veces que hube de elegir los hombres de más bríos y llevarlos a una emboscada, maquinando males contra los enemigos, mi ánimo generoso me puso la muerte ante los ojos; sino que, arrojándome a la lucha mucho antes que nadie, era quien primero mataba con la lanza al enemigo que no me aventajase en la ligereza de sus pies. De tal modo me portaba en la guerra. No me gustaban las labores campestres, ni el cuidado de la casa que cría hijos ilustres, sino tan solamente las naves con sus remos, los combates los pulidos dardos y las saetas; cosas tristes y horrendas para los demás y gratas para mí, por haberme dado algún dios esa inclinación; que no todos hallamos deleite en las mismas acciones. Ya antes que los aqueos pusieran el pie en Troya, había capitaneado nueve veces hombres y naves de ligero andar contra extranjeras gentes, y todas las cosas llegaban a mis manos en gran abundancia. De ellas me reservaba las más agradables y luego me tocaban muchas por suerte; de manera que, creciendo mi casa con rapidez, fui poderoso y respetado entre los cretenses. Mas cuando dispuso el largovidente Zeus aquella expedición odiosa, en la cual a tantos varones les quebraron las rodillas, se nos mandó a mí y al períclito Idomeneo que fuéramos capitanes de los bajeles que iban a Ilión, y no hubo medio de negarse por el temor de adquirir mala fama entre el pueblo. Allá peleamos los aqueos nueve

años, y al décimo, asolada por nosotros la ciudad de Príamo, partimos en las naves hacia nuestras casas; pero un dios dispersó a los aqueos. Y el próvido Zeus meditó males contra mí, desgraciado, que estuve holgando un mes tan sólo con mis hijos, mi legítima esposa y mis riquezas; pues luego incitóme el ánimo a navegar hacia Egipto, preparando debidamente los bajeles con los compañeros iguales a los dioses. Equipé nueve barcos y pronto se reunió la gente necesaria.

249 »Seis días pasaron mis fieles compañeros celebrando banquetes, y yo les deparé muchas víctimas para los sacrificios y para su propia comida. Al séptimo subimos a los barcos y, partiendo de la espaciosa Creta, navegamos al soplo de un próspero y fuerte Bóreas, con igual facilidad que si nos llevara la corriente. Ninguna de las naves recibió daño y todos estábamos en ellas sanos y salvos, pues el viento y los pilotos las conducían. En cinco días llegamos al río Egipto, de hermosa corriente, en el cual detuve las corvas naves. Entonces, después de mandar a los fieles compañeros que se quedasen a custodiar las embarcaciones, envié espías a los lugares oportunos para explorar la comarca. Pero los míos, cediendo a la insolencia por seguir su propio impulso, empezaron a devastar los hermosos campos de los egipcios; y se llevaban las mujeres y los niños, y daban muerte a los varones. No tardó el clamoreo en llegar a la ciudad. Sus habitantes, habiendo oído los gritos, vinieron al amanecer; el campo se llenó de infantería, de caballos y de reluciente bronce; Zeus, que se huelga con el rayo, envió a mis compañeros la perniciosa fuga; y ya, desde aquel momento, nadie se atrevió a resistir, pues los males nos cercaban por todas partes. Allí nos mataron con el agudo bronce muchos hombres, y a otros se los llevaron vivos para obligarles a trabajar en pro de los ciudadanos. A mí el mismo Zeus púsome en el alma esta resolución (ojalá me hubiese muerto entonces y se hubiera cumplido mi hado allí, en Egipto, pues la desgracia tenía que perseguirme aún): al instante me quité de la cabeza el bien labrado yelmo y de los hombros el escudo, arrojé la lanza lejos de las manos y me fui hacia los corceles del rey, a quien abracé por las rodillas, besándoselas. El rey me protegió y salvó; pues, haciéndome subir al carro en que iba montado, me condujo a su casa mientras mis ojos despedían lágrimas. Acometiéronme muchísimos con sus lanzas de fresno e intentaron matarme, porque estaban muy irritados; pero aquél los apartó, temiendo la cólera de Zeus hospitalario, el cual se indigna en gran manera por las malas acciones. Allí me detuve siete años y junté muchas riquezas entre los egipcios, pues todos me daban alguna cosa. Mas, cuando llegó el octavo, presentóse un fenicio muy trapacero y falaz, que ya había causado a otros hombres multitud de males; y, persuadiéndome con su ingenio, llevóme a Fenicia donde se hallaban su casa y sus bienes. Estuve con él un año entero; y tan pronto como, transcurriendo el año, los meses y los días del mismo se acabaron y las estaciones volvieron a sucederse, urdió otros engaños y me llevó a la Libia en su nave surcadora del ponto con el aparente fin de que le ayudase a conducir sus mercancías; pero en realidad, para venderme allí por

un precio cuantioso. Tuve que seguirle, aunque ya sospechaba algo, y me embarqué en su nave. Corría ésta por el mar al soplo de un próspero y fuerte Bóreas, a la altura de Creta; y en tanto meditaba Zeus cómo a la perdición lo llevaría.

301 »Cuando hubimos dejado a Creta y ya no se divisaba tierra alguna, sino tan solamente el cielo y el mar, Zeus colocó por cima de la cóncava embarcación una parda nube, debajo de la cual se oscureció el ponto, despidió un trueno y al propio tiempo arrojó un rayo en nuestra nave: ésta se estremeció al ser herida por el rayo de Zeus, llenándose del olor del azufre; y mis hombres cayeron al agua. Llevábalos el oleaje alrededor del negro bajel como cornejas, y un dios les privó de la vuelta a la patria. Pero a mí, aunque afligido en el ánimo, el propio Zeus echóme en las manos el mástil larguísimo de la nave de azulada proa, para que aún entonces escapase de la desgracia. Abrazado con él fui juguete de los perniciosos vientos durante nueve días; y al décimo; en una noche oscura, ingente ola me arrojó a la tierra de los tesprotos. Allí el héroe Fidón, rey de los tesprotos, acogióme graciosamente; pues habiéndose presentado su hijo donde yo me encontraba, me levantó con su mano y me llevó a la mansión del padre, cuando ya me rendían el frío y el cansancio, y me entregó un manto y una túnica para que me vistiera.

321 »Allí me hablaron de Odiseo: participóme el rey que le estaba dando amistoso acogimiento y que ya el héroe iba a volver a su patria tierra; y me mostró todas las riquezas que Odiseo había juntado en bronce, oro y labrado hierro, con las cuales pudieran mantenerse un hombre y sus descendientes hasta la décima generación: ¡tantas alhajas tenía en el palacio de aquel monarca! Añadió que Odiseo se hallaba en Dodona para saber por la alta encina la voluntad de Zeus sobre si convendría que volviese manifiesta o encubiertamente al rico país de Ítaca del cual se había ausentado hacía mucho tiempo. Y juró en mi presencia, ofreciendo libaciones en su casa, que ya habían echado la nave al mar y estaban a punto los compañeros para conducirlo a su patria tierra. Pero antes despidióme a mí, porque se ofreció casualmente una nave de marineros tesprotos que iba a Duliquio, la abundosa en trigo. Mandóles que me llevasen con toda solicitud al rey Acasto; mas a ellos les plugo tomar una perversa resolución, para que aún me cayeran encima toda suerte de desgracias e infortunios. Así que la nave surcadora del ponto estuvo muy distante de la tierra, decidieron que hubiese llegado para mí el día de la esclavitud; y, desnudándome del manto y de la túnica que llevaba puestos, vistiéronme estos miserables andrajos y esta túnica, llenos de agujeros, que ahora contemplas con tus ojos. Por la tarde vinimos a los campos de Ítaca, que se ve lejos; en llegando, atáronme fuertemente a la nave de muchos bancos con una soga retorcida, y acto continuo saltaron en tierra y tomaron la cena a orillas del mar. Pero los propios dioses desligáronme fácilmente las ataduras; y entonces, liándome yo los andrajos a la cabeza, me deslicé por el pulido timón, di a la mar el pecho, nadé con ambas manos, y muy pronto me hallé alejado de aquéllos y fuera de su alcance.

Salí del mar a donde hay un bosque de florecientes encinas y me quedé echado en tierra; ellos no cesaban de agitarse y de proferir hondos suspiros, pero al fin no les pareció ventajoso continuar la busca y tornaron a la cóncava nave; y los dioses me encubrieron con facilidad y me trajeron a la majada de un varón prudente porque quiere el hado que mi vida sea más larga.

360 Y tú le respondiste así, porquerizo Eumeo:

361 EUMEO. — ¡Ahi, el más infortunado de los huéspedes! Me has conmovido hondamente el ánimo al relatarme tan en particular cuanto padeciste y cuanto erraste de una parte a otra. Pero no me parece que hayas hablado como debieras en lo referente a Odiseo, ni me convencerás con tus palabras. ¿Qué es lo que te obliga, siendo cual eres, a mentir inútilmente? Sé muy bien a qué atenerme en orden a la vuelta de mi señor, el cual debió de serles muy odioso a todas las deidades cuando éstas no quisieron que acabara sus días entre los teucros, ni en brazos de sus amigos después que terminó la guerra, pues entonces todos los aqueos le habrían erigido un túmulo y hubiera alcanzado para su hijo una gloria inmensa. Ahora desapareció sin fama, arrebatado por las Harpías. Mas yo vivo apartado, junto a los puercos, y sólo voy a la ciudad cuando la prudente Penélope me llama porque le traen de alguna parte cualquier noticia: sentados los de allá junto al recién venido, hácenle toda suerte de preguntas, así los que se entristecen por la prolongada ausencia del rey, como los que de ella se regocijan porque devoran impunemente sus bienes; pero a mí no me place escudriñar ni preguntar cosa alguna desde que me engañó con sus palabras un hombre etolo, el cual, habiendo vagado por muchas regiones a causa de un homicidio, llegó a mi morada y le traté afectuosamente. Aseguró que había visto a Odiseo en Creta, junto a Idomeneo, donde reparaba el daño que en sus embarcaciones habían causado las tempestades; y dijo que llegaría hacia el verano o el otoño con muchas riquezas, y juntamente con los compañeros iguales a los dioses. Y tú, oh viejo que tantos males padeciste, ya que un dios te ha traído a mi casa, no quieras congraciarte ni halagarme con embustes; que no te respetaré ni te querré por eso, sino por el temor de Zeus hospitalario y por la compasión que me das.

390 Respondióle el ingenioso Odiseo:

391 ODISEO. — Muy incrédulo es, en verdad, el ánimo que en tu pecho se encierra, cuando ni con el juramento he podido lograr que de mí te fiases y creyeses cuanto te dije. Mas, ea, hagamos un convenio y por cima de nosotros sean testigos los dioses, que en el Olimpo tienen su morada. Si tu señor volviere a esta casa, me darás un manto y una túnica para vestirme y me enviarás a Duliquio, que es el lugar adonde a mi ánimo le place ir; y si no volviere como te he dicho, incita contra mí a tus criados, y arrójenme de elevada peña, a fin de que los demás pordioseros se abstengan de engañarte.

401 Respondióle el divinal porquerizo:

[402] EUMEO. — ¡Oh huésped! Buena fama y opinión de virtud ganara entre los hombres ahora y en lo sucesivo, si, después de traerte a mi cabaña y de presentarte los dones de la hospitalidad, te fuera a matar, privándote de la vida. ¡Con qué disposición rogaría a Zeus Cronión! Pero ya es hora de cenar: ojalá viniesen pronto los compañeros, para que aparejáramos dentro de la cabaña una agradable cena.

[409] Así éstos conversaban. Entre tanto acercáronse los puercos con sus pastores, quienes encerraron las marranas en las pocilgas, para que durmiesen; y un gruñido inmenso se dejó oír mientras los puercos se acomodaban en los establos. Entonces el divinal porquerizo dio esta orden a sus compañeros:

[414] EUMEO. — Traed el mejor de los puercos para que lo sacrifique en honra de este forastero venido de lejanas tierras y nos sea de provecho a nosotros que ha mucho tiempo que nos fatigamos por los cerdos de blanca dentadura y otros se comen impunemente el fruto de nuestros afanes.

[418] Diciendo así, cortó leña con el despiadado bronce, mientras los pastores introducían un gordísimo puerco de cinco años que dejaron junto al hogar; y el porquerizo no se olvidó de los inmortales, pues tenía buenos sentimientos: ofrecióles las primicias, arrojando en el fuego algunas cerdas de la cabeza del puerco de blanca dentadura, y pidió a todos los dioses que el prudente Odiseo volviera a su casa. Después alzó el brazo y con un tronco de encina que había dejado al cortar leña hirió al puerco, que cayó exánime. Ellos lo degollaron, lo chamuscaron y seguidamente lo partieron en pedazos. El porquerizo empezó tomando una parte de cada miembro del animal, envolvió en pingüe grasa los trozos crudos y, polvoreándolos de blanca harina, los echó en el fuego. Dividieron lo restante en pedazos más chicos que espetaron en los asadores, los asaron cuidadosamente y, retirándolos del fuego, los colocaron todos juntos encima de la mesa. Levantóse a hacer partes el porquerizo, cuya mente tanto apreciaba la justicia, y, dividiendo los trozos, formó siete porciones: ofreció una a las Ninfas y a Hermes, hijo de Maya, a quienes dirigió votos, y distribuyó las demás a los comensales, honrando a Odiseo con el ancho lomo del puerco de blanca dentadura, cual obsequio alegróle el espíritu a su señor. En seguida el ingenioso Odiseo le habló diciendo:

[440] ODISEO. — ¡Ojalá seas, oh Eumeo, tan caro al padre Zeus como a mí mismo, pues, aun estando como estoy, me honras con excelentes dones!

[442] Y tú le respondiste así, porquerizo Eumeo:

[443] EUMEO. — Come, oh el más infortunado de los huéspedes, y disfruta de lo que tienes delante pues la divinidad te dará esto y te rehusará aquello, según le plegue a su ánimo, puesto que es todopoderosa.

[446] Dijo, sacrificó las primicias a los sempiternos dioses y, libando el negro vino, puso la copa en manos de Odiseo, asolador de ciudades, que junto a su porción estaba sentado. Repartióles el pan Mesaulio, a quien el porquerizo había adquirido por sí solo, en la ausencia de su amo y sin

ayuda de su dueña ni del anciano Laertes, comprándolo a unos tafios con sus propios bienes. Todos metieron mano en las viandas que tenían delante. Y así que hubieron satisfecho el deseo de comer y de beber, Mesaulio quitó el pan, y ellos, hartos de pan y de carne, fuéronse sin dilación a la cama.

457 Sobrevino una noche mala y sin luna, en la cual Zeus llovió sin cesar, y el lluvioso Céfiro sopló constantemente y con gran furia. Y Odiseo habló del siguiente modo, tentando al porquerizo a fin de ver si se quitaría el manto para dárselo o exhortaría a alguno de los compañeros a que así lo hiciese, ya que tan gran cuidado con él tenía.

462 ODISEO. — ¡Oídme ahora, Eumeo y demás compañeros! Voy a proferir algunas palabras para gloriarme, que a ello me impulsa el perturbador vino; pues hasta al más sensato le hace cantar y reír blandamente, le incita a bailar y le mueve a revelar cosas que más conviniera tener calladas. Pero, ya que empecé a hablar, no callaré lo que me resta decir. ¡Ojalá fuese tan joven y mis fuerzas tan robustas como cuando guiábamos al pie del muro de Troya la emboscada previamente dispuesta! Eran sus capitanes Odiseo y el Atrida Menelao, y yo iba como tercer jefe, pues ellos mismos me lo ordenaron. Tan pronto como llegamos cerca de la ciudad y de su alto muro, nos tendimos en unos espesos matorrales, entre las cañas de un pantano, acurrucándonos debajo de las ramas. Sobrevino una noche mala, glacial; porque soplaba el Bóreas, caía de lo alto una nieve menuda y fría, como escarcha, y condensábase el hielo en torno de los escudos. Los demás, que tenían mantos y túnicas, estaban durmiendo tranquilamente con las espaldas cubiertas por los escudos; pero yo, al partir, cometí la necedad de entregar el manto a mis compañeros, porque no pensaba que hubiera de padecer tanto frío, y eché a andar con sólo el escudo y una espléndida cota. Mas, tan luego como la noche hubo llegado a su último tercio y ya los astros declinaban, toqué con el codo a Odiseo, que estaba cerca y me atendió muy pronto, y díjele de esta guisa: «¡Laertíada, del linaje de Zeus! ¡Odiseo, fecundo en ardides! Ya no me contarán en el número de los vivientes, porque el frío me rinde. No tengo manto. Engañóme algún dios, cuando partí con la sola túnica, y ahora no hallo medio alguno para escapar con vida.» Así me expresé. Pronto se le ofreció a su ánimo una treta, siendo como era tan señalado en aconsejar como en combatir; y, hablándome quedo, pronunció estas palabras: «¡Calla! No sea que te oiga alguno de tus aqueos.» Dijo; y, apoyándose en el codo, levantó la cabeza y comenzó a hablar de esta manera: «¡Oídme, amigos! Un sueño divinal se me ofreció mientras dormía. Como estamos tan lejos de las naves, vaya alguno a decirle al Atrida Agamenón, pastor de hombres, si nos enviará más guerreros de junto a las naves.» Así dijo; y levantándose con presteza Toante, hijo de Andremón, tiró el purpúreo manto y se fue corriendo hacia las naves. Me envolví en su vestido, me acosté alegremente y en seguida apareció la Aurora de áureo trono. Ojalá fuese tan joven y mis fuerzas se hallaran tan robustas como entonces, pues alguno de los porquerizos de esta cua-

dra me daría su manto por amistad y por respeto a un valiente; mas ahora me desprecian porque cubren mi cuerpo miserables vestidos.

507 Y tú le respondiste así, porquerizo Eumeo:

508 EUMEO. — ¡Oh viejo! El relato que acabas de hacer es irreprensible, y nada has dicho que sea inútil o inconveniente: por esto no carecerás ni de vestido ni de cosa alguna que deba obtener el infeliz suplicante que nos sale al encuentro; mas, apenas amanezca, tornarás a sacudir tus andrajos, pues aquí no tenemos mantos y túnicas para mudarnos, sino que cada cual lleva puestos los suyos. Y cuando venga el caro hijo de Odiseo, te dará un manto y una túnica para vestirte y te conducirá a donde tu corazón y tu ánimo deseen.

518 Dichas estas palabras, se levantó, puso cerca del fuego una cama para el huésped y la llenó de pieles de ovejas y de cabras. Odiseo se tendió en ella y Eumeo echóle un manto muy tupido y ancho que guardaba para mudarse siempre que alguna recia tempestad le sobrecogía.

523 De este modo se acostó Odiseo y cerca de él los jóvenes pastores; mas al porquerizo no le plugo tener allí su casa y dormir apartado de los puercos, sino que se armó y se dispuso a salir, y holgóse Odiseo al ver con qué solicitud le cuidaba los bienes durante su ausencia. Eumeo empezó colgando de sus robustos hombros la aguda espada; vistióse después un manto muy grueso, reparó contra el viento; tomó en seguida la piel de una cabra grande y bien nutrida; y, finalmente, asió un agudo dardo para defenderse de los canes y de los hombres. Y se fue a acostar en la concavidad de una elevada peña, donde los puercos de blanca dentadura dormían al abrigo del Bóreas.

RAPSODIA XV

LLEGADA DE TELÉMACO A LA MAJADA DE EUMEO

Mientras tanto encaminóse Palas Atenea a la vasta Lacedemonia, para taerle a las mientes la idea del regreso al hijo ilustre del magnánimo Odiseo e incitarle a que volviera a su morada. Halló a Telémaco y al preclaro hijo de Néstor acostados en el zaguán de la casa del glorioso Menelao: el Nestórida estaba vencido del blando sueño; mas no se habían señoreado de Telémaco las dulzuras del mismo, porque durante la noche inmortal desvelábale el cuidado de la suerte que a su padre le hubiese cabido. Y, parándose a su lado, dijo Atenea, la de ojos de lechuza:

10 ATENEA. — ¡Telémaco! No es bueno que demores fuera de tu casa, habiendo dejado en ella riquezas y hombres tan soberbios: no sea que se repartan tus bienes y se los coman, y luego el viaje te salga en vano. Solicita con instancia y lo antes posible de Menelao, valiente en la pelea, que te deje partir, a fin de que halles aún en tu palacio a tu eximia madre; pues ya su padre y sus hermanos le exhortan a que contraiga matrimonio con Eurímaco, el cual sobrepuja en las dádivas a todos los pretendientes y va aumentando la ofrecida dote: no sea que, a pesar tuyo, se lleven de tu mansión alguna alhaja. Bien sabes qué ánimo tiene en su pecho la mujer: desea hacer prosperar la casa de quien la ha tomado por esposa; y ni de los hijos primeros, ni del marido difunto con quien se casó virgen, se acuerda más, ni por ellos pregunta. Mas tú, volviendo allá, encarga lo tuyo a aquella criada que tengas por mejor, hasta que las deidades te den ilustre consorte. Otra cosa te diré, que pondrás en tu corazón. Los más conspicuos de los pretendientes se emboscaron, para acechar tu llegada, en el estrecho que media entre Ítaca y la escabrosa Samos, pues quieren matarte cuando vuelvas al patrio suelo; pero me parece que no sucederá así y que antes sepultará la tierra en su seno a alguno de los pretendientes que devoran lo tuyo. Por eso, haz que pase el bien construido bajel a alguna distancia de las islas y navega de noche; y aquel de los inmortales que te guarda y te protege, enviará detrás de tu barco próspero viento. Así que arribes a la costa de Ítaca, manda la nave y todos los compañeros a la ciudad; y llégate ante todas cosas al porquerizo, que guarda tus cerdos y te quiere bien. Pernocta allí y envíale a la ciudad

para que lleve a la discreta Penélope la noticia de que estás salvo y has llegado de Pilos.

[43] Cuando así hubo hablado, fuese Atenea al vasto Olimpo. Telémaco despertó al Nestórida de su dulce sueño, moviéndolo con el pie, y le dijo estas palabras:

[46] TELÉMACO. — ¡Despierta, Pisístrato Nestórida! Lleva al carro los solípedos corceles y úncelos, para que nos pongamos en camino.

[48] Mas Pisístrato Nestórida le repuso:

[49] PISÍSTRATO. — ¡Telémaco! Aunque tengamos prisa por emprender el viaje, no es posible guiar los corceles durante la tenebrosa noche; y ya pronto despuntará la aurora. Pero aguarda que el héroe Menelao Atrida, famoso por su lanza, traiga los presentes, los deje en el carro y nos despida con suaves palabras. Que para siempre dura en el huésped la memoria del varón hospitalario que le recibió amistosamente.

[56] Así le habló; y al momento vino la Aurora, de áureo trono. Entonces se les acercó Menelao, valiente en los combates, que se había levantado de la cama, de junto a Helena, la de hermosa cabellera. El caro hijo de Odiseo, no bien lo hubo visto, cubrió apresuradamente su cuerpo con la espléndida túnica, se echó el gran manto a las robustas espaldas y salió a su encuentro. Y, deteniéndose junto a él, hablóle así el hijo amado del divinal Odiseo:

[64] TELÉMACO. — ¡Atrida Menelao, alumno de Zeus, príncipe de hombres! Deja que parta ahora mismo a mi querida patria, que ya siento deseos de volver a mi morada.

[67] Respondióle Menelao, valiente en la pelea:

[68] MENELAO. — ¡Telémaco! No te detendré mucho tiempo, ya que deseas irte; pues me es odioso así el que, recibiendo a un huésped, lo ama sin medida, como el que lo aborrece en extremo; más vale usar de moderación en todas las cosas. Tan mal procede con el huésped quien le incita a que se vaya cuando no quiere irse, como el que lo detiene si le cumple partir. Se le debe tratar amistosamente mientras esté con nosotros y despedirlo cuando quiera ponerse en camino. Pero aguarda que traiga y coloque en el carro hermosos presentes que tú veas con tus propios ojos, y mande a las mujeres que aparejen en el palacio la comida con las abundantes provisiones que tenemos en él; porque hay a la vez honra, gloria y provecho en que coman los huéspedes antes de irse por la tierra inmensa. Dime también si acaso prefieres volver por la Hélade y por el centro de Argos, a fin de que yo mismo te acompañe; pues unciré los corceles, te llevaré por las ciudades populosas y nadie nos dejará partir sin darnos alguna cosa que nos llevemos, ya sea un hermoso trípode de bronce, ya un caldero, ya un par de mulos, ya una copa de oro.

[86] Respondióle el prudente Telémaco:

[87] TELÉMACO. — ¡Atrida Menelao, alumno de Zeus, príncipe de hombres! Quiero restituirme pronto a mis hogares, pues a nadie dejé encomendada la custodia de los bienes: no sea que mientras busco a mi

padre igual a los dioses, muera yo o pierda alguna excelente y preciosa alhaja que se lleven del palacio.

92 Al oír esto, Menelao, valiente en la pelea, mandó en seguida a su esposa y a las esclavas que preparasen la comida en el palacio con las abundantes provisiones que en él se guardaban. Llegó entonces Eteoneo Boetoida, que se acababa de levantar, pues no vivía muy lejos; y, habiéndole ordenado Menelao, valiente en la batalla, que encendiera fuego y asara las carnes, obedeció acto continuo. Menelao bajó entonces a una estancia perfumada; sin que fuera solo, pues le acompañaron Helena y Megapentes. En llegando adonde estaban los objetos preciosos, el Atrida tomó una copa de doble asa y mandó a su hijo Megapentes que se llevase una cratera de plata; y Helena se detuvo junto a las arcas en que se hallaban los peplos de muchas bordaduras, que ella en persona había labrado. La propia Helena, la divina entre las mujeres, escogió y se llevó el peplo mayor y más hermoso por sus bordados, que resplandecía como una estrella y estaba debajo de los otros. Y anduvieron otra vez por el palacio hasta juntarse con Telémaco, a quien el rubio Menelao habló de esta manera:

111 MENELAO. — ¡Telémaco! Ojalá Zeus, el tonante esposo de Hera, te deje hacer el viaje como tu corazón desea. De cuantas cosas se guardan en mi palacio, voy a darte la más bella y preciosa. Te haré el presente de una cratera labrada, toda de plata con los bordes de oro, que es obra de Hefesto y diómela el héroe Fédimo, rey de los sidonios cuando me acogió en su casa al volver yo a la mía. Tal es lo que deseo regalarte.

120 Diciendo así, el héroe Atrida le puso en la mano la copa de doble asa; el fuerte Megapentes le trajo la espléndida cratera que dejó delante de él; y Helena, la de hermosas mejillas, presentósele con el peplo en las manos y hablóle de esta suerte:

125 HELENA. — También yo, hijo querido, te daré este regalo, que será una memoria de las manos de Helena, para que lo lleve tu esposa en la ansiada hora del casamiento; y hasta entonces guárdelo tu madre en el palacio. Y ojalá vuelvas alegre a tu casa bien construida y a tu patria tierra.

130 Diciendo así, se lo puso en las manos y él lo recibió con alegría. El héroe Pisístrato tomó los presentes y fue colocándolos en la cesta del carro, después de contemplarlos todos con admiración. Luego el rubio Menelao se los llevó a entrambos al palacio, donde se sentaron en sillas y sillones. Una esclava dioles aguamanos, que traía en magnífico jarro de oro y vertió en fuente de plata, y puso delante de ellos una pulimentada mesa. La veneranda despensera trájoles pan y dejó en la mesa buen número de manjares; obsequiándolos con los que tenía guardados. Junto a ellos, el Boetoida cortaba la carne y repartía las porciones; y el hijo del glorioso Menelao escanciaba el vino. Todos metieron mano en las viandas que tenían delante. Y apenas hubieron satisfecho la gana de beber y de comer, Telémaco y el preclaro hijo de Néstor engancharon los corceles, subieron al labrado carro y lo guiaron por el vestíbulo y el pórtico

sonoro. Tras ellos se fue el rubio Menelao Atrida, llevando en su diestra una copa de oro, llena de dulce vino, para que hicieran la libación antes de partir; y, deteniéndose ante el carro, se la presentó y les dijo:

[151] MENELAO. — ¡Salud, oh jóvenes, y llevad también mi saludo a Néstor, pastor de hombres; que me fue benévolo, como un padre, mientras los aqueos peleamos en Troya!

[54] Respondióle el prudente Telémaco:

[155] TELÉMACO. — En llegando allá, oh alumno de Zeus, le diremos a Néstor cuanto nos encargas. ¡Así me fuera posible, al tornar a Ítaca, hablando a Odiseo en su morada, contarle que vuelvo de tu palacio después de recibir toda clase de pruebas de amistad y llevando conmigo muchas y excelentes alhajas!

[160] Así que acabó de hablar, pasó por cima de ellos, hacia la derecha, un águila que llevaba en las uñas un ánsar doméstico, blanco, enorme, arrebatado de algún corral; seguíanla, gritando, hombres y mujeres; y, al llegar junto al carro, torció el vuelo a la derecha, enfrente mismo de los corceles. Al verla se holgaron; a todos se les regocijó el ánimo en el pecho, y Pisístrato Nestórida dijo de esta suerte:

[167] PISÍSTRATO. — Considera, ¡oh Menelao, alumno de Zeus, príncipe de hombres!, si el dios que nos mostró este presagio lo hizo visible para nosotros o para ti mismo.

[169] Así habló Menelao, caro a Ares, se puso a meditar cómo le respondería convenientemente; mas Helena, la de largo peplo, adelantósele pronunciando estas palabras:

[172] HELENA. — Oídme, pues os voy a predecir lo que sucederá, según los dioses me lo inspiran en el ánimo y yo me figuro que ha de llevarse a cumplimiento. Así como esta águila, viniendo del monte donde nació y tiene su cría, ha arrebatado el ansar criado dentro de una casa, así Odiseo, después de padecer mucho y de ir errante largo tiempo, volverá a la suya y conseguirá vengarse; si ya no está en ella, maquinando males contra los pretendientes todos.

[79] Respondióle el prudente Telémaco:

[180] TELÉMACO. — ¡Así lo haga Zeus, el tonante esposo de Hera; y allá te invocaré todos los días, como a una diosa!

[182] Dijo, y arreó con el azote a los corceles. Éstos, que eran muy fogosos, arrancaron al punto hacia el campo, por entre la ciudad, y en todo el día no cesaron de agitar el yugo.

[185] Poníase el sol y las tinieblas empezaban a ocupar los caminos cuando llegaron a Feras, a la morada de Diocles, hijo de Orsíloco, a quien había engendrado Alfeo. Allí durmieron aquella noche, pues Diocles les dio hospitalidad.

[189] Mas, así que se descubrió la hija de la mañana, la Aurora de rosáceos dedos, engancharon los corceles, subieron al labrado carro y guiáronlo por el vestíbulo y el pórtico sonoro. Pisístrato avivó con el látigo a los corceles para que arrancaran, y éstos volaron gozosos. Prestamente

llegaron a la excelsa ciudad de Pilos, y entonces Telémaco habló de esta suerte al hijo de Néstor:

195 TELÉMACO. — ¡Nestórida! ¿Cómo llevarías a efecto, conforme prometiste, lo que te voy a decir? Nos gloriamos de ser para siempre y recíprocamente huéspedes el uno del otro, por la amistad de nuestros padres; tenemos la misma edad, y este viaje habrá acrecentado aún más la concordia entre nosotros. Pues no me lleves, oh alumno de Zeus, más adelante de donde está mi bajel; déjame aquí, en este sitio, no sea que el anciano me detenga en su casa, contra mi voluntad, por el deseo de tratarme amistosamente; y a mí me conviene llegar allá lo antes posible.

202 Así dijo. El Nestórida pensó en su alma cómo llevaría al cabo, de una manera conveniente, lo que había prometido. Y considerándolo bien, le pareció que lo mejor sería lo siguiente: dio la vuelta a los caballos hacia donde estaba la veloz nave en la orilla del mar; tomó del carro los hermosos presentes —los vestidos y el oro— que les había entregado Menelao, y los dejó en la popa del barco; y, exhortando a Telémaco, le dijo estas aladas palabras:

209 PISÍSTRATO. — Corre a embarcarte y manda que lo hagan asimismo todos tus compañeros, antes que llegue a mi casa y se lo refiera al anciano. Bien sabe mi entendimiento y presiente mi corazón que, con su vehemencia de ánimo, no dejará que te vayas, antes vendrá él en persona a llamarte; y yo te aseguro que no se volverá de vacío, pues entonces fuera grande su cólera.

215 Diciendo de esta manera, volvió los caballos de hermosas crines hacia la ciudad de los pilios, y muy pronto llegó a su casa. Mientras tanto, Telémaco daba órdenes a sus compañeros y les exhortaba diciendo:

218 TELÉMACO. — Poned en su sitio los aparejos de la negra nave, compañeros, y embarquémonos para emprender el viaje.

220 Así les dijo; y ellos le escucharon y obedecieron; pues, entrando inmediatamente en la nave, tomaron asiento en los bancos.

222 Ocupábase Telémaco en tales cosas, hacía votos y sacrificaba en honor de Atenea junto a la popa de la nave, cuando se le presentó un extranjero que venía huyendo de Argos, donde había dado muerte a un hombre, y era adivino, del linaje de Melampo. Este último vivió anteriormente en Pilos, criadora de ovejas, y allí fue opulento entre sus habitantes y habitó una magnífica morada; pero trasladóse después a otro país, huyendo de su patria y del magnánimo Neleo, el más esclarecido de los vivientes, quien le retuvo por fuerza muchas y ricas cosas un año entero. En todo él permaneció Melampo atado con duras cadenas en el palacio de Fílaco, pasando muchos tormentos, por la grave falta que, para alcanzar la hija de Neleo, le había inducido a cometer una diosa: la horrenda Erinis. Al fin se libró de la Parca, llevóse las mugidoras vacas de Fílace a Pilos, castigó por aquella mala acción al deiforme Neleo, y, después de conducir a su casa la mujer para el hermano, fuese a otro pueblo, a Argos, tierra criadora de corceles, donde el hado había dispuesto que habitara reinando sobre muchos argivos. Allí tomó mujer,

labró una excelsa mansión y le nacieron dos hijos esforzados: Antífates y Mantio. Antífates engendró al magnánimo Oicleo y éste a Anfiarao, el que enardecía a los guerreros; al cual así Zeus, que lleva la égida, como Apolo quisieron entrañablemente con toda suerte de amistad; pero no llegó a los umbrales de la vejez por haber muerto en Tebas a causa de los regalos que su mujer recibió. Fueron sus hijos Alcmeón y Anfíloco. Por su parte, Mantio engendró a Polifides y a Clito: a éste la Aurora, de áureo trono, lo arrebató por su hermosura a fin de tenerlo con los inmortales; y al magnánimo Polifides hízole Apolo el más excelente de los adivinos entre los hombres después que murió Anfiarao. Mas, como Polifides se irritara contra su padre, emigró a Hiperesia y, viviendo allí, daba oráculos a todos los mortales.

256 Era un hijo de éste, llamado Teoclímeno, el que entonces se presentó a Telémaco. Hallóle que oraba y ofrecía libaciones junto al negro bajel; y, hablándole, profirió estas aladas palabras:

260 TEOCLÍMENO. — ¡Oh amigo! Puesto que te encuentro sacrificando en este lugar, ruégote por estos sacrificios, por el dios y también por tu cabeza y la de los compañeros que te siguen, que me digas la verdad de cuanto te pregunte, sin ocultarme nada: ¿Quién eres y de qué país procedes? ¿Dónde se hallan tu ciudad y tus padres?

265 Respondióle el prudente Telémaco:

266 TELÉMACO. — De todo, oh forastero, voy a informarte con sinceridad. Por mi familia soy de Ítaca y tuve por padre a Odiseo, si todo no ha sido sueño; pero ya aquél debe de haber acabado de deplorable manera. Por esto vine con los compañeros y el negro bajel, por si lograba adquirir noticias de mi padre, cuya ausencia se va haciendo tan larga.

271 Díjole entonces Teoclímeno, semejante a un dios:

272 TEOCLÍMENO. — También yo desamparé la patria por haber muerto a un varón de mi tribu, cuyos hermanos y compañeros son muchos en Argos, tierra criadora de corceles, y gozan de gran poder entre los aqueos; y ahora huyo de ellos, evitando la muerte y la negra Parca, porque mi hado es andar errante entre los hombres. Pero acógeme en tu bajel, ya que huyendo he venido a suplicarte: no sea que me maten, pues sospecho que me persiguen.

279 Respondióle el prudente Telémaco:

280 TELÉMACO. — No te rechazaré del bien proporcionado bajel; ya que deseas embarcarte. Sígueme, y allá te trataremos amistosamente, según los medios de que dispongamos.

282 Dicho esto, tomóle la broncínea lanza que dejó tendida en el tablado del corvo bajel; subió a la nave, surcadora del ponto, sentóse en la popa y colocó cerca de sí a Teoclímeno. Al punto soltaron las amarras. Telémaco, exhortando a sus compañeros, les mandó que aparejasen la jarcia, y obedeciéronle todos diligentemente. Izaron el mástil de abeto, lo metieron en el travesaño, la ataron con sogas, y acto continuo extendieron la blanca vela con correas bien torcidas: Atenea, la de ojos de lechuza, envióles próspero viento que soplaba impetuoso por el aire, a

fin de que el navío corriera y atravesara lo más pronto posible la salobre agua del mar. Así pasaron por delante de Crunos y del Caleis, de hermoso raudal.

296 Púsose el sol, y las tinieblas ocuparon todos los caminos. La nave, impulsada por el favorable viento de Zeus, se acercó a Feas y pasó a lo largo de la divina Élide, donde ejercen su dominio los epeos. Y desde allá Telémaco puso la proa hacia la islas Agudas, con gran cuidado de si se libraría de la muerte o caería preso.

301 Mientras tanto Odiseo y el divinal porquerizo cenaban en la cabaña y junto con ellos los demás hombres. Y apenas satisficieron el apetito de comer y de beber, Odiseo —probando si el porquerizo aún le trataría con amistosa solicitud, mandándole que se quedara allí, en el establo, o le incitaría a que ya se fuese a la ciudad— les habló de esta manera:

307 ODISEO. — ¡Oídme, Eumeo y demás compañeros! Así que amanezca, quiero ir a la ciudad para mendigar y no seros gravoso ni a ti ni a tus amigos. Aconséjame bien y señálame un guía experto que me conduzca; y vagaré por la población, obligado por la necesidad, para ver si alguien me da una copa de vino y un cantero de pan. Yendo al palacio del divinal Odiseo, podré comunicar nuevas a la prudente Penélope y mezclarme con los soberbios pretendientes por si me dieren de comer, ya que disponen de innumerables viandas. Yo les serviría muy bien en cuanto me ordenaren. Voy a decirte una cosa y tú atiende y óyeme: merced a Hermes, el mensajero, el cual da gracia y fama a los trabajos de los hombres, ningún otro mortal competiría conmigo en el servir, lo mismo si tratase de amontonar debidamente la leña para encender un fuego, o de cortarla cuando está seca, de trinchar o asar carne, o de escanciar el vino, que son los servicios que los inferiores prestan a los mayores.

325 Y tú, muy afligido, le hablaste de esta manera, porquerizo Eumeo:

326 EUMEO. — ¡Ay, huésped! ¿Cómo se te aposentó en el alma tal pensamiento? Quieres, sin duda, perecer allá, cuando te decidas a penetrar por entre la muchedumbre de los pretendientes cuya insolencia y orgullo llegan al férreo cielo. Sus criados no son como tú, pues siempre les sirven jóvenes ricamente vestidos de mantos y túnicas, de luciente cabellera y lindo rostro; y las mesas están cargadas de pan, de carnes y de vino. Quédate con nosotros, que nadie se enoja de que estés presente: ni yo, ni ninguno de mis compañeros. Y cuando venga el amado hijo de Odiseo, te dará manto y túnica para vestirte y te conducirá adonde tu corazón y tu ánimo prefieran.

340 Respondióle el paciente divinal Odiseo:

341 ODISEO. — ¡Ojalá seas, Eumeo, tan caro al padre Zeus como a mí; ya que pones término a mi fatigosa y miserable vagancia! Nada hay tan malo para los hombres como la vida errante: por el funesto vientre pasan los mortales muchas fatigas, cuando los abruman la vagancia, el infortunio y los pesares. Mas ahora, ya que me detienes, mandándome que aguarde la vuelta de aquél, ea, dime si la madre del divinal Odiseo y su padre,

a quien al partir dejé en los umbrales de la vejez, viven aún y gozan de los rayos del sol o han muerto y se hallan en la mansión de Hades.

[351] Díjole entonces el porquerizo, mayoral de los pastores:

[352] EUMEO. — De todo, oh huésped, voy a informarte con exactitud. Laertes vive aún y en su morada ruega continuamente a Zeus que el alma se le separe de los miembros; porque padece grandísimo dolor por la ausencia de su hijo y por el fallecimiento de su legítima y prudente esposa, que le llenó de tristeza y le ha anticipado la senectud. Ella tuvo deplorable muerte por el pesar que sentía por su glorioso hijo; ojalá no perezca de tal modo persona alguna, que, habitando en esta comarca, sea amiga mía y como tal me trate. Mientras vivió, aunque apenada, holgaba yo de preguntarle y consultarle muchas cosas, porque me había criado juntamente con Ctímene, la de largo peplo, su hija ilustre, a quien parió la postrimera: juntos nos criamos, y era yo honrado poco menos que su hija. En llegando ambos a la deseable pubertad, a Ctímene casáronla en Same, recibiendo por su causa infinitos dones; y a mí púsome aquélla una mano y una túnica, vestidos muy hermosos, diome con qué calzar los pies, me envió al campo y aún me quiso más en su corazón. Ahora me falta su amparo, pero las bienaventuradas deidades prosperan la obra en que me ocupo, de la cual como y bebo, y hasta hoy doy limosna a venerandos suplicantes. Pero no me es posible oír al presente dulces palabras de mi dueña ni lograr de ella ninguna merced, pues el infortunio entró en el palacio con la llegada de esos hombres tan soberbios y, con todo, tienen los criados gran precisión de hablar con su dueña y hacerle preguntas sobre cada asunto, y comer y beber, y llevarse al campo alguno de aquellos presentes que alegren el ánimo de los servidores.

[380] Respondióle el ingenioso Odiseo:

[381] ODISEO. — ¡Oh dioses! ¡Cómo, niño aún, oh porquerizo Eumeo, tuviste que vagar tanto y tan lejos de tu patria y de tus padres! Mas, ea, dime, hablando sinceramente, si fue destruida la ciudad de anchas calles en que habitaban tu padre y tu veneranda madre; o si, habiéndote quedado solo junto a las ovejas o junto a los bueyes, hombres enemigos te echaron mano y te trajeron en sus naves para venderte en la casa de este varón que les entregó un buen precio.

[389] Díjole entonces el porquerizo, mayoral de los pastores:

[390] EUMEO. — ¡Huésped! Ya que sobre esto me preguntas e interrogas, óyeme en silencio, y recréate, sentado y bebiendo vino. Estas noches son inmensas, hay en ellas tiempo para dormir y tiempo para deleitarse oyendo relatos, y a ti no te cumple irte a la cama antes de la hora, puesto que daña el dormir demasiado. De los demás, aquél a quien el corazón y el ánimo se lo aconseje, salga y acuéstese; y, no bien raye el día, tome el desayuno y váyase con los puercos de su señor. Nosotros, bebiendo y comiendo en la cabaña, deleitémonos con renovar la memoria de nuestros tristes infortunios; pues halla placer en el recuerdo de los trabajos sufridos quien padeció muchísimo y anduvo errante largo tiempo. Voy, pues, a hablarte de lo que me preguntas e interrogas.

[403] »Hay una isla que se llama Siria (quizá la oíste nombrar) sobre Ortigia, donde el sol hace su vuelta: no está muy poblada, pero es fértil y abundosa en bueyes, en ovejas, en vino y en trigales. Jamás se padece hambre en aquel pueblo y ninguna dolencia aborrecible les sobreviene a los míseros mortales: cuando en la ciudad envejecen los hombres de una generación, preséntanse Apolo, que lleva arco te plata, y Ártemis, y los van matando con suaves flechas. Hay en la isla dos ciudades, que se han repartido todo el territorio, y en ambas reinaba mi padre, Ctesio Orménida, semejante a los inmortales.

[415] »Allí vinieron unos fenicios, hombres ilustres en la navegación, pero falaces, que traían innúmeros joyeles en su negra nave. Había entonces en casa de mi padre una mujer fenicia, hermosa, alta y diestra en espléndidas labores; y los astutos fenicios la sedujeron. Uno, que la encontró lavando, unióse con ella, junto a la cóncava nave, en amor y concúbito, lo cual les turba la razón a las débiles mujeres, aunque sean laboriosas. Preguntóle luego quién era y de dónde había venido; y la mujer, señalándole al punto la alta casa de mi padre, le respondió de esta guisa:

[425] »LA MUJER. — Me jacto de haber nacido de Sidón, que abunda en bronce, y soy hija del opulento Aribante. Robáronme unos piratas tafios un día que volvía del campo y habiéndome traído aquí, me vendieron al amo de esa morada, quien les entregó un buen precio.

[430] »Díjole a su vez el hombre que con ella se había unido secretamente:

[431] EL FENICIO. — ¿Querrías volver a tu patria con nosotros, para ver la alta casa de tu padre y de tu madre y a ellos mismos? Pues aún viven y gozan fama de ricos.

[434] »La mujer les respondió con estas palabras:

[435] »LA MUJER. — Así lo hiciera si vosotros, oh navegantes, os obligaseis, de buen grado y con juramento a conducirme sana y salva a mi patria.

[437] »Así habló; y todos juraron, como se lo mandaba. Tan pronto como hubieron acabado de prestar el juramento, la mujer les dirigió nuevamente el habla y les dijo:

[440] »LA MUJER. — Silencio ahora, y ninguno de vuestros compañeros me hable si me encuentra en la calle o en la fuente: no sea que vayan a decírselo al viejo, allá en su morada; y éste, poniéndose receloso, me ate con duras cadenas y maquine cómo exterminaros a vosotros. Guardad en vuestra mente lo convenido y apresurad la compra de las provisiones para el viaje. Y así que el bajel esté lleno de vituallas, penetre alguien en el palacio para anunciármelo; y traeré cuanto oro me venga a las manos. Encima de esto quisiera daros otra recompensa por mi pasaje: en la casa cuídome de un hijo de ese noble señor, y es tan despierto que ya corre conmigo fuera del palacio; lo traeré a vuestra nave y os granjeará una suma inmensa dondequiera que en el país de otras gentes lo vendiereis.

454 »Cuando así hubo dicho, fuese al hermoso palacio. Quedáronse los fenicios un año entero con nosotros y compraron muchas vituallas para la cóncava nave; mas, así que estuvo cargado y en disposición de partir, enviaron un propio para decírselo a la mujer. Presentóse en casa de mi padre un hombre muy sagaz, que traía un collar de oro engastado con ámbar; y, mientras las esclavas y mi veneranda madre lo tomaban en las manos, lo contemplaban con sus ojos y ofrecían precio, aquél hizo a la mujer silenciosa señal y se volvió acto continuo a la cóncava nave. La fenicia, tomándome por la mano, me sacó del palacio, y, como hallara en el vestíbulo las copas y las mesas de los convidados que frecuentaban la casa de mi padre y que entonces habían ido a sentarse en la reunión y junta del pueblo, llevóse tres copas que escondió en su seno y yo la fui siguiendo simplemente. Poníase el sol y las tinieblas ocupaban todos los caminos, en el momento en que nosotros, andando a buen paso, llegamos al famoso puerto donde se hallaba la veloz embarcación de los fenicios. Nos hicieron subir, embarcáronse todos, empezó la navegación por la líquida llanura y Zeus nos envió próspero viento. Navegamos seguidamente por espacio de seis días con sus noches; mas, cuando Zeus Cronión nos trajo el séptimo día, Ártemis, que se complace en tirar flechas, hirió a la mujer, y ésta cayó con estrépito en la sentina, cual si fuese una gaviota. Echáronla al mar, para pasto de focas y de peces; y yo me quedé con el corazón afligido. El viento y las olas los trajeron a Ítaca, y acá Laertes me compró con sus bienes. Así fue como mis ojos vieron esta tierra.

485 Odiseo, del linaje de Zeus, respondióle con estas palabras:

486 ODISEO. — ¡Eumeo! Has conmovido hondamente mi corazón al contarme por menudo los males que padeciste. Mas Zeus te ha puesto cerca del mal un bien, ya que, aunque a costa de muchos trabajos, llegaste a la morada de un hombre benévolo que te da solícitamente de comer y de beber, y disfrutas de buena vida; mientras que yo tan sólo he podido llegar aquí, después de peregrinar por gran número de ciudades.

493 Así éstos conversaban. Echáronse después a dormir, mas no fue por mucho tiempo; que en seguida llegó la Aurora de hermoso trono.

495 Los compañeros de Telémaco, cuando ya la nave se acercó a la tierra, amainaron las velas, abatieron rápidamente el mástil, y llevaron el buque, a fuerza de remos, al fondeadero. Echaron anclas y ataron las amarras, saltaron a la playa y aparejaron la comida, mezclando el negro vino. Y así que hubieron satisfecho el apetito de beber y de comer, el prudente Telémaco empezó a decirles:

503 TELÉMACO. — Llevad ahora el negro bajel a la ciudad; pues yo me iré hacia el campo y los pastores; y al caer de la tarde, cuando haya visto mis tierras, bajaré a la población. Y mañana os daré, por premio de este viaje, un buen convite de carnes y dulce vino.

508 Díjole entonces Teoclímeno, semejante a un dios:

509 TEOCLÍMENO. — ¿Y yo, hijo amado, adónde iré? ¿A qué casa de los varones que imperan en la áspera Ítaca? ¿Habré de encaminarme acaso adonde está tu madre, a tu morada?

512 Respondióle el prudente Telémaco:

513 TELÉMACO. — En otras circunstancias te mandaría a mi casa, donde no faltan arbitrios para hospedar al forastero; mas ahora es lo peor para ti, porque yo no estaré y mi madre tampoco te ha de ver; que en el palacio no se muestra a menudo a los pretendientes, antes vive muy apartada en la estancia superior, labrando una tela. Voy a indicarte un varón a cuya casa puedes ir: Eurímaco, preclaro hijo del prudente Pólibo, a quien los itacenses miran ahora como a un numen, pues es, con mucho, el mejor de todos y anhela casarse con mi madre y alcanzar la dignidad real que tuvo Odiseo. Mas Zeus Olímpico, que vive en el éter, sabe si antes de las bodas hará que luzca para los pretendientes un infausto día.

525 No hubo acabado de hablar, cuando voló en lo alto hacia la derecha, un gavilán, el rápido mensajero de Apolo, el cual desplumaba una paloma que tenía entre sus garras, dejando caer las plumas a tierra entre la nave y el mismo Telémaco. Entonces Teoclímeno llamó a éste, separadamente de los compañeros, le tomó la mano y así le dijo:

532 TEOCLÍMENO . — ¡Telémaco! No sin ordenarlo un dios voló el ave a tu derecha; pues, mirándola de frente, entendí que es agorera. No hay en la población de Ítaca un linaje más real que el vuestro y mandaréis allá perpetuamente

535 Respondióle el prudente Telémaco:

536 TELÉMACO. — Ojalá se cumpliese lo que dices, oh forastero, que bien pronto conocerías mi amistad, pues te haría tantos presentes que te considerara dichoso quien contigo se encontrase.

539 Dijo; y habló así a Pireo, su fiel amigo:

540 TELÉMACO. — ¡Pireo Clítida! Tú, que en las restantes cosas eres el más obediente de los compañeros que me han seguido a Pilos, llévate ahora mi huésped a tu casa, trátale con solícita amistad y hónrale hasta que yo llegue.

544 Respondióle Pireo, señalado por su lanza:

545 PIREO. — ¡Telémaco! Aunque fuere mucho el tiempo que aquí te detengas, yo me cuidaré de él y no echará de menos los dones de la hospitalidad.

547 Cuando así hubo hablado, subió a la nave y ordenó a los compañeros que se embarcaran y desataran las amarras. Éstos se embarcaron en seguida, sentándose por orden en los bancos.

550 Telémaco se calzó las hermosas sandalias y tomó del tablado del bajel la lanza fuerte y de broncínea punta, mientras los marineros soltaban las amarras. Hiciéronse a la vela y navegaron con rumbo a la población, como se lo había mandado Telémaco, hijo amado del divino Odiseo. Y él se fue a buen paso hacia la majada donde tenía innumerables puercos, junto a los cuales pasaba la noche el porquerizo, que tan afecto era a sus señores.

RAPSODIA XVI

RECONOCIMIENTO DE ODISEO POR TELÉMACO

No bien rayó la luz de la aurora, Odiseo y el divinal porquerizo encendieron fuego en la cabaña y prepararon el desayuno, después de despedir a los pastores que se fueron con los cerdos repartidos en piaras. Cuando Telémaco llegó a la majada, los perros ladradores le halagaron, sin que ninguno ladrase. Advirtió Odiseo que los perros meneaban la cola, percibió el ruido de las pisadas, y en seguida dijo a Eumeo estas aladas palabras:

[8] ODISEO. — ¡Eumeo! Sin duda viene algún compañero tuyo u otro conocido, porque los perros, en vez de ladrar, mueven la cola y oigo ruido de pasos.

[11] Aún no había terminado de proferir estas palabras, cuando su caro hijo se detuvo en el umbral. Levantóse atónito el porquerizo, se le cayeron las tazas con que se ocupaba en mezclar el negro vino, fuese al encuentro de su señor, y le besó la cabeza, los bellos ojos y ambas manos, vertiendo abundantes lágrimas. De la suerte que el padre amoroso abraza al hijo unigénito que le nació en la senectud y por quien ha pasado muchas fatigas, cuando éste torna de lejanos países después de una ausencia de diez años, así el divinal porquerizo estrechaba al deforme Telémaco

y le besaba como si el joven se hubiera librado de la muerte. Y sollozando, estas aladas palabras le decía:

23 EUMEO. — ¡Has vuelto, Telémaco, mi dulce luz! No pensaba verte más, desde que te fuiste en la nave a Pilos. Mas, ea, entra, hijo querido, para que se huelgue mi ánimo en contemplarte, ya que estás en mi cabaña recién llegado de otras tierras. Pues no vienes a menudo a ver el campo y los pastores, sino que te quedas en la ciudad: ¡tanto te place fijar la vista en la multitud de los funestos pretendientes!

30 Respondióle el prudente Telémaco:

31 TELÉMACO. — Se hará como deseas, abuelo, que por ti vine, por verte con mis ojos y saber si mi madre permanece todavía en el palacio o ya alguno de aquellos varones se casó con ella, y el lecho de Odiseo, no habiendo quien yazga en él, está por las telarañas ocupado.

36 Le dijo entonces el porquerizo, mayoral de los pastores:

37 EUMEO. — Ella permanece en tu palacio, con el ánimo afligido, y consume tristemente los días y las noches, llorando sin cesar.

40 Cuando así hubo hablado, tomóle la broncínea lanza; y Telémaco entró por el umbral de piedra. Su padre Odiseo quiso ceder el asiento al que llegaba, pero Telémaco prohibióselo con estas palabras:

44 TELÉMACO. — Siéntate, huésped, que ya hallaremos asiento en otra parte de nuestra majada, y está muy próximo el varón que ha de prepararlo.

46 Así le dijo; y el héroe tornó a sentarse. Para Telémaco, el porquerizo esparció por tierra ramas verdes y cubriólas con una pelleja, en la cual se acomodó el caro hijo de Odiseo. Luego sirviótes el porquerizo platos de carne asada que habían sobrado de la comida de la víspera, amontonó diligentemente el pan en los canastillos, vertió en una copa de piedra vino dulce como la miel, y sentóse enfrente del divinal Odiseo. Todos metieron mano en las viandas que tenían delante. Y ya satisfecho el apetito de beber y de comer, Telémaco habló de este modo al divinal porquerizo:

57 TELÉMACO. — ¡Abuelo! ¿De dónde te ha llegado ese huésped? ¿Cómo los marineros lo trajeron a Ítaca? ¿Quiénes se precian de ser? Pues no me figuro que haya venido andando.

60 Y tú le respondiste así, porquerizo Eumeo:

61 EUMEO. — ¡Oh hijo! voy a decirte la verdad. Se precia de tener su linaje en la espaciosa Creta, y dice que ha andado vagabundo por muchas de las poblaciones de los mortales porque un numen así lo dispuso. Ahora llegó a mi establo, huyendo del bajel de unos tesprotos, y a ti te lo entrego: haz por él lo que quieras, pues a honra tiene el ser tu suplicante.

68 Contestóle el prudente Telémaco:

69 TELÉMACO. — ¡Eumeo! En verdad que me causa gran pena lo que has dicho. ¿Cómo acogeré en mi casa al forastero? Yo soy joven y no tengo confianza en mis manos para rechazar a quien lo injurie; y mi madre trae en su pecho el ánimo indeciso entre quedarse a mi lado y cuidar de la casa, por respeto al lecho conyugal y temor del dicho de la gente, o

irse con quien sea el mejor de los aqueos que la pretenden en el palacio y le haga más donaciones. Pero, ya que ese huésped llegó a tu morada, le entregaré un manto y una túnica, vestidos muy hermosos, le daré una espada de doble filo y sandalias para los pies, y le enviaré adonde su corazón y su ánimo prefieran. Y si quieres, cuídate de él, teniéndolo en la majada que yo te enviaré vestidos y manjares de toda especie para que coma y no os sea gravoso ni a ti ni a tus compañeros. Mas, no he de permitir que vaya allá, a juntarse con los pretendientes cuya malvada insolencia es tan grande, para evitar que lo zahieran y me causen un grave disgusto; pues un hombre, por fuerte que sea, nada consigue revolviéndose contra tantos, que al fin son mucho más poderosos.

90 Díjole entonces el paciente divinal Odiseo:

91 ODISEO. — ¡Oh amigo! Puesto que es justo que te responda, se me desgarra el corazón cuando te oigo hablar de las iniquidades que, según decís, maquinan los pretendientes en el palacio, contra tu voluntad y siendo cual eres. Dime si te sometes voluntariamente, o te odia quizá la gente del pueblo a causa de lo revelado por una deidad, o si por acaso te quejas de tus hermanos; pues, con la ayuda de éstos, cualquier hombre pelea confiadamente, aunque sea grande la lucha que se levante. Ojalá que, con el ánimo que tengo, gozara de tu juventud y fuera hijo del eximio Odiseo o éste en persona que, vagando, volviese a su patria (pues aún hay esperanza de que así suceda): cortárame la cabeza un varón enemigo, si no me convertía entonces en una calamidad para todos aquéllos, encaminándome al palacio de Odiseo Laertíada. Y si, con estar yo solo, hubiera de sucumbir ante la multitud de los mismos, más querría recibir la muerte en mi palacio que presenciar continuamente esas acciones inicuas: huéspedes maltratados, siervas forzadas indignamente en las hermosas estancias, el vino exhausto; y los pretendientes comiendo de temerario modo, sin cesar, y por una empresa que no ha de llevarse a cumplimiento.

112 Respondióle el prudente Telémaco:

113 TELÉMACO. — ¡Oh forastero! Voy a informarte con gran sinceridad. No me hice odioso para que se airara conmigo todo el pueblo; ni tampoco he de quejarme de los hermanos, con cuya ayuda cualquier hombre pelea confiadamente aunque sea grande la lucha que se levante, pues el Cronión hizo que fueran siempre unigénitos los de mi linaje. Arcesio engendró a Laertes, su hijo único; éste no engendró más que a mi padre Odiseo; y Odiseo, después de haberme engendrado a mí tan solamente, dejóme en el palacio y no disfrutó de mi compañía. Por esto hay en nuestra mansión innumerables enemigos. Cuantos próceres mandan en las islas, en Duliquio, en Same y en la selvosa Zacinto, y cuantos imperan en la áspera Ítaca, todos pretenden a mi madre y arruinan nuestra casa. Mi madre ni rechaza las odiosas nupcias, ni sabe poner fin a tales cosas y ellos comen y agotan mi hacienda, y pronto acabarán conmigo mismo. Mas el asunto está en mano de los dioses. Y ahora tú, abuelo, ve aprisa y dile a la discreta Penélope que estoy a salvo y que he llegado de Pilos.

Yo me quedaré aquí y tú vuelve inmediatamente que se lo hayas participado, pero a ella sola y sin que ninguno de los demás aqueos se entere; pues son muchos los que maquinan en mi daño cosas malas.

[35] Y tú le respondiste así, porquerizo Eumeo:

[136] EUMEO. — Entiendo, hágome cargo, lo mandas a quien te comprende. Mas, ea, habla y dime con sinceridad si me iré de camino a participárselo al infortunado Laertes; el cual, aunque pasaba gran pena por la ausencia de Odiseo, iba a vigilar las labores y dentro de su casa comía y bebía con los siervos cuando su ánimo se lo aconsejaba; pero dicen que ahora, desde que te fuiste en la nave a Pilos, no come ni bebe como acostumbraba, ni vigila las labores, antes está sollozando y lamentándose, y la piel se le seca en torno a los huesos.

[146] Contestóle el prudente Telémaco:

[147] TELÉMACO. — Muy triste es, pero dejémoslo aunque nos duela; que si todo se hiciese al arbitrio de los mortales, escogeríamos primeramente que luciera el día del regreso de mi padre. Tú vuelve así que hayas dado la noticia y no vagues por los campos en busca de aquél; pero encarga a mi madre que le envíe escondidamente y sin perder tiempo la esclava despensera; y ésta se lo participará al anciano.

[154] Dijo, y dio prisa al porquero; quien tomó las sandalias y atándoselas a los pies, se fue a la ciudad. No dejó Atenea de advertir que el porquerizo Eumeo salía de la majada; y se acercó a ésta, transfigurándose en una mujer hermosa, alta y entendida en espléndidas labores. Paróse al umbral de la cabaña y se le apareció a Odiseo, sin que Telémaco la viese, ni notara su llegada, pues los dioses no se hacen visibles para todos; mas Odiseo la vio y también los canes, que no ladraron, sino que huyeron, dando gañidos, a otro lugar de la majada. Hizo Atenea una señal con las cejas; la entendió el divino Odiseo y salió de la cabaña, transponiendo el alto muro del patio. Detúvose luego ante la deidad y oyó a Atenea que le decía:

[167] ATENEA. — ¡Laertíada, del linaje de Zeus! ¡Odiseo, fecundo en ardides! Habla con tu hijo y nada le ocultes, para que, después de tramar cómo daréis la muerte y la Parca a los pretendientes, os vayáis a la ínclita ciudad; que yo no permaneceré mucho tiempo lejos de vosotros, deseosa como estoy de entrar en combate.

[172] Dijo Atenea; y, tocándole con la varita de oro, le cubrió el pecho con una túnica y un manto limpio, y le aumentó la talla y el vigor juvenil. El héroe recobró también su color moreno, se le redondearon las mejillas y ennegreciósele el pelo de la barba. Hecho esto, la diosa se fue, y Odiseo volvió a la cabaña. Viole con gran asombro su hijo amado, el cual se turbó, volvió los ojos a otra parte, por si acaso aquella persona fuese alguna deidad, y le dijo estas aladas palabras:

[181] TELÉMACO. — ¡Oh forastero! Te muestras otro en comparación de antes, pues se han cambiado tus vestiduras y tu cuerpo no se parece al que tenías. Indudablemente debes de ser uno de los dioses que poseen el anchuroso cielo. Pues sénos propicio, a fin de que te ofrezca-

mos sacrificios agradables y áureos presentes de fina labor. ¡Apiádate de nosotros!

186 Contestóle el paciente divinal Odiseo:

187 ODISEO. — No soy ningún dios. ¿Por qué me confundes con los inmortales? Soy tu padre, por quien gimes y sufres tantos dolores y aguantas las violencias de los hombres.

190 Diciendo así, besó a su hijo y dejó que las lágrimas, que hasta entonces había detenido, le cayeran por las mejillas en tierra. Mas Telémaco, como aún no estaba convencido de que aquél fuese su padre, respondióle nuevamente con estas palabras:

194 TELÉMACO. — Tú no eres mi padre Odiseo, sino un dios que me engaña para que luego me lamente y suspire aún más; que un mortal no haría tales cosas con su inteligencia, a no ser que se le acercase un dios y lo transformara fácilmente y a su antojo en joven o viejo. Poco ha eras anciano y estabas vestido miserablemente; mas ahora te pareces a los dioses que habitan el anchuroso cielo.

201 Replicóle el ingenioso Odiseo:

202 ODISEO. — ¡Telémaco! No conviene que te admires de tan extraordinaria manera, ni que te asombres de tener a tu padre aquí dentro; pues ya no vendrá otro Odiseo, que ése soy yo, tal como ahora me ves, que, habiendo padecido y vagado mucho, torno en el vigésimo año a la patria tierra. Lo que has presenciado es obra de Atenea, que impera en las batallas; la cual me transforma a su gusto, porque puede hacerlo; y unas veces me cambia en un mendigo y otras en un joven que cubre su cuerpo con hermosas vestiduras. Muy fácil es para las deidades que residen en el anchuroso cielo dar gloria a un mortal o envilecerle.

213 Dichas estas palabras, se sentó. Telémaco abrazó a su padre, entre sollozos y lágrimas. A entrambos les vino el deseo del llanto y lloraron ruidosamente, plañendo más que las aves —águilas o buitres de corvas uñas— cuando los rústicos les quitan los hijuelos que aún no volaban: de semejante manera, derramaron aquéllos tantas lágrimas que movían a compasión. Y entregados al llanto los dejara el sol al ponerse, si Telémaco no hubiese dicho repentinamente a su padre:

222 TELÉMACO. — ¿En qué nave los marineros te han traído acá, a Ítaca, padre amado? ¿Quiénes se precian de ser? Pues no creo que hayas venido andando.

225 Díjole entonces el paciente divinal Odiseo:

226 ODISEO. — Yo te contaré, oh hijo, la verdad. Trajéronme los feacios, navegantes ilustres que suelen conducir a cuantos hombres arriban a su tierra: me transportaron por el ponto en su velera nave mientras dormía y me dejaron en Ítaca, habiéndome dado espléndidos presentes (bronce, oro en abundancia y vestiduras tejidas) que se hallan en una cueva por la voluntad de los dioses. Y he venido acá, por consejo de Atenea, a fin de que tramemos la muerte de nuestros enemigos. Mas, ea, enumérame y descríbeme los pretendientes para que, sabiendo yo cuán-

tos y cuáles son, medite en mi ánimo irreprensible si nosotros dos nos bastaremos contra todos o será preciso buscar ayuda.

240 Respondióle el prudente Telémaco:

241 TELÉMACO. — ¡Oh padre! Siempre oí decir que eres famoso por el valor de tus manos y por la prudencia de tus consejos; pero es muy grande lo que dijiste y me tienes asombrado, que no pudieran dos hombres solos luchar contra muchos y esforzados varones. Pues los pretendientes no son una decena justa, ni dos tan solamente, sino muchos más, y pronto vas a saber el número. De Duliquio vinieron cincuenta y dos mozos escogidos, a los que acompañan seis criados; otros veinticuatro mancebos son de Same, de Zacinto hay veinte jóvenes aqueos; y de la misma Ítaca, doce, todos ilustres; y están con ellos el heraldo Medonte, un divinal aedo y dos criados peritos en el arte de trinchar. Si arremetemos contra todos los que se hallan dentro, temo que, ahora que has llegado, pagues muy amarga y terriblemente el propósito de castigar sus demasías. Pero tú piensa si es posible hallar algún defensor que nos ayude con ánimo benévolo.

258 Contestóle el paciente divinal Odiseo:

259 ODISEO. — Voy a decirte una cosa; atiende y óyeme. Reflexiona si nos bastaría Atenea y el padre Zeus, o he de buscar algún otro defensor.

262 Respondióle el prudente Telémaco:

263 TELÉMACO. — Buenos son los defensores de que me hablas, aunque residen en lo alto, en las nubes; que ellos imperan sobre los hombres y los inmortales dioses.

266 Díjole a su vez el paciente divinal Odiseo:

267 ODISEO. — No permanecerán mucho tiempo apartados de la encarnizada lucha, así que la fuerza de Ares ejerza el oficio de juez en el palacio entre los pretendientes y nosotros. Ahora tú, apenas se descubra la aurora, vete a casa y mézclate con los soberbios pretendientes, y a mí el porquerizo me llevará más tarde a la población, transformado en viejo y miserable mendigo. Si me ultrajaren en el palacio, sufre en el corazón que tienes en el pecho que yo padezca malos tratamientos. Y si vieres que me echan, arrastrándome en el palacio por los pies, o me hieren con saetas, pasa por ello también. Mándales únicamente, amonestándolos con dulces palabras, que pongan fin a sus locuras; mas ellos no te harán caso, que ya les llegó el día fatal. Otra cosa te diré que guardarás en tu corazón: tan luego como la sabia Atenea me lo inspire, te haré una señal con la cabeza; así que la notes, llévate las marciales armas que hay en el palacio, colócalas en lo hondo de mi habitación de elevado techo y engaña a los pretendientes con suaves palabras cuando, echándolas de menos, te pregunten por ellas: «Las he llevado lejos del humo, porque ya no parecen las que dejó Odiseo al partir para Troya; sino que están afeadas en la parte que alcanzó el ardor del fuego. Además, el Cronión sugirióme en la mente esta otra razón más poderosa: no sea que, embriagándoos, trabéis una disputa, os hiráis los unos a los otros, y mancilléis el convite y el noviazgo; que ya el hierro por sí solo atrae al

hombre.» Tan solamente dejarás para nosotros dos espadas, dos lanzas y dos escudos de boyuno cuero, que podamos tomar al acometer a los pretendientes y a éstos los ofuscarán después Palas Atenea y el próvido Zeus. Otra cosa te diré que guardarás en tu corazón: si en verdad eres hijo mío y de mi sangre, ninguno oiga decir que Odiseo está dentro, ni lo sepa Laertes, ni el porquerizo, ni los domésticos, ni la misma Penélope, sino solos tú y yo procuremos conocer la disposición en que se hallan las mujeres y pongamos a prueba los esclavos, para averiguar cuáles nos honran y nos temen en su corazón y cuáles no se cuidan de nosotros y te desprecian a ti siendo cual eres.

308 Contestándole, le habló así su preclaro hijo:

309 TELÉMACO. — ¡Oh padre! Figúrome que pronto te será conocido mi ánimo, que no es la flaqueza de espíritu lo que me domina; mas no creo que lo que propones haya de sernos ventajoso y te invito a meditarlo. Andarás mucho tiempo y en vano si quieres probar a cada uno, yéndote por los campos; mientras ellos, muy tranquilos en el palacio, devoran nuestros bienes orgullosa e inmoderadamente. Yo te exhorto a que averigües cuáles mujeres te hacen poco honor y cuáles están sin culpa; pero no quisiera ir a probar a los hombres por las majadas, sino dejarlo para más tarde, en el supuesto de que hayas visto verdaderamente alguna señal enviada por Zeus, que lleva la égida.

321 Así éstos conversaban. En tanto, arribaba a Ítaca la bien construida nave que traía de Pilos a Telémaco y a todos sus compañeros; los cuales, así que llegaron al profundo puerto, sacaron la negra embarcación a tierra firme, y, después de llevarse los aparejos unos diligentes servidores, transportaron ellos los magníficos presentes a la morada de Clitio. Luego enviaron un heraldo a la casa de Odiseo, que diese nuevas a la prudente Penélope de cómo Telémaco estaba en el campo y había ordenado que el bajel navegase hacia la ciudad, para evitar que la ilustre reina, sintiendo temor en su corazón, derramara tiernas lágrimas. Encontráronse el heraldo y el divinal porquerizo, que iban a dar a la reina la misma nueva, y tan pronto como llegaron a la casa del divino rey, dijo el heraldo en medio de las esclavas:

337 EL HERALDO. — ¡Oh reina! Ya llegó de Pilos tu hijo amado.

338 El porquerizo se acercó a Penélope, le refirió cuanto su hijo ordenaba que se le dijese y, hecho el mandado, volvióse a sus puercos, dejando atrás la cerca y el palacio.

342 Los pretendientes, afligidos y confusos, salieron del palacio, traspusieron el alto muro del patio y sentáronse delante de la puerta. Y Eurímaco, hijo de Pólibo, comenzó a arengarles:

346 EURÍMACO. — ¡Oh amigos! ¡Gran proeza ha ejecutado orgullosamente Telémaco con ese viaje! ¡Y decíamos que no lo llevaría a efecto! Mas, ea, echemos al agua la mejor nave negra, proveámosla de remadores, y vayan al punto a decir a aquéllos que vuelvan prestamente al palacio.

[351] Apenas hubo dicho estas palabras, cuando Anfínomo, volviéndose desde su sitio, vio que el bajel entraba en el hondísimo puerto y sus tripulantes amainaban las velas o tenían el remo en la mano. Y con suave risa dijo a sus compañeros:

[355] Anfínomo. — No enviemos ningún mensaje, que ya están en el puerto, sea porque un dios se lo haya dicho, sea porque vieron pasar la nave y no lograron alcanzarla.

[358] Así habló. Levantáronse todos, fuéronse a la ribera del mar, sacaron en el acto la negra nave a tierra firme y los diligentes servidores se llevaron los aparejos. Seguidamente se encaminaron juntos al ágora, no dejando que se sentase con ellos ningún otro hombre, ni mozo ni anciano. Y Antínoo, hijo de Eupites, hablóles de esta suerte:

[364] Antínoo. — ¡Oh dioses! ¡Cómo las deidades libraron del mal a ese hombre! Durante el día los atalayas estaban sentados en las ventosas cumbres, sucediéndose sin interrupción; y después de ponerse el sol, jamás pasamos la noche en tierra firme, pues, yendo por el ponto en la velera nave hasta la aparición de la divinal Aurora, acechábamos la llegada de Telémaco para aprisionarle y acabar con él; y en tanto lo condujo a su casa alguna deidad. Mas, tramemos algo ahora mismo para que le podamos dar deplorable muerte: no sea que se nos escape; pues se me figura que mientras viva no se llevarán a cumplimiento nuestros intentos, ya que él sobresale por su consejo e inteligencia y nosotros no nos hemos congraciado totalmente con el pueblo. Ea, antes que Telémaco reúna a los aqueos en el ágora (y opino que no dejará de hacerlo, sino que guardará su cólera y, levantándose en medio de todos, les participará que tramamos contra él una muerte terrible, sin que lográramos alcanzarle; y los demás, en oyéndolo, no han de alabar estas malas acciones y quizá nos causen daño y nos echen de nuestra tierra, y tengamos que irnos a otro país), prevengámosle con darle muerte en el campo, lejos de la ciudad, o en el camino; apoderémonos de sus bienes y heredades a fin de repartírnoslas equitativamente; y entreguemos el palacio a su madre y a quien la despose, para que en común lo posean. Y si esta proposición os desplace y queréis que Telémaco viva y conserve íntegros los bienes paternos, de hoy más no le comamos en gran abundancia, reunidos todos aquí, las agradables riquezas; antes bien, pretenda cada cual desde su casa a Penélope solicitándola con regalos de boda, y cásese ella con quien le haga más presentes y venga designado por el destino.

[393] Así habló. Todos enmudecieron y quedaron silenciosos, hasta que les arengó el preclaro hijo del rey Niso Aretíada, Anfínomo, que había venido de la herbosa Duliquio, abundante en trigo, estaba a la cabeza de los pretendientes y era el más grato a Penélope porque sus palabras manifestaban buenos sentimientos. Éste, pues, les arengó con benevolencia diciendo:

[400] Anfínomo. — ¡Oh amigos! Yo no quisiera matar de esa suerte a Telémaco, que es grave cosa destruir el linaje de los reyes; sino consultar primeramente la voluntad de las deidades. Si los decretos del gran Zeus

lo aprobaren, yo mismo lo mataría, exhortándoos a todos a que me ayudaraís; mas si los dioses nos apartaran de ese intento, os invitaría a que desistierais.

[406] Así se expresó Anfínomo y a todos les plugo lo que dijo. Levantáronse en seguida, fuéronse a la casa de Odiseo y, en llegando, tomaron asiento en pulimentadas sillas.

[409] Entonces la prudente Penélope decidió otra cosa: mostrarse a los pretendientes que se portaban con orgullosa insolencia; pues supo por el heraldo Medonte, el cual había oído las deliberaciones, que en el palacio se tramaba la muerte de su propio hijo. Fuese hacia la sala, acompañándola sus esclavas. Cuando la divina entre las mujeres hubo llegado adonde estaban los pretendientes, paróse ante la columna que sostenía el techo sólidamente construido, con las mejillas cubiertas por espléndido velo, e increpó a Antínoo, diciéndole de esta suerte:

[418] PENÉLOPE. — ¡Antínoo, poseído de insolencia, urdidor de maldades! Dicen en el pueblo de Ítaca que descuellas sobre los de tu edad en el consejo y en la elocuencia, mas no eres ciertamente cual se figuran. ¡Desatinado! ¿Por qué estás maquinando cómo dar a Telémaco la muerte y el destino, y no te cuidas de los suplicantes, los cuales tienen por testigo a Zeus? No es justo que traméis males los unos contra los otros. ¿Acaso ignoras que tu padre vino acá huido, por temor al pueblo? Hallábase éste muy irritado contra él, porque había ido, siguiendo a unos piratas tafios, a causar daño a los tesprotos, nuestros aliados; y querían matarlo, y arrancarle el corazón, y devorar sus muchos y agradables bienes; pero Odiseo los contuvo e impidió que lo hicieran, no obstante su deseo. Y ahora te comes ignominiosamente su casa, pretendes a su mujer, intentas matarle el hijo y me tienes grandemente contristada. Mas yo te requiero que ceses ya y mandes a los demás que hagan lo propio.

[434] Respondióle Eurímaco, hijo de Pólibo:

[435] EURÍMACO. — ¡Hija de Icario! ¡Discreta Penélope! Cobra ánimo y no te apures por tales cosas. No hay hombre, ni lo habrá, ni nacerá siquiera, que ponga sus manos en tu hijo Telémaco mientras yo viva y vea la luz acá en la tierra. Lo que voy a decir llevárase al cabo: presto su negruzca sangre correría en torno de mi lanza. Muchas veces Odiseo, el asolador de ciudades, tomándome sobre sus rodillas, me puso en la mano carne asada y me dio a beber rojo vino; por esto Telémaco me es caro sobre todos los hombres y le exhorto a no temer la muerte que pueda venirle de los pretendientes; que la enviada por los dioses es inevitable.

[448] Así le habló para tranquilizarla; pero también maquinaba la muerte de Telémaco. Y Penélope se fue nuevamente a la espléndida habitación superior, donde lloró a Odiseo, su querido esposo, hasta que Atenea, la de ojos de lechuza, le difundió en los párpados el dulce sueño.

[452] Al caer de la tarde, el divinal porquerizo volvió junto a Odiseo y su hijo, los cuales habían sacrificado un puerco añal y aparejaban la cena. Entonces se les acercó Atenea y, tocando con su vara a Odiseo Laertíada, lo convirtió otra vez en anciano y le cubrió el cuerpo con miserables ves-

tiduras: no fuera que el porquerizo, al verle cara a cara, lo reconociese, y, en vez de guardar la noticia en su pecho, partiera para anunciársela a la discreta Penélope.

460 Telémaco fue el primero en hablar y dijo de esta suerte:

461 TELÉMACO. — ¡Llegaste ya, divinal Eumeo! ¿Qué se dice por la población? ¿Están en ella, de regreso de la emboscada, los soberbios pretendientes o me acechan aún, esperando que vuelva a mi casa?

464 Y tú le respondiste así, porquerizo Eumeo:

465 EUMEO. — No me cuidé de inquirir ni de preguntar tales cosas mientras anduve por la ciudad; pues tan luego como di la noticia, incitóme el ánimo a venirme con toda diligencia. Encontróse conmigo un heraldo, diligente nuncio de tus compañeros, que fue el primero que le habló a tu madre. También sé otra cosa, que he visto con mis ojos. Al volver, cuando ya me hallaba más alto que la ciudad, donde está el cerro de Hermes, vi que una velera nave bajaba a nuestro puerto; y en ella había multitud de hombres, y estaba cargada de escudos y de lanzas de doble filo. Creí que serían ellos, mas no puedo asegurarlo.

476 Así se expresó. Sonrióse el esforzado y divinal Telémaco y volvió los ojos a su padre, recatándose de que lo viera el porquerizo.

478 Terminada la faena y dispuesto el banquete, comieron, y a nadie le faltó su respectiva porción. Y ya satisfecha la gana de beber y de comer, pensaron en acostarse y el don del sueño recibieron.

RAPSODIA XVII

VUELTA DE TELÉMACO A ÍTACA

Así que se descubrió la hija de la mañana, la Aurora de rosáceos dedos, Telémaco, hijo amado del divino Odiseo, ató a sus pies hermosas sandalias, asió una fornida lanza que se adaptaba a su mano y, disponiéndose a partir para la ciudad, habló de este modo a su porquerizo:

[6] TELÉMACO. — ¡Abuelo! Voyme a la ciudad, para que me vea mi madre; pues no creo que deje el triste llanto, ni el luctuoso gemir, hasta que nuevamente me haya visto. A ti te ordeno que lleves el infeliz huésped a la población, a fin de que mendigue en ella para comer, y el que quiera le dará un mendrugo y una copa de vino; pues yo tengo el ánimo apesarado y no puedo hacerme cargo de todos los hombres. Y si el huésped se irritase mucho, peor para él; que a mí me gusta decir las verdades.

[16] Respondióle el ingenioso Odiseo:

[17] ODISEO. — ¡Amigo! También yo prefiero que no me detengan, pues más le conviene a un pobre mendigar la comida por la ciudad que por los campos. Me dará el que quiera. Por mi edad ya no estoy para quedarme en la majada y obedecer a un amo en todas las cosas que me ordenare. Vete, pues; que a mí me acompañará ese hombre a quien se lo mandaste, tan pronto como me caliente al fuego y venga el calor del día; no fuera que, hallándose en tan mal estado mis vestiduras, el frío de la mañana acabase conmigo, pues decís que la ciudad está lejos.

[26] Así se expresó. Salió Telémaco de la majada, andando a buen paso y maquinando males contra los pretendientes. Cuando llegó al cómodo palacio, arrimó su lanza a una alta columna y entróse más adentro, pasando el lapídeo umbral.

[31] Violе la primera de todas Euriclea, su nodriza, que se ocupaba en cubrir con pieles los labrados asientos, y corrió a su encuentro derramando lágrimas. Asimismo se juntaron a su alrededor las demás esclavas de Odiseo, de ánimo paciente; y todas le abrazaron, besándole la cabeza y los hombros.

[36] Salió de su estancia la discreta Penélope, que parecía Ártemis o la áurea Afrodita; y, muy llorosa echó los brazos sobre el hijo ama-

do, besóle la cabeza, y los lindos ojos, y dijo, sollozando, estas aladas palabras:

[41] PENÉLOPE. — ¡Has vuelto , Telémaco, mi dulce luz! Ya no pensaba verte más desde que te fuiste en la nave a Pilos, ocultamente y contra mi deseo, en busca de noticias de tu padre. Mas Ea, relátame lo que hayas visto.

[45] Contestóle el prudente Telémaco:

[46] TELÉMACO. — ¡Madre mía! Ya que me he salvado de una terrible muerte, no me incites a que llore, ni me conmuevas el corazón dentro del pecho; antes bien, vete con tus esclavas a lo alto de la casa, lávate, envuelve tu cuerpo en vestidos puros y haz voto de sacrificar a todos los dioses perfectas hecatombes, si Zeus permite que tenga cumplimiento la venganza. Y yo, en tanto, iré al ágora para llamar a un huésped que se vino conmigo al volver acá y lo envié con los compañeros iguales a los dioses, con orden de que Pireo, llevándoselo a su morada, lo tratase con solícita amistad y lo honrara hasta que yo viniera.

[57] Así le dijo; y ninguna palabra voló de los labios de Penélope. Lavóse ésta, envolvió su cuerpo en vestidos puros, e hizo voto de sacrificar a todos los dioses perfectas hecatombes, si Zeus permitía que tuviese cumplimiento la venganza.

[61] TELÉMACO salió del palacio, lanza en mano, y dos canes de ágiles pies le siguieron. Y Atenea puso en él tal gracia divinal que, al verle llegar, todo el pueblo le contemplaba con admiración. Pronto le rodearon los soberbios pretendientes, pronunciando buenas palabras y revolviendo en su espíritu cosas malas; pero se apartó de la gran muchedumbre de ellos y fue a sentarse donde estaban Mentor, Antifo y Haliterses, antiguos compañeros de su padre, que le hicieron preguntas sobre muchas cosas. Presentóse Pireo, señalado por su lanza, que traía el huésped al ágora, por la ciudad; y Telémaco no se quedó lejos de él, sino que en seguida se le puso al lado. Pireo fue el primero en hablar y dijo de semejante modo:

[75] PIREO. — ¡Telémaco! Manda presto mujeres a mi casa, para que te remita los presentes que te dio Menelao.

[77] Respondióle el prudente Telémaco:

[78] TELÉMACO. — ¡Pireo! Aún no sabemos cómo acabarán estas cosas. Si los soberbios pretendientes, matándome a traición en el palacio, se repartieran los bienes de mi padre, quiero más que goces tú de los presentes, que no alguno de ellos; y si yo alcanzare a darles la muerte y la Parca, entonces, estando yo alegre, me los traerás alegre a mi morada.

[84] Diciendo así llevóse el infortunado huésped a su casa. Llegados al cómodo palacio, dejaron sus mantos en sillas y sillones, y fueron a lavarse en unas bañeras muy pulidas. Y una vez lavados y ungidos con aceite por las esclavas, que les pusieron túnicas y lanosos mantos, salieron del baño y sentáronse en sillas. Una esclava dioles aguamanos, que traía en magnífico jarro de oro y vertió en fuente de plata, y puso delante de ellos una pulimentada mesa. La veneranda despensera trájoles pan y dejó

en la mesa buen número de manjares, obsequiándolos con los que tenía guardados. Sentóse la madre enfrente de los dos jóvenes, cerca de la columna en que se apoyaba el techo de la habitación; y, reclinada en una silla, se puso a sacar de la rueca delgados hilos. Aquéllos metieron mano en las viandas que tenían delante. Y cuando hubieron satisfecho las ganas de beber y de comer, la discreta Penélope comenzó a hablarles de esta suerte:

101 PENÉLOPE. — ¡Telémaco! Me iré a la estancia superior para acostarme en aquel lecho que tan luctuoso es para mí y que siempre está regalado de mis lágrimas desde que Odiseo se fue a Ilión con los Atridas; y aún no habrás querido decirme con claridad, antes que los soberbios pretendientes vuelvan a esta casa, si en algún sitio oíste hablar del regreso de tu padre.

107 Respondióle el prudente Telémaco:

108 TELÉMACO. — Yo te referiré, oh madre, la verdad. Fuimos a Pilos para ver a Néstor, pastor de hombres; el cual me recibió en su excelso palacio y me trató tan solícita y amorosamente como un padre al hijo que vuelve tras larga ausencia. ¡Con tal solicitud me acogieron él y sus gloriosos hijos! Pero me aseguró que no había oído que ningún hombre de la tierra hablara del paciente Odiseo, vivo o muerto; y envióme al Atrida Menelao, famoso por su lanza, dándome corceles y un sólido carro. Vi allí a la argiva Helena, que fue causa, por la voluntad de los dioses, de que tantas fatigas padecieran argivos y teucros. No tardó en preguntarme Menelao, valiente en la pelea, qué necesidad me llevaba a la divina Lacedemonia; yo se lo relaté todo sinceramente, y entonces me respondió con estas palabras: «¡Oh dioses! En verdad que quieren acostarse en la cama de un varón muy esforzado aquellos hombres tan cobardes. Así como cuando una cierva pone sus hijuelos recién nacidos, de teta todavía, en la madriguera de un bravo león y se va a pacer por los bosques y los herbosos valles, de semejante modo también Odiseo les ha de dar a aquéllos vergonzosa muerte. Ojalá se mostrase, ¡oh padre Zeus, Atenea, Apolo!, tal como era cuando en la bien construida Lesbos se levantó contra el Filomelida, en una disputa, y luchó con él, y lo derribó con ímpetu, de lo cual se alegraron todos los aqueos; si, mostrándose tal, se encontrara Odiseo con los pretendientes, fuera corta la vida de éstos y las bodas les saldrían muy amargas. Pero en lo que me preguntas y suplicas que te cuente, no quisiera apartarme de la verdad ni engañarte; y de cuantas me refirió el veraz anciano de los mares, no te callaré ni ocultaré ninguna.» Dijo que lo vio, en una isla, abrumado por recios pesares (en el palacio de la ninfa Calipso, que le detiene por fuerza), y que no le es posible llegar a la patria tierra porque no tiene naves provistas de remos ni compañeros que lo conduzcan por el ancho dorso del mar. Así habló el Atrida Menelao, famoso por su lanza. Ejecutadas tales cosas, emprendí la vuelta, y los inmortales concediéronme próspero viento y me han traído con gran rapidez a mi querida patria.

[150] Así dijo; y ella sintió que en el pecho se le conmovía el corazón. Entonces Teoclímeno, semejante a un dios, les dijo de esta suerte:

[152] TEOCLÍMENO — ¡Oh veneranda esposa de Odiseo Laertíada! Aquél nada sabe con claridad, pero oye mis palabras, que yo te haré un vaticinio cierto y no he de ocultarte cosa alguna. Sean testigos primeramente Zeus entre los dioses y luego la mesa hospitalaria y el hogar del intachable Odiseo a que he llegado, de que el héroe ya se halla en su patria tierra, sentado o moviéndose tiene noticia de esas inicuas acciones, y maquina males contra todos los pretendientes. Tal augurio observé desde la nave de muchos bancos, como se lo dije a Telémaco.

[162] Respondióle la discreta Penélope:

[163] PENÉLOPE. — Ojalá se cumpliese lo que dices, oh forastero, que bien pronto conocerías mi amistad; pues te haría tantos presentes que te consideraría dichoso quien contigo se encontrase.

[166] Así éstos conversaban. En tanto divertíanse los pretendientes, delante del palacio de Odiseo, tirando discos y jabalinas en el labrado pavimento donde acostumbraban hacer sus insolencias. Mas cuando fue hora de cenar y vinieron de todos los campos reses conducidas por los pastores que solían traerlas, dijo Medonte, el heraldo que más grato les era a los pretendientes y a cuyos banquetes asistía:

[174] MEDONTE. — ¡Jóvenes! Ya que todos habéis recreado vuestro ánimo con los juegos, venid al palacio y dispondremos la cena, pues conviene que se tome en tiempo oportuno.

[177] Así les habló; y ellos se levantaron y obedecieron sus palabras. Llegados al cómodo palacio, dejaron sus mantos en sillas y sillones, y sacrificaron ovejas muy crecidas, pingües cabras, puercos gordos y una gregai vaca aparejando con ello un banquete.

[182] En esto, disponíanse Odiseo y el divinal porquerizo a partir del campo hacia la ciudad. Y el porquerizo, mayoral de los pastores, comenzó a decir:

[185] EUMEO. — ¡Huésped! Ya que deseas encaminarte hoy mismo a la ciudad, como lo ordenó mi señor (yo preferiría que permanecieses aquí para guardar los establos; mas respeto a aquél y temo que me riña, y las increpaciones de los amos son muy pesadas), ea, vámonos ahora, que ya pasó la mayor parte del día y pronto vendrá la tarde y sentirás el fresco.

[192] Respondióle el ingenioso Odiseo:

[193] ODISEO. — Entiendo, hágome cargo, lo mandas a quien te comprende. Vamos, pues, y guíame hasta que lleguemos. Y si has cortado algún bastón, dámelo para apoyarme; que os oigo decir que la senda es muy resbaladiza.

[197] Dijo, y echóse al hombro el astroso zurrón lleno de agujeros, con su correa retorcida. Eumeo le entregó el palo que deseaba; y seguidamente emprendieron el camino. Quedáronse allí, custodiando la majada, los perros y los pastores, mientras Eumeo conducía hacia la ciudad a su rey, transformado en viejo y miserable mendigo que se apoyaba en el bastón y llevaba el cuerpo entrapado con feas vestiduras.

[204] Mas cuando, recorriendo el áspero camino, halláronse a poca distancia de la ciudad y llegaron a la labrada fuente de claras linfas, de la cual tomaban el agua los ciudadanos —era obra de Ítaco, Nérito y Políctor; rodeábala por todos lados un bosque de álamos, que se nutren en la humedad; vertía el agua, sumamente fresca, desde lo alto de una roca, y en su parte superior se había construido un altar a las ninfas, donde todos los caminantes sacrificaban—, encontróse con ellos el hijo de Dolio, Melantio, que llevaba las mejores cabras de sus rebaños para la cena de los pretendientes y le seguían dos pastores. Así que los vio, increpóles con palabras amenazadoras y groseras. que conmovieron el corazón de Odiseo:

[217] MELANTIO. — Ahora se ve muy cierto que un ruin guía a otro ruin, pues un dios junta siempre a cada cual con su pareja. ¿Adónde, no envidiable porquero, conduces ese glotón, ese mendigo importuno, esa peste de los banquetes, que con su espalda frota las jambas de muchas puertas no pidiendo ciertamente trípodes ni calderos, sino tan sólo mendrugos de pan? Si me lo dieses para guardar mi majada, barrer el establo y llevarles el forraje a los cabritos, bebería suero y echaría gordo muslo. Mas, como ya es ducho en malas obras, no querrá aplicarse al trabajo; antes irá mendigando por la población para llenar su vientre insaciable. Lo que voy a decir se cumplirá: si fuere al palacio del divino Odiseo, rozarán sus costados muchos escabeles que habrán hecho llover sobre su cabeza las manos de aquellos varones.

[233] Así dijo; y, acercándose, diole una coz en la cadera, locamente; pero no le pudo arrojar del camino, sino que el héroe permaneció muy firme. Entonces se le ocurrió a Odiseo acometerle y quitarle la vida con el palo, o levantarlo un poco y estrellarle la cabeza contra el suelo. Mas al fin sufrió el ultraje y contuvo la cólera en su corazón. Y el porquerizo baldonó al otro, mirándole cara a cara, y oró fervientemente levantando las manos:

[240] EUMEO. — ¡Ninfas de las fuentes! ¡Hijas de Zeus! Si Odiseo os quemó alguna vez muslos de corderos y de cabritos, cubriéndolos de pingüe grasa, cumplidme este voto: Ojalá vuelva aquel varón, traído por algún dios: pues él te quitaría toda esa jactancia con que ahora nos insultas, vagando siempre por la ciudad mientras pastores perversos acaban con los rebaños.

[247] Replicóle el cabrero Melantio:

[248] MELANTIO. — ¡Oh dioses! ¡Qué dice ese perro, que sólo entiende en bellaquerías! Un día me lo tengo de llevar lejos de Ítaca, en negro bajel de muchos bancos, para que, vendiéndolo, me procure una buena ganancia. Ojalá Apolo, que lleva arco de plata, hiriera a Telémaco hoy mismo en el palacio, o sucumbiera el joven a manos de los pretendientes; como pereció para Odiseo, lejos de aquí, el día de su regreso.

[254] Cuando así hubo hablado, dejólos atrás, pues caminaban lentamente, y llegó muy presto al palacio del rey. Acto continuo entró en él, sentándose en medio de los pretendientes, frente a Eurímaco, que era a

quien más quería. Sirviéronle unos trozos de carne los que en esto se ocupaban, y trájole pan la veneranda despensera. En tanto, detuviéronse Odiseo y el divinal porquerizo junto al palacio, y oyeron los sones de la hueca cítara, pues Femio empezaba a cantar. Y tomando aquél la mano del porquerizo, hablóle de esta suerte:

264 ODISEO. — ¡Eumeo! Es ésta, sin duda, la hermosa mansión de Odiseo, y sería fácil conocerla aunque entre muchas la viéramos. Tiene más de un piso, cerca su patio almenado muro, las puertas están bien ajustadas y son de dos hojas: ningún hombre despreciaría una casa semejante. Conozco que, dentro de ella, multitud de varones celebran un banquete; pues llegó hasta mí el olor de la carne asada y se oye la cítara, que los dioses hicieron compañera de los festines.

272 Y tú le respondiste así, porquerizo Eumeo:

273 EUMEO. — Fácilmente lo habrás conocido, que tampoco te falta discreción para las demás cosas. Mas, ea, deliberemos sobre lo que puede hacerse. O entra tú primero en el cómodo palacio y mézclate con los pretendientes, y yo me detendré un poco, o, si lo prefieres, quédate tú y yo iré delante, pero no tardes: no sea que alguien, al verte fuera, te tire algo o te dé un golpe. Yo te invito a que pienses en esto.

280 Contestóle el paciente divino Odiseo:

281 ODISEO. — Entiendo, hágome cargo, lo mandas a quien te comprende. Mas, adelántate tú y yo me quedaré, que ya he probado lo que son golpes y heridas y mi ánimo es sufrido por lo mucho que hube de padecer así en el mar como en la guerra; venga, pues, ese mal tras de los otros. No se pueden disimular las instancias del ávido y funesto vientre, que tantos perjuicios les origina a los hombres y por el cual se arman las naves de muchos bancos que surcan el estéril mar y van a causar daño a los enemigos.

290 Así éstos conversaban. Y un perro, que estaba echado, alzó la cabeza y las orejas: era Argos, el can del paciente Odiseo, a quien éste había criado, aunque luego no se aprovechó del mismo porque tuvo que partir a la sagrada Ilión. Anteriormente llevábanlo los jóvenes a correr cabras montesas, ciervos y liebres; mas entonces, en la ausencia de su dueño, yacía abandonado sobre mucho fimo de mulos y de bueyes, que vertían junto a la puerta a fin de que los siervos de Odiseo lo tomasen para estercolar los dilatados campos: allí estaba tendido Argos, todo lleno de garrapatas. Al advertir que Odiseo se aproximaba, le halagó con la cola y dejó caer ambas orejas, mas ya no pudo salir al encuentro de su amo; y éste, cuando lo vio, enjugóse una lágrima que con facilidad logró ocultar a Eumeo, a quien hizo después esta pregunta:

306 ODISEO. — ¡Eumeo! Es de admirar que este can yazga en el fimo, pues su cuerpo es hermoso; aunque ignoro si, con tal belleza, fue ligero para correr o como los que algunos tienen en su mesa y sólo por lujo los crían sus señores.

311 Y tú le respondiste así, porquerizo Eumeo:

[312] EUMEO. — Ese can perteneció a un hombre que ha muerto lejos de nosotros. Si fuese tal como era en el cuerpo y en la actividad cuando Odiseo lo dejó al irse a Troya, pronto admirarías su ligereza y su vigor: no se le escapaba ninguna fiera que levantase, ni aun en lo más hondo de intrincada selva, porque era sumamente hábil en seguir un rastro. Mas ahora abrúmanle los males a causa de que su amo murió fuera de la patria, y las negligentes mozas no lo cuidan, porque los siervos, así que el amo deja de mandarlos, no quieren trabajar como es razón; que el largovidente Zeus le quita al hombre la mitad de la virtud el mismo día en que cae esclavo.

[324] Diciendo así, entróse por el cómodo palacio y se fue derecho a la sala, hacia los ilustres pretendientes. Entonces la Parca de la negra muerte se apoderó de Argos, después que tornara a ver a Odiseo el vigésimo año.

[328] Advirtió el deiforme Telémaco mucho antes que nadie la llegada del porquerizo; y, haciéndole una señal, lo llamó a su lado. Eumeo miró en contorno suyo, tomó una silla desocupada —la que solía utilizar el trinchante al distribuir carne en abundancia a los pretendientes cuando celebraban sus festines en el palacio— y fue a colocarla junto a la mesa de Telémaco, enfrente de éste, que se hallaba sentado. Y luego sirvióle el heraldo viandas y pan, sacándolo de un canastillo.

[336] Poco después que Eumeo, penetró Odiseo en el palacio, transfigurado en un viejo y miserable mendigo que se apoyaba en el bastón y llevaba feas vestiduras. Sentóse en el umbral de fresno, a la parte interior de la puerta, y se recostó en la jamba de ciprés que en otro tiempo el artífice había pulido hábilmente y enderezado valiéndose de un nivel. Y Telémaco llamó al porquerizo y le dijo, después de tomar un pan entero del hermoso canasto y tanta carne como le cupo en las manos:

[345] TELÉMACO. — Dáselo al forastero y mándale que pida a todos los pretendientes, acercándose a ellos; que al que está necesitado no le conviene ser vergonzoso.

[348] Así se expresó. Fuese el porquero al oírlo y, llegado que hubo adonde estaba Odiseo, díjole estas aladas palabras:

[350] EUMEO. — ¡Oh forastero! Telémaco te da lo que te traigo y te manda que pidas a todos los pretendientes, acercándote a ellos; pues dice que al mendigo no le conviene ser vergonzoso.

[353] Respondióle el ingenioso Odiseo:

[354] ODISEO. — ¡Zeus soberano! Haz que Telémaco sea dichoso entre los hombres y que se cumpla cuanto su corazón desea

[356] Dijo; y tomó las viandas con ambas manos, las puso delante de sus pies, encima del astroso zurrón, y comió mientras el aedo cantaba en el palacio; de suerte que, cuando acabó la cena, el divinal aedo llegaba al fin de su canto. Los pretendientes empezaron a mover alboroto en la sala, y Atenea se acercó a Odiseo Laertíada excitándole a que les pidiera algo y fuera recogiendo mendrugos, para conocer cuáles de aquéllos eran justos y cuáles malvados, aunque ninguno tenía que librarse de la ruina.

Fue, pues, el héroe a pedirle a cada varón, comenzando por la derecha, y a todos les alargaba la mano como si desde largo tiempo mendigase. Ellos, compadeciéndole, le daban limosna, le miraban con extrañeza y preguntábanse unos a otros quién era y de dónde había venido. Y el cabrero Melantio hablóles de esta suerte:

370 MELANTIO. — Oídme, pretendientes de la ilustre reina, que os voy a hablar del forastero, a quien vi antes de ahora. Guiábalo hacia acá el porquerizo, pero a él no le conozco, ni sé de dónde se precia de ser por su linaje.

374 Así les habló; y Antínoo increpó al porquerizo con estas palabras:

375 ANTÍNOO. — ¡Ah, famoso porquero! ¿Por qué lo trajiste a la ciudad? ¿Acaso no tenemos bastantes vagabundos, que son mendigos importunos y peste de los festines? ¿O te parece poco que los que aquí se juntan devoren los bienes de tu señor y has ido a otra parte a llamar a éste?

380 Y tú le respondiste así, porquerizo Eumeo:

381 EUMEO. — ¡Antínoo! No hablas bien, aunque seas noble. ¿Quién iría a parte alguna a llamar a nadie, como no fuese de los que ejercen su profesión en el pueblo un adivino, un médico para curar las enfermedades, un carpintero o un divinal aedo que nos deleite cantando? Éstos son los mortales a quienes se llama en la tierra inmensa; pero nadie traería a un pobre para que le arruinase. Siempre has sido el más áspero de todos los pretendientes para los esclavos de Odiseo y en especial para mí; aunque no por ello he de resentirme, mientras me vivan en el palacio la discreta Penélope y Telémaco, semejante a un dios.

392 Contestóle el prudente Telémaco:

393 TELÉMACO. — Calla, no le respondas largamente; que Antínoo suele irritarnos siempre y de mal modo con ásperas palabras, e incita a los demás a hacer lo propio.

396 Dijo; y hablóle a Antínoo con estas aladas palabras:

397 TELÉMACO. — ¡Antínoo! ¡En verdad que miras por mí con tanto cuidado como un padre por su hijo, cuando con duras voces me ordenas arrojar del palacio a ese huésped! ¡No permita la divinidad que así suceda! Coge algo y dáselo, que no te lo prohíbo, antes bien te invito a hacerlo, y no temas que lo lleven a mal ni mi madre, ni ninguno de los esclavos que viven en la casa del divino Odiseo. Mas no hay en tu pecho tal propósito, que prefieres comértelo a darlo a nadie.

405 Antínoo le respondió diciendo:

406 ANTÍNOO. — ¡Telémaco altílocuo, incapaz de moderar tus ímpetus! ¿Qué has dicho? Si todos los pretendientes le dieran tanto como yo, se estaría tres meses en su casa, lejos de nosotros.

409 Así habló; y mostróle, tomándolo de debajo de la mesa, el escabel en que apoyaba sus nítidas plantas cuando asistía a los banquetes. Pero todos los demás le dieron algo, de modo que el zurrón se llenó de pan y de carne. Y ya Odiseo iba a tornar al umbral para comer lo que le habían

regalado los aqueos, pero se detuvo cerca de Antínoo y le dijo estas palabras:

415 ODISEO. — Dame algo, amigo; que no me pareces el peor de los aqueos, sino, por el contrario, el mejor, ya que te asemejas a un rey. Por eso te corresponde a ti, más aún que a los otros, darme alimento; y yo divulgaré tu fama por la tierra inmensa. En otra época, también yo fui dichoso entre los hombres, habité una rica morada, y dí muchas veces limosna al vagabundo, cualquiera que fuese y hallárase en la necesidad en que se hallase; entonces tenía innúmeros esclavos y otras muchas cosas con las cuales los hombres viven en regalo y gozan fama de opulentos. Mas Zeus Cronión me arruinó, porque así lo quiso, incitándome a ir al Egipto con errabundos piratas; viaje largo, en el cual había de hallar mi perdición. Así que detuve en el río Egipto los corvos bajeles, después de mandar a los fieles compañeros que se quedaran a custodiar las embarcaciones, envié espías a los parajes oportunos para explorar la comarca. Pero los míos, cediendo a la insolencia por seguir su propio impulso, empezaron a devastar los hermosísimos campos de los egipcios; y se llevaban las mujeres y los niños, y daban muerte a los varones. No tardó el clamoreo en llegar a la ciudad. Sus habitantes, habiendo oído los gritos, vinieron al amanecer; el campo se llenó de infantería, de caballos y de reluciente bronce; Zeus, que se huelga con el rayo, mandó a mis compañeros la perniciosa fuga; y ya, desde entonces, nadie se atrevió a resistir, pues los males nos cercaban por todas partes. Allí nos mataron con el agudo bronce muchos hombres, y a otros se los llevaron vivos para obligarles a trabajar en provecho de los ciudadanos. A mí me entregaron a un forastero que se halló presente, a Dmétor Yásida; el cual me llevó a Chipre, donde reinaba con gran poder, y de allí he venido, después de padecer muchos infortunios.

445 Antínoo le respondió diciendo:

446 ANTÍNOO. — ¿Qué dios nos trajo esa peste, esa amargura del banquete? Quédate ahí, en medio, a distancia de mi mesa: no sea que pronto vayas al amargo Egipto y a Chipre, por ser un mendigo tan descarado y audaz. Ahora te detienes ante cada uno de éstos que te dan locamente, porque ni usan de moderación ni sienten piedad al regalar cosas ajenas de que disponen en gran abundancia.

453 Díjole, retrocediendo, el ingenioso Odiseo:

454 ODISEO. — ¡Oh dioses! En verdad que el juicio que tienes no se corresponde con tu presencia. No darías de tu casa ni tan siquiera sal a quien te la pidiera cuando, sentado a la mesa ajena, no has querido entregarme un poco de pan, con tener a mano tantas cosas.

458 Así se expresó. Irritóse Antínoo aún más en su corazón y, encarándole la torva vista, le dijo estas aladas palabras:

460 ANTÍNOO. — Ya no creo que puedas volver atrás y salir impune de esta sala, habiendo proferido tales injurias.

462 Así habló; y, tomando el escabel, tiróselo y acertóle en el hombro derecho, hacia la extremidad de la espalda. Odiseo se mantuvo firme

como una roca, sin que el golpe de Antínoo le hiciera vacilar; pero meneó en silencio la cabeza, agitando en lo íntimo de su pecho siniestros ardides. Retrocedió en seguida al umbral, sentóse, puso en tierra el zurrón que llevaba repleto, y dijo a los pretendientes:

468 ODISEO. — Oídme, pretendientes de la ilustre reina, para que os manifieste lo que en el pecho el ánimo me ordena deciros. Ningún varón siente dolor en el alma ni pesar alguno al ser herido cuando pelea por sus haciendas, por sus bueyes o por sus blancas ovejas; mas Antínoo hirióme a mí por causa del odioso y funesto vientre, que tantos males acarrea a los hombres. Si en alguna parte hay dioses y Erinies para los mendigos, cójale la muerte a Antínoo antes que el casamiento se lleve a término.

477 Díjole nuevamente Antínoo, hijo de Eupites:

478 ANTÍNOO. — Come sentado tranquilamente, oh forastero, o vete a otro lugar: no sea que, con motivo de lo que hablas, estos jóvenes te arrastren por la casa, asiéndose de un pie o de una mano, y te laceren todo el cuerpo.

481 Así dijo. Todos sintieron vehemente indignación y alguno de aquellos soberbios mozos habló de esta manera:

483 UNA VOZ. — ¡Antínoo! No procediste bien, hiriendo al infeliz vagabundo. ¡Insensato! ¿Y si por acaso fuese alguna celestial deidad? Que los dioses, haciéndose semejantes a huéspedes de otros países y tomando toda clase de figuras, recorren las ciudades para conocer la insolencia o la justicia de los hombres.

488 Así hablaban los pretendientes, pero Antínoo no hizo caso de sus palabras. Telémaco sintió en su pecho una gran pena por aquel golpe, sin que por esto le cayese ninguna lágrima desde los ojos al suelo; pero meneó con silencio la cabeza, agitando en lo íntimo de su pecho siniestros ardides.

492 Cuando la discreta Penélope oyó decir que al huésped lo había herido Antínoo en la sala, habló así en medio de sus esclavas:

494 PENÉLOPE. — ¡Ojalá Apolo, célebre por su arco, te hiriese a ti de la misma manera!

495 Díjole entonces Eurínome, la despensera:

496 EURÍNOME. — Si nuestros votos se cumpliesen, ninguno de aquellos viviría cuando llegue la Aurora de hermoso trono.

498 Respondióle la discreta Penélope:

499 PENÉLOPE. — ¡Ama! Todos son aborrecibles porque traman acciones inicuas; pero Antínoo casi tanto como la negra Parca. Un infeliz forastero anda por el palacio y pide limosna, pues la necesidad le apremia; los demás le llenaron el zurrón con sus dádivas, y éste le ha tirado el escabel, acertándole en el hombro derecho.

505 Así habló, sentada en su estancia entre las siervas, mientras el divinal Odiseo cenaba. Y luego, habiendo llamado al divinal porquero, le dijo:

508 PENÉLOPE. — Ve, divinal Eumeo, acércate al huésped y mándale que venga para que yo le salude y le interrogue también acerca de si oyó

hablar de Odiseo, de ánimo paciente, o lo vio acaso con sus propios ojos, pues parece que ha ido errante por muchas tierras.

512 Y tú le respondiste así, porquerizo Eumeo:

513 EUMEO. — Ojalá se callaran los aqueos, oh reina; pues cuenta tales cosas, que encantaría tu corazón. Tres días con sus noches lo detuve en mi cabaña, pues fui el primero a quien acudió al escaparse del bajel, pero ni aun así pudo terminar la narración de sus desventuras. Como se contempla al aedo, que, instruido por los dioses, les canta a los mortales deleitosos relatos, y ellos no se cansan de oírle cantar, así me tenía transportado mientras permaneció en mi majada. Asegura que fue huésped del padre de Odiseo y que vive en Creta, donde está el linaje de Minos. De allí viene, habiendo padecido infortunios y vagado de una parte a otra; y refiere que oyó hablar de Odiseo, el cual vive, está cerca (en el opulento país de los tesprotos) y trae a esta casa muchas preciosidades.

528 Respondióle la discreta Penélope:

529 PENÉLOPE. — Anda y hazle venir para que lo relate en mi presencia. Regocíjense los demás, sentados en la puerta o aquí en la sala, ya que tienen el corazón alegre porque sus bienes, el pan y el dulce vino, se guardan íntegros en sus casas, si no es lo que se comen los criados mientras que ellos vienen día tras día a nuestro palacio, nos degüellan los bueyes, las ovejas y las pingües cabras, celebran espléndidos festines, beben el vino locamente y así se consumen muchas de las cosas, porque no tenemos un hombre como Odiseo que fuera capaz de librar a nuestra casa de la ruina. Si Odiseo tornara y volviera a su patria, no tardaría en vengar, juntándose con su hijo, las violencias de estos hombres.

541 Así dijo; y Telémaco estornudó tan recio que el palacio retumbó horrendamente. Rióse Penélope y en seguida dirigió a Eumeo estas aladas palabras:

554 PENÉLOPE. — Anda y tráeme ese forastero. ¿No ves que mi hijo estornudó a todas mis palabras? Esto indica que no dejará de llevarse al cabo la matanza de los pretendientes, sin que ninguno escape de la muerte y de las Parcas. Otra cosa te diré que pondrás en tu corazón: Si llego a conocer que cuanto me relatare es verdad, le entregaré un manto y una túnica, vestidos muy hermosos.

551 Así se expresó; fuese el porquero al oírlo y, llegándose adonde estaba Odiseo, le dijo estas aladas palabras:

553 EUMEO. — ¡Padre huésped! Te llama la discreta Penélope, madre de Telémaco; pues, aunque afligida por los pesares, su ánimo la incita a hacerte algunas preguntas sobre su esposo. Y si llega a conocer que cuanto le relatares es cierto, te entregará un manto y una túnica, de que tienes gran falta; y en lo sucesivo mantendrás tu vientre yendo por el pueblo a pedir pan, pues te dará limosna el que quiera.

560 Respondióle el paciente divinal Odiseo:

561 ODISEO. — ¡Eumeo! Yo diría de contado la verdad de todas estas cosas a la hija de Icario, a la discreta Penélope, porque sé muy bien de su

esposo y hemos padecido igual infortunio; mas temo a la muchedumbre de los crueles pretendientes, cuya insolencia y orgullo llegan al férreo cielo. Ahora mismo, mientras andaba yo por la casa sin hacer daño a nadie, diome este varón un doloroso golpe y no lo impidió Telémaco ni otro alguno. Así, pues, exhorta a Penélope, aunque esté impaciente, a que aguarde en el palacio hasta la puesta del sol; e interrógueme entonces sobre su marido y el día que volverá, haciéndome sentar junto a ella, cerca del fuego, pues mis vestidos están en mísero estado, como sabes tú muy bien por haber sido el primero a quien dirigí mis súplicas.

574 Así dijo. El porquero se fue así que oyó estas palabras. Y ya repasaba el umbral, cuando Penélope le habló de esta manera:

576 PENÉLOPE. — ¿No lo traes, Eumeo? ¿Por qué se niega el vagabundo? ¿Siente hacia alguien un gran temor o se avergüenza en el palacio por otros motivos? Malo es que un vagabundo peque de vergonzoso.

579 Y tú le respondiste así, porquerizo Eumeo:

580 EUMEO. — Habla razonablemente y dice lo que otro pensara en su caso, queriendo evitar la insolencia de varones tan soberbios. Te invita a que aguardes hasta la puesta del sol. Y será mucho mejor para ti, oh reina, que estés sola cuando le hables al huésped y escuches sus respuestas.

585 Contestóle la discreta Penélope:

586 PENÉLOPE — No pensó neciamente el forastero, sea quien fuere; pues no hay en país alguno, entre los mortales hombres, quienes insulten de esta manera, maquinando inicuas acciones.

589 Así habló. El divinal porquero se fue hacia la turba de los pretendientes, tan pronto como dijo a Penélope cuanto deseaba, y acto seguido dirigió a Telémaco estas aladas palabras, acercando la cabeza para que los demás no se enteraran:

593 EUMEO. — ¡Oh amigo! Yo me voy a guardar los puercos y todas aquellas cosas que son tus bienes y los míos; y lo de acá quede a tu cuidado. Mas lo primero de todo sálvate a ti mismo y considera en tu espíritu cómo evitarás que te hagan daño; pues traman maldades muchos de los aqueos, a quienes Zeus destruya antes que se conviertan en una plaga para nosotros.

598 Respondióle el prudente Telémaco:

599 TELÉMACO. — Así se hará, abuelo. Vete después de cenar, y al romper el alba traerás hermosas víctimas; que de las cosas presentes cuidaré yo y también los inmortales.

602 Así dijo. Sentóse Eumeo nuevamente en la bien pulimentada silla, y después que satisfizo las ganas de comer y de beber volvióse a sus puercos, dejando atrás la cerca y la casa que rebosaban de convidados. Y recreábanse éstos con el baile y el canto, porque ya la tarde había venido.

RAPSODIA XVIII

PUGILATO DE ODISEO CON IRO

LLEGÓ entonces un mendigo que andaba por todo el pueblo; el cual pedía limosna en la ciudad de Ítaca, se señalaba por su vientre glotón —por comer y beber incesantemente— y hallábase falto de fuerza y de vigor, aunque tenía gran presencia. Arneo era su nombre, el que al nacer le puso su veneranda madre; pero llamábanle Iro todos los jóvenes, porque hacía los mandados que se le ordenaban. Intentó el tal sujeto, cuando llegó, echar a Odiseo de su propia casa e insultóle con estas palabras:

10 IRO. — Retírate del umbral, oh viejo, para que no hayas de verte muy pronto asido de un pie y arrastrado afuera. ¿No adviertes que todos me guiñan el ojo, instigándome a que te arrastre, y no lo hago porque me da vergüenza? Mas, ea, álzate, si no quieres que en la disputa lleguemos a las manos.

14 Mirándole con torva faz, le respondió el ingenioso Odiseo:

15 ODISEO. — ¡Infeliz! Ningún daño te causo, ni de palabra ni de obra; ni me opongo a que te den, aunque sea mucho. En este umbral hay sitio para entrambos y no has de envidiar las cosas de otro; me parece que eres un guitón como yo, y son las deidades quienes envían la opulencia. Pero no me provoques demasiado a venir a las manos, ni excites mi cóle-

ra: no sea que, viejo como soy, te llene de sangre el pecho y los labios; y así gozaría mañana de mayor descanso, pues no creo que asegundaras la vuelta a la mansión de Odiseo Laertíada.

25 Contestóle, muy enojado, el vagabundo Iro:

26 IRO. — ¡Oh dioses! ¡Cuán atropelladamente habla el glotón, que parece la vejezuela del horno! Algunas cosas malas pudiera tramar contra él: golpeándole con mis brazos, le echaría todos los dientes de las mandíbulas al suelo como a una marrana que destruye las mieses. Cíñete ahora, a fin de que éstos nos juzguen en el combate. Pero ¿cómo podrás luchar con un hombre más joven?

32 De tal modo se zaherían ambos con gran enojo en el pulimentado umbral, delante de las elevadas puertas. Advirtiólo la sacra potestad de Antínoo y con dulce risa dijo a los pretendientes:

36 ANTÍNOO. — ¡Amigos! Jamás hubo una diversión como la que un dios nos ha traído a esta casa. El forastero e Iro riñen y están para venir a las manos: hagamos que peleen cuanto antes.

40 Así se expresó. Todos se levantaron con gran risa y se pusieron alrededor de los andrajosos mendigos. Y Antínoo, hijo de Eupites, díjoles de esta suerte:

43 ANTÍNOO. — Oíd, ilustres pretendientes, lo que voy a proponeros. De los vientres de cabra que llenamos de gordura y de sangre y pusimos a la lumbre para la cena, escoja el que quiera aquel que salga vencedor por más fuerte; y en lo sucesivo comerá con nosotros y no dejaremos que entre ningún otro mendigo a pedir limosna.

50 Así se expresó Antínoo y a todos les plugo cuanto dijo. Pero el ingenioso Odiseo, meditando engaños, hablóles de esta suerte:

52 ODISEO. — ¡Oh amigos! Aunque no es justo que un hombre viejo y abrumado por la desgracia luche con otro más joven, el maléfico vientre me instiga a aceptar el combate para sucumbir a los golpes que me dieren. Ea, pues, prometed todos con firme juramento que ninguno, para socorrer a Iro, me golpeará con pesada mano, procediendo inicuamente y empleando la fuerza para someterme a aquél.

58 Así dijo; y todos juraron, como se lo mandaba. Y tan pronto como hubieron acabado de prestar el juramento, el esforzado y divinal Telémaco hablóles con estas palabras:

61 TELÉMACO. — ¡Huésped! Si tu corazón y tu ánimo valiente te impulsan a quitar a ése de en medio, no temas a ningún otro de los aqueos, pues con muchos tendría que luchar quien te pegare. Yo soy aquí el que da hospitalidad y aprueban mis palabras los reyes Antínoo y Eurímaco prudentes ambos.

66 Así le dijo; y todos lo aprobaron. Odiseo se ciñó los andrajos, ocultando las partes verendas, y mostró sus muslos hermosos y grandes; asimismo dejáronse ver las anchas espaldas, el pecho y los fuertes brazos; y Atenea, poniéndose a su lado, acrecentóle los miembros al pastor de hombres. Admiráronse muchísimo los pretendientes y uno de ellos dijo al que tenía más cercano:

[73] UNA VOZ. — Pronto a Iro, al infortunado Iro, le alcanzará el mal que se buscó ¡Tal muslo ha descubierto el viejo, al quitarse los andrajos!

[75] Así decían; y a Iro se le turbó el ánimo miserablemente. Mas con todo eso, ciñéronle a viva fuerza los criados, y sacáronlo lleno de temor, pues las carnes le temblaban en sus miembros. Y Antínoo le reprendió, diciéndole de esta guisa:

[79] ANTÍNOO. — Ojalá no existieras, fanfarrón, ni hubieses nacido, puesto que tiemblas y temes de tal modo a un viejo abrumado por el infortunio que le persigue. Lo que voy a decir se cumplirá. Si ése quedare vencedor por tener más fuerza, te echaré en una negra embarcación y te mandaré al continente, al rey Équeto, plaga de todos los mortales, que te cortará la nariz y las orejas con el cruel bronce y te arrancará las vergüenzas para dárselas crudas a los perros.

[88] Así habló; y a Iro crecióle el temblor que agitaba sus miembros Condujéronlo al centro y entrambos contendientes levantaron los brazos. Entonces pensó el paciente y divinal Odiseo si le daría tal golpe a Iro que el alma se le fuera en cayendo a tierra, o le daría con más suavidad derribándolo al suelo. Y después de considerarlo bien, le pareció que lo mejor sería pegarle suavemente, para no ser reconocido por los aqueos. Alzados los brazos, Iro dio un golpe a Odiseo en el hombro derecho, y Odiseo tal puñada a Iro en la cerviz, debajo de la oreja, que le quebrantó los huesos allá en el interior y le hizo echar roja sangre por la boca: cayó Iro y, tendido en el polvo, rechinó los dientes y pateó con los pies la tierra; y en tanto los ilustres pretendientes levantaban los brazos y se morían de risa. Pero Odiseo cogió a Iro del pie y, arrastrándolo por el vestíbulo hasta llegar al patio y a las puertas del pórtico, lo asentó recostándolo contra la cerca, le puso un bastón en la mano y le dirigió estas aladas palabras:

[105] ODISEO.— Quédate ahí sentado para ahuyentar los puercos y los canes; y no quieras, siendo tan ruin, ser el señor de los huéspedes y de los pobres: no sea que te atraigas un daño aún peor que el de ahora.

[108] Dijo; y colgándose del hombro el astroso zurrón lleno de agujeros, con su cuerda retorcida, volvióse al umbral y allí tomó asiento. Y entrando los demás, que se reían placenteramente, le festejaron con estas palabras:

[112] LOS PRETENDIENTES. — Zeus y los inmortales dioses te den, oh huésped, lo que más anheles y a tu ánimo le sea grato, ya que has conseguido que ese pordiosero insaciable deje de mendigar por el pueblo; pues en seguida lo llevaremos al continente, al rey Équeto, plaga de todos los mortales.

[117] Así dijeron; y el divinal Odiseo holgó del presagio. Antínoo le puso delante un vientre grandísimo, lleno de gordura y de sangre, y Anfínomo le sirvió dos panes, que sacó del canastillo, ofrecióle vino en copa de oro, y le habló de esta manera:

[122] ANFÍNOMO. — ¡Salve, padre huésped! Sé dichoso en lo sucesivo, ya que ahora te abruman tantos males.

[124] Respondióle el ingenioso Odiseo:

[125] ODISEO. — ¡Anfínomo! Me pareces muy discreto, como hijo de tal padre. Llegó a mis oídos la buena fama que el duliquiense Niso gozaba de bravo y de rico; dicen que él te ha engendrado, y en verdad que tu apariencia es la de un varón afable. Por eso voy a decirte una cosa, y tú atiende y óyeme. La tierra no cría animal alguno inferior al hombre, entre cuantos respiran y se mueven sobre el suelo. No se figura el hombre que haya de padecer infortunios mientras las deidades le otorgan la felicidad y sus rodillas se mueven pero cuando los bienaventurados dioses le mandan la desgracia, ha de cargar con ella mal de su grado, con ánimo paciente, pues es tal el pensamiento de los terrestres varones, que se muda según el día que les trae el padre de los hombres y de los dioses. También yo, en otro tiempo, tenía que ser feliz entre los hombres; pero cometí repetidas maldades, aprovechándome de mi fuerza y de mi poder y confiando en mi padre y en mis hermanos. Nadie, por consiguiente, sea injusto en cosa alguna; antes bien disfrute sin ruido las dádivas que los númenes le deparen. Reparo que los pretendientes maquinan muchas iniquidades, consumiendo las posesiones y ultrajando a la esposa de un varón que te aseguro que no estaré largo tiempo apartado de sus amigos y de su patria, porque ya se halla muy cerca de nosotros. Ojalá un dios te conduzca a tu casa y no te encuentres con él cuando torne a la patria tierra; que no ha de ser incruenta la lucha que entable con los pretendientes tan luego como vuelva a vivir debajo de la techumbre de su morada.

[151] Así habló; y, hecha la libación, bebió el dulce vino y puso nuevamente la copa en manos del príncipe de hombres. Éste se fue por la casa, con el corazón angustiado y meneando la cabeza, pues su ánimo le presagiaba desventuras; aunque no por eso había de librarse de la muerte, pues Atenea lo detuvo, a fin de que cayera vencido por las manos y la robusta lanza de Telémaco. Mas entonces volvióse a la silla que antes había ocupado.

[158] Entre tanto Atenea, la deidad de ojos de lechuza, puso en el corazón de la discreta Penélope, hija de Icario, el deseo de mostrarse a los pretendientes para que se les alegrara grandemente el ánimo y fuese ella más honrada que nunca por su esposo y por su hijo. Rióse Penélope sin motivo y profirió estas palabras:

[164] PENÉLOPE. — ¡Eurínome! Mi ánimo desea lo que antes no apetecía: que me muestre a los pretendientes, aunque a todos los detesto. Quisiera hacerle a mi hijo una advertencia, que le será provechosa: que no trate de continuo a estos soberbios que dicen buenas palabras y maquinan acciones inicuas.

[169] Respondióle Eurínome, la despensera:

[170] EURÍNOME. — Sí, hija, es muy oportuno cuanto acabas de decir. Ve, hazle a tu hijo esa advertencia y nada le ocultes, pero antes lava tu cuerpo y unge tus mejillas: no te presentes con el rostro afeado por las lágrimas, que es malísima cosa afligirse siempre y sin descanso, ahora que

tu hijo ya tiene la edad que anhelabas cuando pedías a las deidades que pudieses verle barbilucio.

177 Respondióle la discreta Penélope:

178 PENÉLOPE. — ¡Eurínome! Aunque andes solícita de mi bien, no me aconsejes tales cosas (que lave mi cuerpo y me unja con aceite), pues destruyeron mi belleza los dioses que habitan el Olimpo cuando aquél se fue en las cóncavas naves. Pero manda que Autónoe e Hipodamia vengan y me acompañarán por el palacio; que sola no iría adonde están los hombres, porque me da vergüenza.

185 Así habló; y la vieja se fue por el palacio a decirlo a las mujeres y mandarles que se presentaran.

187 Entonces Atenea, la deidad de ojos de lechuza, ordenó otra cosa. Infundióle dulce sueño a la hija de Icario, que se quedó recostada en el lecho y todas las articulaciones se le relajaron; y acto continuo la divina entre las diosas la favoreció con inmortales dones, para que la admiraran los aqueos: primeramente le lavó la bella faz con ambrosía que aumenta la hermosura, del mismo modo que se unge Citerea, la de linda corona, cuando va al amable coro de las Gracias; y luego hizo que pareciese más alta y más gruesa, y que su blancura aventajara la del marfil recientemente labrado. Después de lo cual, partió la divina entre las diosas.

198 Llegaron del interior de la casa, hablando, las doncellas de níveos brazos; y el dulce sueño dejó a Penélope, que se enjugó las mejillas con las manos y habló de esta manera:

201 PENÉLOPE. — Blando sopor se apoderó de mí, que estoy tan apenada. Ojalá que ahora mismo me diera la casta Ártemis una muerte tan dulce, para que no tuviese que consumir mi vida lamentándome en mi corazón y echando de menos las cualidades de toda especie que adornaban a mi esposo, el más señalado de todos los aqueos.

206 Diciendo así, bajó del magnífico aposento superior, no yendo sola, sino acompañada de dos esclavas. Cuando la divina entre las mujeres hubo llegado a donde estaban los pretendientes, paróse ante la columna que sostenía el techo sólidamente construido, con las mejillas cubiertas por espléndido velo y una honrada doncella a cada lado. Los pretendientes sintieron flaquear sus rodillas, fascinada su alma por el amor, y todos deseaban acostarse con Penélope en su mismo lecho. Mas ella habló de esta suerte a Telémaco, su hijo amado:

215 PENÉLOPE. — ¡Telémaco! Ya no tienes ni firmeza de voluntad ni juicio. Cuando estabas en la niñez, revolvías en tu inteligencia pensamientos más sensatos; pero ahora que eres mayor por haber llegado a la flor de la juventud, y que un extranjero, al contemplar tu estatura y tu belleza, consideraría dichoso al varón de quien eres prole, no muestras ni recta voluntad ni tampoco juicio. ¡Qué acción no se ha ejecutado en esta sala, donde permitiste que se maltratara a un huésped de semejante modo! ¿Qué sucederá si el huésped que se halle en nuestra morada es blanco de una vejación tan penosa? La vergüenza y el oprobio caerán sobre ti, a la faz de todos los hombres.

[226] Respondióle el prudente Telémaco:

[227] TELÉMACO. — ¡Madre mía! No me causa indignación que estés irritada; mas ya en mi ánimo conozco y entiendo muchas cosas buenas y malas, pues hasta ahora he sido un niño. Esto no obstante, me es imposible resolverlo todo prudentemente, porque me turban los que se sientan en torno mío, pensando cosas inicuas, y no tengo quien me auxilie. El combate del huésped con Iro no se efectuó por haberlo acordado los pretendientes, y fue aquél quien tuvo más fuerza. Ojalá, ¡oh padre Zeus, Atenea, Apolo!, que los pretendientes ya hubieran sido vencidos en este palacio y se hallaran, unos en el patio y otro dentro de la sala, con la cabeza caída y los miembros relajados; del mismo modo que Iro, sentado a la puerta del patio, mueve la cabeza como un ebrio y no logra ponerse en pie ni volver a su morada por donde solía ir, porque tiene los miembros relajados.

[243] Así éstos conversaban. Y Eurímaco habló con estas palabras a Penélope:

[245] EURÍMACO. — ¡Hija de Icario! ¡Discreta Penélope! Si todos los aqueos te viesen en Argos de Yaso, muchos más serían los pretendientes que desde el amanecer celebrasen banquetes en tu palacio, porque sobresales entre las mujeres por tu belleza y por tu buen juicio.

[250] Contestóle la discreta Penélope:

[251] PENÉLOPE. — ¡Eurímaco! Mis atractivos (la hermosura y la gracia de mi cuerpo) destruyéronlos los inmortales cuando los argivos partieron para Ilión, y se fue con ellos mi esposo Odiseo. Si éste, volviendo, cuidara de mi vida, mayor y más bella sería mi gloria. Ahora estoy angustiada por tantos males como me envió algún dios. Por cierto que Odiseo, al dejar la tierra patria, me tomó por la diestra y me habló de esta guisa: «¡Oh mujer! No creo que todos los aqueos de hermosas grebas tornen de Troya sanos y salvos; pues dicen que los teucros son belicosos, sumamente hábiles en tirar dardos y flechas, y peritos en montar carros de veloces corceles, que suelen decidir muy pronto la suerte de un empeñado y dudoso combate. No sé, por tanto, si algún dios me dejará volver o sucumbiré en Troya. Todo lo de aquí quedará a tu cuidado; acuérdate, mientras estés en el palacio, de mi padre y de mi madre, como lo haces ahora o más aún durante mi ausencia; y así que notes que a nuestro hijo le asoma la barba, cásate con quien quieras y desampara esta morada.» Así habló aquél y todo se va cumpliendo. Vendrá la noche en que ha de celebrarse el casamiento tan odioso para mí, ¡oh infeliz!, a quien Zeus ha privado de toda ventura. Pero un pesar terrible me llega al corazón y al alma, porque antes de ahora no se portaban de tal modo los pretendientes. Los que pretenden a una mujer ilustre, hija de un hombre opulento, y compiten entre sí por alcanzarla, traen bueyes y pingües ovejas para dar convite a los amigos de la novia, hácenle espléndidos regalos y no devoran impunemente los bienes ajenos.

281 Así dijo, y el paciente divinal Odiseo se holgó de que les sacase regalos y les lisonjeara el ánimo con dulces palabras, cuando era tan diferente lo que en su inteligencia revolvía.

284 Respondióle Antínoo, hijo de Eupites:

285 Antínoo. — ¡Hija de Icario! ¡Prudente Penélope! Admite los regalos que cualquiera de los aqueos te trajere, porque no está bien que se rehuse una dádiva; pero nosotros ni volveremos a nuestros campos, ni nos iremos a parte alguna, hasta que te cases con quien sea el mejor de los aqueos.

290 Así se expresó Antínoo; a todos les plugo cuanto dijo, y cada uno envió su propio heraldo para que le trajese los presentes. El de Antínoo le trajo un peplo grande, hermosísimo, bordado, que tenía doce hebillas de oro sujetas por sendos anillos muy bien retorcidos. El de Eurímaco le presentó luego un collar magníficamente labrado, de oro engastado en electro, que parecía un sol. Dos servidores le trajeron a Euridamante unos pendientes de tres piedras preciosas grandes como ojos, espléndidas, de gracioso brillo. Un siervo trajo de la gasa del príncipe Pisandro Polictórida un collar, que era un adorno bellísimo, y otros aqueos mandaron a su vez otros regalos. Y la divina entre las mujeres volvió luego a la estancia superior con las esclavas, que se llevaron los magníficos presentes.

304 Los pretendientes volvieron a solazarse con la danza y el deleitoso canto, aguardando que llegase la noche. Sobrevino la oscura noche cuando aún se divertían, y entonces colocaron en la sala tres tederos para que alumbrasen, amontonaron a su alrededor leña seca cortada desde mucho tiempo, muy dura, y partida recientemente con el bronce, mezclaron teas con la misma, y las esclavas de Odiseo, de ánimo paciente, cuidaban por turno de mantener el fuego. A ellas el ingenioso Odiseo, del linaje de Zeus, les dijo de esta suerte:

313 Odiseo. — ¡Mozas de Odiseo, del rey que se halla ausente desde largo tiempo! Idos a la habitación de la venerable reina y dad vueltas a los husos, y alegradla, sentadas en su estancia, o cardad lana con vuestras manos, que yo cuidaré de alumbrarles a todos los que están aquí. Pues aunque deseen esperar a la Aurora de hermoso trono, no me cansarán, que estoy habituado a sufrir mucho.

320 Así dijo; ellas se rieron mirándose las unas a las otras, e increpóle groseramente Melanto, la de bellas mejillas, a la cual engendró Dolio y crió y educó Penélope como hija suya, dándole cuanto le pudiese recrear el ánimo; mas con todo eso, no compartía los pesares de Penélope y se juntaba con Eurímaco, de quien era amante. Ésta, pues, zahirió a Odiseo con injuriosas palabras:

327 Melanto. — ¡Miserable forastero! Estás falto de juicio y en vez de irte a dormir a una herrería o a la Lesque, hablas aquí largamente y con audacia ante tantos varones, sin que el ánimo se te turbe: o el vino te trastornó el seso, o tienes este genio, y tal es la causa de que digas necedades. ¿Acaso te desvanece la victoria que conseguiste contra el va-

gabundo Iro? Mira no se levante de súbito alguno más valiente que Iro, que te golpee la cabeza con su mano robusta y te arroje de la casa, llenándote de sangre.

337 Mirándola con torva faz, exclamó el ingenioso Odiseo:

338 ODISEO. — Voy ahora mismo a contarle a Telémaco lo que dices, ¡perra!, para que aquí mismo te despedace.

340 Diciendo así, espantó con sus palabras a las mujeres. Fuéronse éstas por la casa, y las piernas les flaqueaban del gran temor, pues figurábanse que había hablado seriamente. Y Odiseo se quedó junto a los encendidos tederos, cuidando de mantener la lumbre y dirigiendo la vista a los que allí estaban, mientras en su pecho revolvía otros pensamientos que no dejaron de llevarse al cabo.

346 Pero tampoco permitió Atenea aquella vez que los ilustres pretendientes se abstuvieran del todo de la dolorosa injuria, a fin de que el pesar atormentara aún más el corazón de Odiseo Laertíada. Y Erímaco, hijo de Pólibo, comenzó a hablar para hacer mofa de Odiseo, causándoles risa a sus compañeros:

351 ERÍMACO. — ¡Oídme, pretendientes de la ilustre reina, para que os manifieste lo que en el pecho el ánimo me ordena deciros! No sin la voluntad de los dioses vino ese hombre a la casa de Odiseo. Paréceme como si el resplandor de las antorchas saliese de él y de su cabeza, en la cual ya no queda cabello alguno.

356 Dijo; y luego habló de esta manera a Odiseo, asolador de ciudades:

357 EURÍMACO. — ¡Huésped! ¿Querrías servirme en un rincón de mis campos, si te tomase a jornal (y te lo diera muy cumplido), atando setos y plantando árboles grandes? Yo te facilitaría pan todo el año, y vestidos, y calzado para tus pies. Mas como ya eres ducho en malas obras, no querrás aplicarte al trabajo, sino tan sólo pedir limosna por la población, a fin de poder llenar tu vientre insaciable.

365 Respondióle el ingenioso Odiseo:

366 ODISEO. — ¡Eurímaco! Si nosotros hubiéramos de competir sobre el trabajo de la siega en la estación vernal, cuando los días son más largos, y yo tuviese una bien corvada hoz y tú otra tal para probarnos en la faena, y nos quedáramos en ayunas hasta el anochecer, y la hierba no faltara; o si conviniera guiar unos magníficos bueyes de luciente pelaje, grandes, hartos de hierba, parejos en la edad, de una carga, cuyo vigor no fuera menguado, para la labranza de un campo de cuatro jornales y de tan buen tempero que los terrones cediesen al arado: veríasme rompiendo un no interrumpido surco. Y de igual modo, si el Cronión suscitara hoy una guerra en cualquier parte y yo tuviese un escudo, dos lanzas y un casco de bronce que se adaptara a mis sienes, veríasme mezclado con los que mejor y más adelante lucharan, y ya no me increparíais por mi vientre como ahora. Pero tú te portas con gran insolencia, tienes ánimo cruel y quizá presumas de grande y fuerte, porque estás entre pocos y no de los mejores. Si Odiseo tornara y volviera a su patria, estas puertas tan anchas te serían angostas cuando salieses huyendo por el zaguán.

[387] Así habló. Irritóse Eurímaco todavía más en su corazón y, encarándole la torva vista, le dijo estas aladas palabras:

[389] EURÍMACO. — ¡Ah miserable! Pronto he de imponerte el castigo que mereces por la audacia con que hablas ante tantos varones y sin que tu ánimo se turbe: o el vino te trastornó el seso, o tienes este natural, y tal es la causa de que digas necedades. ¿Te desvanece acaso la victoria que conseguiste contra el vagabundo Iro?

[394] En acabando de hablar, cogió un escabel; pero, como Odiseo, temiendo, se sentara en las rodillas del duliquiense Anfínomo, acertó al copero en la mano derecha: el jarro de éste cayó a tierra con gran estrépito, y él mismo fue a dar, gritando, de espaldas en el polvo. Los pretendientes movían alboroto en la oscura sala, y uno de ellos dijo al que tenía más cerca:

[401] UNA VOZ. — Ojalá acabara sus días el forastero, vagando por otros lugares, antes que viniese; y así no hubiera originado este gran tumulto. Ahora disputamos por los mendigos; y ni en el banquete se hallará placer alguno porque prevalece lo peor.

[405] Y el esforzado y divinal Telémaco les habló diciendo:

[406] TELÉMACO. — ¡Desgraciados! Os volvéis locos y vuestro ánimo ya no puede disimular los efectos de la comida y del vino: algún dios os excita sin duda. Mas, ya que comisteis bien, vaya cada cual a recogerse en su casa, cuando el ánimo se lo aconseje; que yo no pienso echar a nadie.

[410] Esto les dijo; y todos se mordieron los labios, admirándose de que Telémaco les hablase con tanta audacia. Y Anfínomo, el preclaro hijo del rey Niso Aretíada, les arengó de esta manera:

[414] ANFÍNOMO. — ¡Amigos! Nadie se irrite, oponiendo contrarias razones al dicho justo de Telémaco; y no maltratéis al huésped, ni a ninguno de los esclavos que moran en la casa del divino Odiseo. Mas, ea, comience el escanciano a repartir las copas para que, en haciendo la libación, nos vayamos a recoger en nuestras casas; y dejaremos que el huésped se quede en el palacio de Odiseo, al cuidado de Telémaco, ya que a la morada de éste enderezó el camino.

[422] Así habló; y su discurso les plugo a todos. El héroe Mulio, heraldo duliquiense y criado de Anfínomo, mezcló la bebida en una cratera, y sirvióla a cuantos se hallaban presentes, llevándosela por su orden; y ellos, después de ofrecer la libación a los bienaventurados dioses, bebieron el dulce vino. Mas después que hubieron libado y bebido cuanto desearon, cada cual se fue a acostar a su propia casa.

RAPSODIA XIX

COLOQUIO DE ODISEO Y PENÉLOPE. EL LAVATORIO O RECONOCIMIENTO DE ODISEO POR EURICLEA

QUEDÓSE en el palacio el divinal Odiseo y, junto con Atenea, pensaba en la matanza de los pretendientes, cuando de súbito dijo a Telémaco estas aladas palabras:

4 ODISEO. — ¡Telémaco! Es preciso llevar adentro todas las marciales armas y engañar a los pretendientes con blandos dichos cuando las echen de menos y te pregunten por ellas: "Las he llevado lejos del humo, porque ya no parecen las que dejó Odiseo al partir para Troya; sino que están afeadas en la parte que alcanzó el ardor del fuego. Además, alguna deidad me sugirió en la mente esta otra razón más poderosa: no sea que, embriagándoos, trabéis una disputa, os hiráis los unos a los otros, y mancilléis el convite y el noviazgo, que ya el hierro por sí solo atrae al hombre."

14 Así se expresó. Telémaco obedeció a su padre y, llamando a su nodriza Euriclea, hablóle de esta suerte:

16 TELÉMACO. — ¡Ama! Ea, tenme encerradas las mujeres en sus habitaciones, mientras llevo a otro cuarto las magníficas armas de mi padre, pues en su ausencia nadie las cuida y el humo las enmohece. Hasta aquí he sido niño. Mas ahora quiero depositarlas donde no las alcance el ardor del fuego.

21 Respondióle su nodriza Euriclea:

22 EURICLEA. — ¡Oh hijo! Ojalá hayas adquirido la necesaria prudencia para cuidarte de la casa y conservar tus heredades. Pero, ¿quién será la que vaya contigo llevándote la luz, si no dejas venir las esclavas, que te habrían alumbrado?

26 Contestóle el prudente Telémaco:

27 TELÉMACO. — Ese huésped; pues no toleraré que permanezca ocioso quien coma de lo mío, aunque haya llegado de lejanas tierras.

29 Así dijo; y ninguna palabra voló de los labios de Euriclea, que cerró las puertas de las cómodas habitaciones. Odiseo y su ilustre hijo se apresuraron a llevar adentro los cascos, los abollonados escudos y las agudas lanzas; y precedíales Palas Atenea con lámpara de oro, que daba luz hermosísima. Y Telémaco dijo de repente a su padre:

30 TELÉMACO. — ¡Oh padre! Grande es el prodigio que contemplo con mis propios ojos: las paredes del palacio, los bonitos intercolumnios, las vigas de abeto y los pilares encumbrados, aparecen a mi vista como si fueran ardiente fuego. Sin duda debe de estar aquí alguno de los dioses que poseen el anchuroso cielo.

41 Respondióle el ingenioso Odiseo:

42 ODISEO. — Calla, refrena tu pensamiento y no me interrogues; pero de este modo suelen proceder, en efecto, los dioses que habitan el Olimpo. Ahora acuéstate, y yo me quedaré para provocar todavía a las esclavas y departir con tu madre; la cual, lamentándose, me preguntará muchas cosas.

47 Así habló; y Telémaco se fue por el palacio, a la luz de las resplandecientes antorchas, y se recogió en el aposento donde solía dormir cuando el dulce sueño le vencía: allí se acostó para aguardar la divinal Aurora. Mas el divino Odiseo se quedó en la sala, y junto con Atenea pensaba en la matanza de los pretendientes.

53 Salió de su cuarto la discreta Penélope, que parecía Ártemis o la dorada Afrodita, y colocáronle junto al hogar el torneado sillón, con adornos de marfil y plata, en que se sentaba; el cual había sido fabricado antiguamente por el artífice Iemalio, que le puso un escabel para los pies, adherido al mismo y cubierto con una grande piel. Allí se sentó la discreta Penélope. Llegaron de dentro de la casa las doncellas de níveos brazos, retiraron el abundante pan, las mesas, y las copas en que bebían los soberbios pretendientes, y, echando por tierra las brasas de los tederos, amontonaron en ellos gran cantidad de leña para que hubiese luz y calor. Y Melanto reprendió a Odiseo por segunda vez:

66 MELANTO. — ¡Forastero! ¿Nos importunarás todavía, andando por la casa durante la noche y espiando a las mujeres? Vete afuera, oh mísero, y conténtate con lo que comiste, o muy pronto te echarán a tizonazos.

70 Mirándola con torva faz, exclamó el ingenioso Odiseo:

71 ODISEO. — ¡Desdichada! ¿Por qué me acometes de esta manera, con ánimo irritado? ¿Quizá porque voy sucio, cubro mi cuerpo con miserables vestiduras y pido limosna por la población? La necesidad me fuerza a ello, y así son los mendigos y los vagabundos. Pues en otra época también yo fui dichoso entre los hombres, habité una rica morada y en multitud de ocasiones di limosna al vagabundo, cualquiera que fuese y hallárase en la necesidad en que se hallase; entonces poseía innumerables siervos y otras muchas cosas con las cuales los hombres viven en regalo y gozan fama de opulentos. Mas Zeus Cronión me arruinó, porque así lo quiso. No sea que también tú, oh mujer, vayas a perder toda la hermosura de que haces gala entre las esclavas; que tu señora, irritándose, se embravezca contigo; o que Odiseo llegue, pues aún hay esperanza de que torne. Y si, por haber muerto, no volviese, ya su hijo Telémaco es tal, por la voluntad de Apolo, que ninguna de las mujeres del palacio le pasará inadvertida si fuere mala; pues ya tiene edad para entenderlo.

[89] Así habló. Oyóle discreta Penélope y reprendió a la esclava diciéndole estas palabras:

[91] Penélope. — ¡Atrevida! ¡Perra desvergonzada! No se me oculta en lo más mínimo la mala acción que estás cometiendo y que pagarás con tu cabeza. Muy bien te constaba, por haberlo oído de mi boca, que he de preguntar al forastero en esta sala, acerca de mi esposo; pues me hallo sumamente afligida.

[96] Dijo; y acto continuo dirigió estas palabras a Eurínome, la despensera:

[97] Penélope. — ¡Eurínome! Trae una silla y cúbrela con una pelleja, a fin de que se acomode el forastero, y hable y me escuche, que deseo interrogarle.

[100] Así habló. Con gran diligencia trajo Eurínome una pulimentada silla, la cubrió con una pelleja, y en ella tomó asiento el paciente divinal Odiseo. Entonces rompió el silencio la discreta Penélope, hablando de esta suerte:

[104] Penélope. — ¡Forastero! Ante todas cosas quiero hacerte yo misma estas preguntas: ¿Quién eres y de qué país procedes? ¿Dónde se hallan tu ciudad y tus padres?

[106] Respondióle el ingenioso Odiseo.

[107] Odiseo. — ¡Oh mujer! Ninguno de los mortales de la vasta tierra podría censurarte, pues tu gloria llega hasta el anchuroso cielo como la de un rey eximio y temeroso de los dioses, que impera sobre muchos y esforzados hombres, hace que triunfe la justicia, y al amparo de su buen gobierno la negra tierra produce trigo y cebada, los árboles se cargan de fruta, las ovejas paren hijuelos robustos, el mar da peces, y son dichosos los pueblos que le están sometidos. Mas ahora, que nos hallamos en tu casa, hazme otras preguntas, y no te empeñes en averiguar mi linaje, ni mi patria: no sea que con la memoria acrecientes los pesares de mi corazón, pues he sido muy desgraciado. Y tampoco conviene que en casa ajena esté llorando y lamentándome, porque es muy malo afligirse siempre y sin descanso: no fuera que alguna de las esclavas se enojara conmigo, o tú misma, y dijerais que derramo lágrimas porque el vino me perturbó el entendimiento.

[123] Contestóle en seguida la discreta Penélope:

[124] Penélope. — ¡Forastero! Mis gracias (la belleza y la gala de mi cuerpo) destruyéronlas los inmortales cuando los argivos partieron para Ilión y se fue con ellos mi esposo Odiseo. Si éste, volviendo, cuidara de mi vida, mayor y más hermosa fuera mi gloria; pues estoy angustiada por tantos males como me envió algún dios. Cuantos próceres mandan en las islas, en Duliquio, en Same y en la selvosa Zacinto, y cuantos viven en la propia Ítaca, que se ve de lejos, me pretenden contra mi voluntad y arruinan la casa. Por esto no me curo de los huéspedes, ni de los suplicantes, ni de los heraldos, que son ministros públicos; sino que, padeciendo soledad de Odiseo, se me consume el ánimo. Ellos me dan prisa a que me case, y yo tramo engaños. Primeramente sugirióme un dios que

me pusiese a tejer en el palacio una gran tela sutil e interminable, y entonces les hablé de este modo: «¡Jóvenes pretendientes míos! Ya que ha muerto el divino Odiseo, aguardad, para instar mis bodas, que acabe este lienzo (no sea que se me pierdan inútilmente los hilos), a fin de que tenga sudario el héroe Laertes cuando le sorprenda la Parca fatal de la aterradora muerte. ¡No se me vaya a indignar alguna de las aqueas del pueblo, si ve enterrar sin mortaja a un hombre que ha poseído tantos bienes!» Así les dije y su ánimo generoso se dejó persuadir. Desde aquel instante pasábamos el día labrando la gran tela, y por la noche, tan luego como me alumbraba con las antorchas, deshacía lo tejido. De esta suerte logré ocultar el engaño y que mis palabras fueran creídas por los aqueos durante un trienio; mas, así que vino el cuarto año y volvieron a sucederse las estaciones, después de transcurrir los meses y de pasar muchos días, entonces, por las perras de mis esclavas que de nada se cuidan, vinieron a sorprenderme y me reprendieron con sus palabras. Así fue como mal de mi grado, me vi en la necesidad de acabar la tela. Ahora ni me es posible evitar las bodas, ni hallo ningún otro consejo que me valga. Mis padres desean apresurar el casamiento y mi hijo siente gran pena al notar cómo son devorados nuestros bienes, porque ya es hombre apto para regir la casa y Zeus le da gloria. Mas, con todo eso, dime tu linaje y de dónde eres; que no serán tus progenitores la encina o el peñasco de la vieja fábula.

164 Respondióle el ingenioso Odiseo:

165 ODISEO. — ¡Oh veneranda esposa de Odiseo Laertíada! ¿No cesarás de interrogarme acerca de mi progenie? Pues bien, voy a decírtela, aunque con ello acrecientes los pesares que me agobian; pues así le ocurre al hombre que, como yo, anduvo mucho tiempo fuera de su patria, peregrinando por tantas ciudades y padeciendo fatigas. Mas, con todo, te hablaré de aquello que me preguntas y acerca de lo cual me interrogas.

172 »En medio del vinoso ponto, rodeada del mar, hay una tierra hermosa y fértil, Creta; y en ella muchos, innumerables hombres, y noventa ciudades. Allí se oyen mezcladas varias lenguas, pues viven en aquel país los aqueos, los magnánimos cretenses indígenas, los cidones, los dorios, que están divididos en tres tribus, y los divinos pelasgos. Entre las ciudades se halla Cnoso, gran población, en la cual reinó por espacio de nueve años Minos, que conversaba con el gran Zeus y fue padre de mi padre, del magnánimo Deucalión. Éste engendróme a mí y al rey Idomeneo, que fue a Ilión en las corvas naves, juntamente con los Atridas; mi preclaro nombre es Etón y soy el más joven de los dos hermanos, pues aquél es el mayor y el más valiente. En Cnoso conocí a Odiseo y aún le ofrecí los dones de la hospitalidad. El héroe enderezaba el viaje para Troya cuando la fuerza del viento lo apartó de Malea y lo llevó a Creta: y entonces ancoró sus barcos en un puerto peligroso, en la desembocadura del Amniso, donde está la gruta de Ilitia, y a duras penas pudo escapar de la tormenta. Entróse en seguida por la ciudad y preguntó por

Idomeneo, que era, según afirmaba, su huésped querido y venerado; mas ya la aurora había aparecido diez u once veces desde que había zarpado para Ilión con sus corvas naves. Al punto lo conduje al palacio, le procuré digna hospitalidad, tratándole solícita y amistosamente (que en nuestra casa reinaba la abundancia), e hice que a él y a los compañeros que llevaba se les diera harina y negro vino en común por el pueblo, y también bueyes para que los sacrificaran y satisficieran de este modo su apetito. Los divinos aqueos permanecieron con nosotros doce días, por soplar el Bóreas tan fuertemente que casi no se podía estar ni aun en la tierra. Debió de excitarlo alguna deidad malévola. Mas en el día treceno echóse el viento y se dieron a la vela.

203 De tal suerte forjaba su relato, refiriendo muchas cosas falsas que parecían verdaderas; y a Penélope, al oírlo, le brotaban las lágrimas de los ojos y se le deshacía el cuerpo. Así como en las altas montañas se derrite la nieve al soplo del Euro, después que el Céfiro la derribó, y la corriente de los ríos crece con la que se funde, así se derretían con el llanto las hermosas mejillas de Penélope, que lloraba por su marido teniéndolo junto a sí. Odiseo, aunque interiormente compadecía a su mujer, que sollozaba, tuvo los ojos tan firmes dentro de los párpados cual si fueran de cuerno o de hierro, y logró con astucia que no se le rezumasen las lágrimas. Y Penélope, después que se hubo hartado de llorar y de gemir, tornó a hablarle con estas palabras:

215 PENÉLOPE. — Ahora, oh huésped, pienso someterte a una prueba para saber si es verdad, como lo afirmas, que en tu palacio hospedaste a mi esposo con sus compañeros iguales a los dioses. Dime qué vestiduras llevaba su cuerpo y cómo eran el propio Odiseo y los compañeros que le seguían.

220 Respondióle el ingenioso Odiseo:

221 ODISEO. — ¡Oh mujer! Es difícil referirlo después de tanto tiempo, porque hace ya veinte años que se fue de allá y dejó mi patria; esto no obstante, te diré cómo se lo representa mi corazón. Llevaba el divinal Odiseo un manto lanoso, doble, purpúreo, con áureo broche de dos agujeros: en la parte anterior del manto estaba bordado un perro que tenía entre sus patas delanteras un manchado cervatillo, mirándole forcejar; y a todos pasmaba que, siendo entrambos de oro, aquél mirara al cervatillo a quien ahogaba, y éste forcejaba con los pies, deseando escapar. En torno del cuerpo de Odiseo vi una espléndida túnica que semejaba árida binza de cebolla, ¡tan suave era!, y relucía como un sol; y muchas mujeres la contemplaban admiradas. Pero tengo de decirte una cosa que fijarás en la memoria: ni sé si Odiseo ya llevaría estas vestiduras en su casa o se las dio alguno de los compañeros, cuando iba en su velera nave, o quizás algún huésped; que Odiseo tenía muchos amigos, pues eran pocos los aqueos que pudieran compararsele. También yo le regalé una broncínea espada, un hermoso manto doble de color de púrpura, y una túnica talar; después de lo cual fui a despedirle con gran respeto hasta su nave de muchos bancos. Acompañábale un heraldo un poco más

viejo que él, y voy a decirte cómo era: metido de hombros, de negra tez y rizado cabello, y su nombre Euríbates. Honrábale Odiseo mucho más que a otro alguno de sus compañeros, porque ambos solían pensar de igual manera.

249 Así le dijo, y acrecentóle el deseo del llanto, pues Penélope reconoció las señales que Odiseo iba describiendo con tal certidumbre. Y cuando estuvo harta de llorar y de gemir, le respondió con estas palabras:

253 PENÉLOPE. — ¡Oh forastero! Aunque ya antes de ahora te tuve compasión, en adelante has de ser querido y venerado en esta casa; pues yo misma le entregué esas vestiduras que dices, sacándolas bien plegadas de mi estancia, y les puse el lustroso broche, para que le sirviese de ornamento a aquel a quien ya no tornaré a recibir, de vuelta a su hogar y a su patria tierra; que con hado funesto partió en las cóncavas naves para ver aquella Ilión perniciosa y nefanda.

261 Respondióle el ingenioso Odiseo:

262 ODISEO. ¡Oh veneranda mujer de Odiseo Laertíada! No mortifiques más el hermoso cuerpo, ni consumas el ánimo, llorando a tu marido; bien que por ello no he de reprenderte, porque la mujer suele sollozar cuando perdió el varón con quien se casó virgen y de cuyo amor tuvo hijos, aunque no sea como Odiseo, que, según cuentan, se asemejaba a los dioses. Suspende el llanto y presta atención a mis palabras, pues voy a hablarte con sinceridad y no te callaré nada de cuanto sé sobre el regreso de Odiseo; el cual vive, está cerca (en el opulento país de los tesprotos) y trae muchas y excelentes preciosidades que ha logrado recoger por entre el pueblo. Perdió sus fieles compañeros y la cóncava nave en el vinoso ponto, al venir de la isla de Trinacia, porque contra él se airaron Zeus y el Sol, a cuyas vacas habían dado muerte sus compañeros. Los demás perecieron en el alborotado ponto, y Odiseo, que montó en la quilla de su nave, fue arrojado por las olas a tierra firme, al país de los feacios, que son cercanos por su linaje a los dioses; y ellos le honraron cordialmente como a un numen, le hicieron muchos regalos y deseaban conducirlo sano y salvo a su casa. Y ya estuviera Odiseo aquí mucho tiempo ha, si no le hubiese parecido más útil irse por la vasta tierra para juntar riquezas, pues sobresale por sus ardides entre los mortales hombres y con él nadie puede. Así me lo dijo Fidón, rey de los tesprotos, y juró en mi presencia, haciendo libaciones en su casa, que ya habían echado la nave al mar y estaban a punto los compañeros para conducirlo a su patria tierra. Pero antes envióme a mí, porque se ofreció casualmente un barco de varones tesprotos que iba a Duliquio, la abundosa en trigo. Y me mostró todos los bienes que Odiseo había juntado, con los cuales pudiera mantenerse un hombre y sus descendientes hasta la décima generación: ¡tantos objetos preciosos tenía en el palacio de aquel rey! Añadió que Odiseo estaba en Dodona para saber por la alta encina la voluntad de Zeus acerca de si convendría que volviese manifiesta o encubiertamente a su patria, de la cual tanto ha que se halla ausente. Salvo está, pues, y vendrá pronto, que

no permanecerá mucho tiempo alejado de sus amigos y de su patria tierra; y sobre este punto voy a prestar un juramento: Sean testigos Zeus, el más excelso y poderoso de los dioses, y el hogar del intachable Odiseo a que he llegado, de que todo se cumplirá como lo digo: Odiseo vendrá aquí este año, al terminar el corriente mes y comenzar el próximo.

[308] Respondióle la discreta Penélope:

[309] PENÉLOPE. — Ojalá se cumpliese cuanto dices, oh forastero, que bien pronto conocerías mi amistad, pues te haría tantos regalos que te considerara dichoso quien contigo se encontrase. Pero mi ánimo presiente lo que ha de suceder: ni Odiseo volverá a esta casa, ni tú conseguirás que te lleven a la tuya; que no hay en el palacio quienes la rijan, siendo cual era Odiseo entre los hombres (si todo no fue sueño) para acoger y conducir a los venerables huéspedes. Mas vosotras, criadas, lavad al huésped y aparejadle un lecho, con su cama, mantas y colchas espléndidas; para que, calentándose bien, aguarde la aparición de la Aurora, de áureo trono. Mañana, muy temprano, bañadle y ungidle; y coma aquí dentro, sentado en esta sala, al lado de Telémaco. Mal para aquél que con el ánimo furioso le molestare, pues será la última acción que aquí ejecute por muy irritado que se ponga. ¿Cómo sabrías, oh forastero, si aventajo a las demás mujeres en inteligencia y prudente consejo, si dejara que así, tan sucio y miserablemente vestido, comieras en el palacio? Son los hombres de vida corta: el cruel, el que procede inicuamente, consigue que todos los mortales le imprequen desventuras mientras vive y que todos lo insulten después de muerto; mas el intachable, el que procede intachablemente, alcanza una fama grandísima que sus huéspedes difunden entre todos los hombres y son muchos los que le llaman bueno.

[335] Respondióle el ingenioso Odiseo:

[336] ODISEO. — ¡Oh veneranda mujer de Odiseo Laertíada! Los mantos y las colchas lucientes me dan en rostro desde la hora en que dejé los nevados montes de Creta y partí de la nave de largos remos. Me acostaré como antes, cuando pasaba las noches sin pegar el ojo; pues en muchas de ellas descansé en ruin lecho, aguardando la aparición de la divina Aurora de hermoso trono. Tampoco le agradan a mi ánimo los baños de pies, ni tocará los míos ninguna mujer de las que te sirven en el palacio, si no hay alguna muy vieja y de honestos pensamientos, que en su alma haya sufrido tanto como yo; pues a ésa no la he de impedir que toque mis pies.

[349] Contestóle la discreta Penélope:

[350] PENÉLOPE. — ¡Forastero querido! Jamás llegó a mi casa otro varón de tan buen juicio entre los amigables huéspedes que vinieron de lejanas tierras a mi morada: tal perspicuidad y cordura denotan tus palabras. Tengo una anciana de prudente ingenio, que fue la que alimentó y crió a aquel infeliz después de recibirlo en sus brazos cuando la madre lo parió: ésta te lavará los pies aunque sus fuerzas son ya menguadas. Ea, prudente Euriclea, levántate y lava a este varón coetáneo de tu señor; que en los pies y en las manos debe de estar Odiseo de semejante modo, pues los mortales envejecen presto en la desgracia.

[361] Así habló. La vieja cubrióse el rostro con ambas manos, rompió en ardientes lágrimas y dijo estas lastimeras razones:

[363] EURICLEA. — ¡Ay, hijo mío, que no puedo salvarte! Sin duda Zeus te cobró más odio que a hombre alguno, a pesar de que tu ánimo era tan temeroso de las deidades. Ningún mortal quemó tantos pingües muslos en honor de Zeus, que se huelga con el rayo, ni le sacrificó tantas y tan selectas hecatombes, como tú le ofreciste rogándole que te diese placentera senectud y te dejara criar a tu hijo ilustre; y ahora te privó, a ti tan sólo, de ver lucir el día de la vuelta. Quizá se mofaron de mi señor las criadas de lejano huésped a cuyo magnífico palacio llegara, como se burlan de ti, oh forastero, estas perras cuyos denuestos y abundantes infamias quieres evitar no permitiendo que te laven; y por tal razón me manda que lo haga yo, no ciertamente contra mi deseo, la hija de Icario, la discreta Penélope. Y así, te lavaré los pies por consideración a la propia Penélope y a ti mismo; pues siento que en el interior me conmueven el ánimo tus desventuras. Mas, ea, oye lo que voy a decir: muchos huéspedes infortunados vinieron a esta casa, pero en ninguno he advertido una semejanza tan grande con Odiseo en el cuerpo, en la voz y en los pies, como en ti la echo de ver.

[382] Respondióle el ingenioso Odiseo:

[383] ODISEO. — ¡Oh anciana! Lo mismo dicen cuantos nos vieron con sus propios ojos: que somos muy semejantes, como tú lo has reparado.

[386] Así se expresó. La vieja tomó un reluciente caldero en el que acostumbraba lavar los pies, echóle gran cantidad de agua fría y derramó sobre ella otra caliente. Mientras tanto, sentóse Odiseo cabe al hogar y se volvió hacia lo oscuro, pues súbitamente le entró en el alma el temor de que la anciana, al asirle el pie, reparase en cierta cicatriz y todo quedara descubierto. Euriclea se acercó a su señor, comenzó a lavarlo y pronto reconoció la cicatriz de la herida que le había hecho un jabalí con su blanco diente, con ocasión de haber ido aquél al Parnaso, a ver a Autólico y sus hijos. Era ése el padre ilustre de la madre de Odiseo, y descollaba sobre los hombres en hurtar y jurar, presentes que le había hecho el propio Hermes, en cuyo honor quemaba agradables muslos de corderos y de cabritos; por esto el dios le asistía benévolo. Cuando anteriormente fue Autólico a la opulenta población de Ítaca, halló un niño recién nacido de su hija; y, después de cenar, Euriclea se lo puso en las rodillas, y le habló de semejante modo:

[403] EURICLEA. — ¡Autólico! Busca tú ahora algún nombre para ponérselo al nieto, que tanto deseaste.

[405] Y Autólico respondió diciendo:

[408] AUTÓLICO. — ¡Yerno, hija mía! Ponedle el nombre que os voy a decir. Como llegué aquí después de haberme airado contra muchos hombres y mujeres, yendo por la fértil tierra, sea Odiseo el nombre que se le ponga. Y cuando llegue a mozo y vaya al Parnaso, a la grande casa materna donde se hallan mis riquezas, le daré partes de las mismas y os lo enviaré contento.

[413] Por esto fue Odiseo: para que aquél le entregara los espléndidos dones. Autólico y sus hijos recibiéronle afectuosamente, con apretones de mano y dulces palabras; y Anfítea, su abuela materna, lo abrazó y le besó la cabeza y los lindos ojos. Autólico mandó seguidamente a sus gloriosos hijos que aparejasen la comida; y, habiendo ellos atendido la exhortación, trajeron un buey de cinco años. Al instante lo desollaron y prepararon, lo partieron todo, lo dividieron con suma habilidad en trocitos que espetaron en los asadores y asaron cuidadosamente, y acto continuo distribuyeron las raciones. Todo el día, hasta la puesta del sol, celebraron el festín; y nadie careció de su correspondiente porción. Y tan pronto como el sol se puso y sobrevino la noche, acostáronse y el don del sueño recibieron.

[428] Así que se descubrió la hija de la mañana, la Aurora de rosáceos dedos, los hijos de Autólico y el divino Odiseo se fueron a cazar llevándose los perros. Encamináronse al alto monte Parnaso, cubierto de bosque, y pronto llegaron a sus ventosos collados. Ya el sol hería con sus rayos los campos, saliendo de la plácida y profunda corriente del Océano, cuando los cazadores penetraron en un valle: iban al frente los perros, que rastreaban la caza; detrás, los hijos de Autólico, y con éstos, pero a poca distancia de los canes, el divino Odiseo, blandiendo ingente lanza. En aquel sitio estaba echado un enorme jabalí, en medio de una espesura tan densa que ni el húmedo soplo de los vientos la atravesaba, ni la herían los rayos del resplandeciente sol, ni la lluvia la penetraba del todo, ¡tan densa era!, habiendo en la misma abundante seroja amontonada. El ruido de los pasos de los hombres y de los canes, que se acercaban cazando, llegó hasta el jabalí; y éste dejó el soto, fue a su encuentro con las crines del cuello erizadas y los ojos echando fuego, y se detuvo muy cerca de ellos. Odiseo, que fue el primero en acometerle, levantó con su mano robusta la luenga lanza, deseando herirle; pero adelantósele el jabalí, le dio un golpe sobre la rodilla, y, como arremetiera al sesgo, desgarró con su diente mucha carne sin llegar al hueso. Entonces Odiseo le acertó en la espalda derecha, se la atravesó con la punta de la luciente lanza, y el animal quedó tendido en el polvo y perdió la vida. Los caros hijos de Autólico reuniéronse en torno del intachable Odiseo, igual a un dios, para socorrerle: vendáronle hábilmente la herida, restañaron la negruzca sangre con un ensalmo, y volvieron todos a la casa paterna. Autólico y sus hijos, después de curarle bien, le hicieron espléndidos regalos, y pronto lo enviaron alegre a su patria. El padre y la veneranda madre de Odiseo holgáronse de su vuelta y le preguntaron muchas cosas y qué le había ocurrido que llevaba aquella cicatriz; y él refirióles por menor cómo, habiendo ido al Parnaso a cazar con los hijos de Autólico hirióle un jabalí con su blanco diente.

[467] Al tocar la vieja con la palma de la mano esta cicatriz, reconocióla y soltó el pie de Odiseo: dio la pierna contra el caldero, resonó el bronce, inclinóse la vasija hacia atrás, y el agua se derramó en tierra. El gozo y el dolor invadieron simultáneamente el corazón de Euriclea, se le arrasa-

ron los ojos de lágrimas y la voz sonora se le cortó. Mas luego tomó a Odiseo de la barba y hablóle así:

474 EURICLEA. — Tú eres ciertamente Odiseo, hijo querido; y yo no te conocí hasta que pude tocar todo mi señor con estas manos.

476 Dijo; y volvió los ojos a Penélope, queriendo indicarle que tenía dentro de la casa a su marido. Mas ella no pudo notarlo ni advertirlo desde la parte opuesta, porque Atenea le distrajo el pensamiento. Odiseo, tomando del pescuezo a la anciana con la mano derecha, con la otra la atrajo a sí y le dijo:

482 ODISEO. — ¡Ama! ¿Por qué quieres perderme? Sí, tú me criaste a tus pechos, y ahora, después de pasar muchas fatigas, he llegado en el vigésimo año a la patria tierra. Mas, ya que lo entendiste y un dios lo sugirió a tu mente, calla y nadie lo sepa en el palacio. Lo que voy a decir llevárase a efecto. Si un dios hiciese sucumbir a mis manos los ilustres pretendientes, no te perdonara a ti, a pesar de que fuiste mi ama, cuando mate a las demás esclavas en el palacio.

491 Contestó la prudente Euriclea:

492 EURICLEA. — ¡Hijo mío! ¡Qué palabras se te escaparon del cerco de los dientes! Bien sabes que mi ánimo es firme e indomable, y guardaré el secreto como una sólida piedra o como el hierro. Otra cosa quiero manifestarte que pondrás en tu corazón: Si un dios hace sucumbir a tus manos los ilustres pretendientes, te diré cuáles mujeres no te honran en el palacio y cuáles están sin culpa.

499 Respondióle el ingenioso Odiseo:

500 ODISEO. — ¡Ama! ¿A qué nombrarlas? Ninguna necesidad tienes de hacerlo. Yo mismo las observaré para conocerlas una por una. Guarda silencio y confía en los dioses.

503 Así dijo; y la vieja se fue por el palacio a buscar agua para lavarle los pies, porque la primera se había derramado toda. Después que lo hubo lavado y ungido con pingüe aceite, Odiseo acercó nuevamente la silla al fuego, para calentarse, y cubrióse la cicatriz con los andrajos. Entonces rompió el silencio la discreta Penélope, hablando de este modo:

509 PENÉLOPE. — ¡Forastero! Aún te haré algunas preguntas, muy pocas; que presto será hora de dormir plácidamente, para quien logre conciliar el dulce sueño aunque esté afligido. A mí me ha dado algún dios un pesar inmenso, pues durante el día me complazco en llorar, gemir y ver mis labores y las de las siervas de la casa; pero, así que viene la noche y todos se acuestan, yazgo en mi lecho y fuertes punzantes inquietudes me asedian el oprimido corazón y me excitan los sollozos. Como cuando la hija de Pandáreo, la pardusca Aedón, canta hermosamente al comenzar la primavera, posada en el tupido follaje de los árboles, y deja oír su voz de variados sones que muda a cada momento, llorando a Ítilo, el vástago que tuvo del rey Zeto y mató con el bronce por imprudencia, de semejante manera está mi ánimo, vacilando entre dos partidos, pues no sé si seguir viviendo con mi hijo y guardar y mantener en pie todas las cosas (mis posesiones, mis esclavas y esta casa grande y de elevada

techumbre) por atención al tálamo conyugal y temor del dicho de la gente, o irme ya con quien sea el mejor de los aqueos que me pretenden en el palacio y me haga muchísimas donaciones nupciales. Mi hijo, mientras fue incipiente muchacho, no quiso que me casara y me fuera de esta mansión de mi esposo; mas ahora, que ya es adulto por haber llegado a la flor de la juventud, desea que desampare el palacio, viendo con indignación que sus bienes son devorados por los aqueos. Pero, ea, oye y declárame este sueño. Hay en la casa veinte gansos que comen trigo remojado en agua y yo me huelgo de contemplarlos; mas hete aquí que bajó del monte un aguilón de corvo pico, y, rompiéndoles el cuello, los mató a todos; quedaron éstos tendidos en montón y subióse él al divino éter. Yo, aunque entre sueños, lloré y di gritos; y las aqueas, de hermosas trenzas, fueron juntándose a mi alrededor, mientras me lamentaba tanto de qué el aguilón hubiese matado mis gansos, que movía a compasión. Entonces el aguilón tornó a venir, se posó en el borde de la techumbre, y me clamó diciendo con voz humana: «¡Cobra ánimo, hija del celebérrimo Icario!, pues no es sueño, sino visión veraz que ha de cumplirse. Los gansos son los pretendientes, y yo, que era el aguilón, soy tu esposo que he llegado y daré a todos los pretendientes ignominiosa muerte.» Así dijo. Ausentóse de mí el dulce sueño, y mirando en derredor, vi los gansos en el palacio, junto al pesebre, que comían trigo como antes.

554 Respondióle el ingenioso Odiseo:

555 ODISEO. — ¡Oh mujer! No es posible declarar el sueño de otra manera, ya que el propio Odiseo te manifestó cómo lo llevará al cabo: aparece clara la perdición de todos los pretendientes y ninguno escapará de la muerte y de las Parcas.

559 Contestóle la discreta Penélope:

560 PENÉLOPE. — ¡Forastero! Hay sueños inescrutables y de lenguaje oscuro, y no se cumple todo lo que anuncian a los hombres. Hay dos puertas para los leves sueños: una, construida de cuerno; y otra, de marfil. Los que vienen por el bruñido marfil nos engañan, trayéndonos palabras sin efecto; y los que salen por el pulimentado cuerno anuncian, al mortal que lo ve, cosas que realmente han de verificarse. Mas no me figuro yo que mi terrible sueño haya salido por el último, que nos fuera muy grato a mí y a mi hijo. Otra cosa voy a decirte que pondrás en tu corazón. No tardará en lucir la infausta aurora que ha de alejarme de la casa de Odiseo, pues ya quiero ofrecer a los pretendientes un certamen: las segures, que aquél fijaba en línea recta y en número de doce, dentro de su palacio, cual si fuesen los puntales de un navío en construcción, y desde muy lejos hacía pasar una flecha por los anillos. Ahora, pues, los invitaré a esta lucha, y aquel que más fácilmente maneje el arco, lo arme y haga pasar una flecha por el ojo de las doce segures, será con quien yo me vaya, dejando esta casa a la que vine doncella, que es tan hermosa, que está tan abastecida, y de la cual imagino que habré de acordarme aún entre sueños.

582 Respondióle el ingenioso Odiseo:

583 ODISEO. — ¡Oh veneranda mujer de Odiseo Laertíada! No difieras por más tiempo ese certamen que ha de efectuarse en el palacio, pues el ingenioso Odiseo vendrá antes que ellos, manejando el pulido arco, logren tirar de la cuerda y consigan que la flecha traspase el hierro.

588 PENÉLOPE. — ¡Forastero! Si quisieras deleitarme con tus dichos, sentado junto a mí, en esta sala, no caería ciertamente el sueño en mis ojos; mas no es posible que los hombres estén sin dormir, porque los inmortales han ordenado que los mortales de la fértil tierra empleen una parte del tiempo en cada cosa. Voyme a la estancia superior y me acostaré en mi lecho tan luctuoso, que siempre está regado de lágrimas desde que Odiseo partió para ver aquella Ilión perniciosa y nefanda. Allí descansaré. Acuéstate tú en el interior del palacio, tendiendo algo por el suelo, o que te hagan una cama.

600 Diciendo así, subió a la espléndida habitación superior no yendo sola, pues la acompañaban las esclavas. Y, en llegando con ellas a lo alto de la casa, echóse a llorar por Odiseo, su caro marido, hasta que Atenea, la de ojos de lechuza, le difundió en los párpados el dulce sueño.

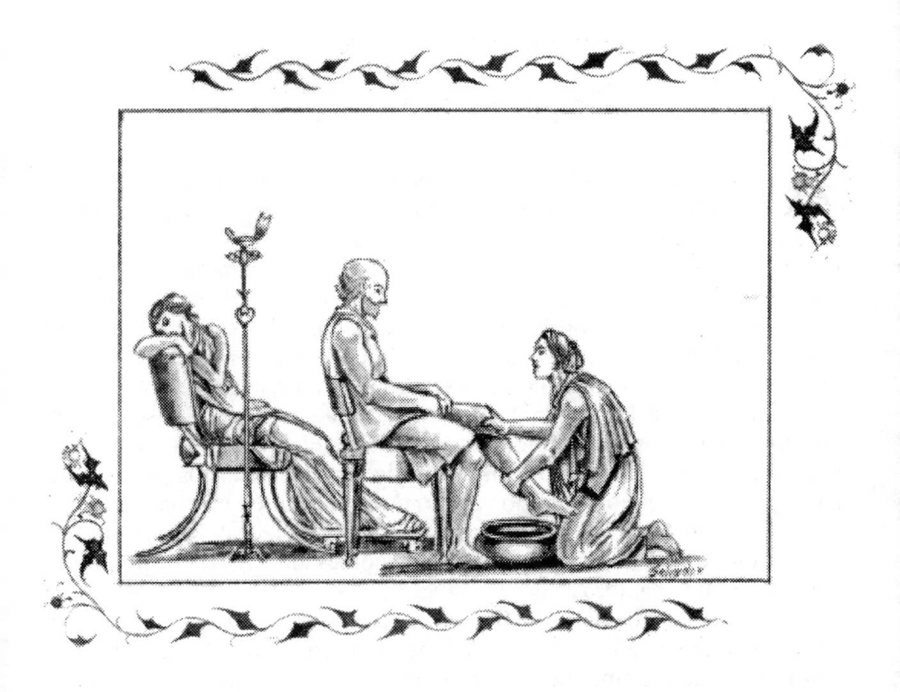

RAPSODIA XX

LO QUE PRECEDIÓ A LA MATANZA DE LOS PRETENDIENTES

Acostóse a su vez el divinal Odiseo en el vestíbulo de la casa: tendió la piel cruda de un buey, echó encima otras muchas pieles de ovejas sacrificadas por los aqueos, y, tan pronto como se tendió, cobijóle Eurínome con un manto. Mientras Odiseo estaba echado y en vela, y discurría males contra los pretendientes, salieron del palacio, riendo y bromeando unas con otras, las mujeres que con ellos solían juntarse. El héroe sintió conmovérsele el ánimo en el pecho, y resolvió muchas cosas en su mente y en su corazón, pues se hallaba indeciso entre arremeter a las criadas y matarlas o dejar que por la última y postrera vez se uniesen con los orgullosos pretendientes; y en tanto el corazón desde dentro le ladraba. Como la perra que anda alrededor de sus tiernos cachorrillos ladra y desea acometer cuando ve a un hombre a quien no conoce, así, al presenciar con indignación aquellas malas acciones, ladraba interiormente el corazón de Odiseo. Y éste, dándose de golpes en el pecho, reprendiólo con semejantes palabras:

[18] Odiseo. — ¡Aguanta, corazón, que algo más vergonzoso hubiste de soportar aquel día en que el Cíclope, de fuerza indómita, me devoraba los esforzados compañeros; y tú lo toleraste, hasta que mi astucia nos sacó del antro donde nos dábamos por muertos!

[22] Así dijo, increpando en su pecho al corazón que en todo instante se mostraba sufrido y obediente mas Odiseo revolvíase ya a un lado, ya al opuesto. Así como, cuando un hombre asa a un grande y encendido fuego un vientre repleto de gordura y de sangre, le da vueltas acá y acullá con el propósito de acabar pronto, así se revolvía Odiseo a una y otra parte, mientras pensaba de qué manera conseguiría poner las manos en los desvergonzados pretendientes, hallándose solo contra tantos. Pero acercósele Atenea, que había descendido del cielo; y, transfigurándose en mujer, se detuvo sobre su cabeza y le habló diciendo:

[33] ATENEA. — ¿Por qué velas todavía, oh desdichado sobre todos los varones? Ésta es tu casa y tienes dentro a tu mujer y a tu hijo, que es tal como todos desearan que fuese el suyo.

[36] Respondióle el ingenioso Odiseo:

[37] ODISEO. — Sí, muy oportuno es, oh diosa, cuanto acabas de decir; pero mi ánimo me hace pensar cómo lograré poner las manos en los desvergonzados pretendientes, hallándome solo, mientras que ellos están siempre reunidos en el palacio. Considero también otra cosa aún más importante: si logro matarlos, por la voluntad de Zeus y la tuya, ¿adónde me podré refugiar? Yo te invito a que me lo declares.

[44] Díjole entonces Atenea, la deidad de ojos de lechuza:

[45] ATENEA. — ¡Desdichado! Se tiene confianza en un compañero peor, que es mortal y no sabe dar tantos consejos, y yo soy una diosa que te guarda en todos tus trabajos. Te hablaré muy claramente. Aunque nos rodearan cincuenta compañías de hombres de voz articulada, ansiosos de acabar con nosotros por medio de Ares, te sería posible llevarte sus bueyes y sus pingües ovejas. Pero ríndete al sueño, que es gran molestia pasar la noche sin dormir y vigilando; y ya en breve saldrás de estos males.

[54] Así le habló; y, apenas hubo infundido el sueño en los párpados de Odiseo, la divina entre las diosas volvió al Olimpo.

[56] Cuando al héroe le vencía el sueño, que deja el ánimo libre de inquietudes y relaja los miembros, despertaba su honesta esposa, la cual rompió en llanto, sentándose en la mullida cama. Y así que su ánimo se cansó de sollozar, la divina entre las mujeres elevó a Ártemis la siguiente súplica:

[61] PENÉLOPE. — ¡Ártemis, venerable diosa hija de Zeus! ¡Ojalá que, tirándome una saeta al pecho, ahora mismo me quitaras la vida; o que una tempestad me arrebatara, conduciéndome hacia las sombrías sendas, y me dejara caer en los confines del refluente Océano! Como las borrascas se llevaron las hijas de Pandáreo, pues los númenes les mataron los padres y ellas se quedaron huérfanas en el palacio, y entonces criólas la diosa Afrodita con queso, dulce miel y suave vino; dotólas Hera de hermosura y prudencia sobre las mujeres; dióles la casta Ártemis buena estatura, y adiestrólas Atenea en labores eximias; pero, mientras la diosa Afrodita se encaminaba al vasto Olimpo a pedirle a Zeus, que se huelga con el rayo, florecientes nupcias para las doncellas (pues aquel dios lo

sabe todo y conoce el destino favorable o adverso de los mortales), arrebatáronlas las Harpías y se las dieron a las diosas Erinies como esclavas: de igual suerte háganme desaparecer a mí los que viven en olímpicos palacios o máteme Ártemis, la de lindas trenzas, para que yo penetre en la odiosa tierra, teniendo ante mis ojos a Odiseo, y no haya de alegrar el ánimo de ningún hombre inferior. Cualquier mal es sufridero, aunque pasemos el día llorando y con el corazón muy triste, si por las noches viene el sueño, que nos trae el olvido de todas las cosas, buenas y malas, al cerrarnos los ojos. Pero a mí me envía algún dios funestas pesadillas. Esta misma noche acostóse a mi lado un fantasma muy semejante a él, tal como era Odiseo cuando partió con el ejército; y mi corazón se alegraba, figurándose que no era sueño, sino veras.

91 Así dijo; y al punto llegó la Aurora, de áureo trono. Odiseo oyó las voces que Penélope daba en su llanto, meditó luego y le pareció como si la tuviese junto a su cabeza por haberle reconocido. Al punto recogió el manto y las pieles en que estaba echado y lo puso todo en una silla del palacio, sacó afuera la piel de buey y, alzando las manos, dirigió a Zeus esta súplica:

98 Odiseo. — ¡Padre Zeus! Si vosotros los dioses me habéis traído de buen grado, por tierra y por mar, a mi patrio suelo, después de enviarme multitud de infortunios, haz que diga algún presagio cualquiera de los que en el interior despiertan y muéstrese en el exterior otro prodigio tuyo.

102 Así dijo rogando. Oyóle el próvido Zeus y en el acto mandó un trueno desde el resplandeciente Olimpo, desde lo alto de las nubes, que le causó a Odiseo profunda alegría. El presagio dióselo en la casa una mujer que molía el grano cerca de él, donde estaban las muelas del pastor de hombres. Doce eran las que allí trabajaban solícitamente, fabricando harinas de cebada y de trigo, que son el alimento de los hombres; pero todas descansaban ya, por haber molido su parte correspondiente de trigo, a excepción de una que aún no había terminado porque era muy débil. Ésta, pues, paró la muela y dijo las siguientes palabras, que fueron una señal para su amo:

112 La mujer. — ¡Padre Zeus, que imperas sobre los dioses y sobre los hombres! Has enviado un fuerte trueno desde el cielo estrellado y no hay nube alguna; indudablemente es una señal que haces a alguien. Cúmpleme ahora también a mí, a esta mísera, lo que te voy a pedir: tomen hoy los pretendientes por última y postrera vez la agradable comida en el palacio de Odiseo; y, ya que hicieron flaquear mis rodillas con el penoso trabajo de fabricarles harina, sea también ésta la última vez que cenen.

120 Así se expresó; y holgóse el divinal Odiseo con el presagio y el trueno enviado por Zeus, pues creyó que podría castigar a los culpables.

122 Las demás esclavas, juntándose en la bella mansión de Odiseo, encendían en el hogar el fuego infatigable. Telémaco, varón igual a un dios, se levantó de la cama, vistióse, colgó del hombro la aguda espada,

ató a sus nítidos pies hermosas sandalias y asió la fuerte lanza de broncínea punta. Salió luego y, parándose en el umbral, dijo a Euriclea:

[129] TELÉMACO. — ¡Ama querida! ¿Honrasteis al huésped dentro de la casa, dándole leche y cena, o yace por ahí sin que nadie le cuide? Pues mi madre es tal, aunque discreción no le falta, que suele honrar inconsideradamente al peor de los hombres de voz articulada y despedir sin honra alguna al que más vale.

[134] Respondióle la prudente Euriclea:

[135] EURICLEA. — No la acuses ahora, hijo mío, que no es culpable. El huésped estuvo sentado bebiendo vino hasta que le plugo; y en cuanto a comer, manifestó que ya no tenía más gana, y fue ella misma quien le hizo la pregunta. Tan luego como decidió acostarse para dormir, ordenó tu madre a las esclavas que le aderezasen la cama; pero, como es tan mísero y desventurado, no quiso descansar en lecho ni entre colchas y se tendió en el vestíbulo sobre una piel cruda de buey y otras de ovejas. Y nosotras le cubrimos con un manto.

[144] Así le dijo. Telémaco salió del palacio con su lanza en la mano y dos perros de ágiles pies que le seguían; y fuese al ágora a juntarse con los aqueos de hermosas grebas. Entonces la divina entre las mujeres, Euriclea, hija de Ops Pisenórida, comenzó a mandar de este modo a las esclavas:

[149] EURICLEA. — Ea, algunas de vosotras barran el palacio diligentemente, riéguenlo y pongan tapetes purpúreos en las labradas sillas; pasen otras la esponja por las mesas y limpien las crateras y las copas de doble asa, artísticamente fabricadas; y vayan las demás por agua a la fuente y tráiganla presto. Pues los pretendientes no han de tardar en venir al palacio; antes acudirán muy de mañana, que hoy es día de fiesta para todos.

[157] Así les habló; y ellas en seguida la escucharon y obedecieron. Veinte esclavas se encaminaron a la fuente de aguas profundas y las otras se pusieron a trabajar hábilmente allí mismo, dentro de la casa.

[160] Presentáronse poco después los bravos sirvientes y cortaron leña con gran pericia; volvieron de la fuente las esclavas; e inmediatamente llegó el porquerizo con tres cerdos, los mejores de cuantos tenía a su cuidado. Eumeo dejó que pacieran en el hermoso cercado y hablóle a Odiseo con dulces palabras:

[166] EUMEO. — ¡Forastero! ¿Te ven los aqueos con mejores ojos, o siguen ultrajándote en el palacio como anteriormente?

[168] Respondióle el ingenioso Odiseo:

[169] ODISEO. — Ojalá castiguen los dioses, oh Eumeo, los ultrajes que con tal descaro infieren, maquinando inicuas acciones en la casa de otro, sin tener ni pizca de vergüenza.

[172] De tal suerte conversaba. Acercóseles el cabrero Melantio, que traía las mejores cabras de sus rebaños para la comida de los pretendientes, y le acompañaban dos pastores. Y, atándolas debajo del sonoro pórtico, le dijo a Odiseo estas mordaces palabras:

[178] MELANTIO. — ¡Forastero! ¿Nos importunarás todavía en esta casa, con pedir limosna, a los varones? ¿Por ventura no saldrás de aquí? Ya me figuro que no nos separaremos hasta haber probado la fuerza de nuestros brazos porque tú no mendigas como se debe, que hay otros convites de los aqueos.

[183] Así se expresó. El ingenioso Odiseo no le dio respuesta; pero meneó la cabeza silenciosamente, agitando en lo íntimo de su alma siniestros ardides.

[185] Fue el tercero en llegar Filetio, mayoral de los pastores, que traía una vaca no paridera y pingües cabras. Los barqueros, que conducen a cuantos hombres se les presentan, los habían transportado. Y, atando aquél las reses debajo del sonoro pórtico, paróse junto al porquerizo y le interrogó de esta manera:

[191] FILETIO. — ¡Porquerizo! ¿Quién es ese forastero recién llegado a nuestra casa? ¿A qué hombres se gloría de pertenecer? ¿Dónde se hallan su familia y su patria tierra? ¡Infeliz! Parece, por su cuerpo, un rey soberano; mas los dioses anegan en males a los hombres que han vagado mucho, cuando hasta a los reyes les destinan infortunios.

[197] Dijo; y, parándose junto a Odiseo, le saludó con la diestra y le habló con estas aladas palabras:

[199] FILETIO. — ¡Salve, padre huésped! Sé dichoso en lo sucesivo, ya que ahora te abruman tantos males. ¡Oh padre Zeus! No hay dios más funesto que tú; pues, sin compadecerte de los hombres, a pesar de haberlos criado, los entregas al infortunio y a los tristes dolores. Desde que te vi, empecé a sudar y se me arrasaron los ojos de lágrimas, acordándome de Odiseo; porque me figuro que aquél vaga entre los hombres, cubierto con unos andrajos semejantes, si aún vive y goza de la lumbre del sol. Y si ha muerto y está en la morada de Hades, ¡ay de mí, a quien, desde niño, puso el intachable Odiseo al frente de sus vacadas en el país de los cefalenos! Hoy las vacas son innumerables y a ningún hombre podría crecerle más el ganado vacuno de ancha frente; pero unos extraños me ordenan que les traiga vacas para comérselas, y no se cuidan del hijo de la casa, ni temen la venganza de las deidades, pues ya desean repartirse las posesiones del rey cuya ausencia se hace tan larga. Muy a menudo mi ánimo revuelve en el pecho estas ideas: muy malo es que en vida del hijo me vaya a otro pueblo, emigrando con las vacas hacia los hombres de un país extraño; pero se me hace más duro quedarme, guardando las vacas para otros y sufriendo pesares. Y mucho ha que me habría ido a refugiarme cerca de algunos de los prepotentes reyes, porque lo de acá ya no es tolerable; pero aguardo aún a aquel infeliz, por si, viniendo de algún sitio, dispersara a los pretendientes que están en el palacio.

[226] Respondióle el ingenioso Odiseo:

[227] ODISEO. — ¡Boyero! Como no me pareces ni vil ni insensato, y conozco que la prudencia rige tu espíritu, voy a decirte una cosa que afirmaré con solemne juramento: «Sean testigos primeramente Zeus entre los dioses y luego la mesa hospitalaria y el hogar del intachable

Odiseo a que he llegado, de que Odiseo vendrá a su casa, estando tú en ella; y podrás ver con tus ojos, si quieres, la matanza de los pretendientes que hoy señorean en el palacio.»

235 Díjole entonces el boyero:

236 FILETIO. — ¡Forastero! Ojalá el Cronión llevara a cumplimiento cuanto dices; que no tardarías en conocer cuál es mi fuerza y de qué brazos dispongo.

238 Eumeo suplicó asimismo a todos los dioses que el prudente Odiseo volviera a su casa.

240 Así éstos conversaban. Los pretendientes maquinaban contra Telémaco la muerte y el destino, cuando de súbito apareció un ave a su izquierda, un águila altanera, con una tímida paloma entre las garras. Y Anfínomo les arengó diciendo:

245 ANFÍNOMO. — ¡Oh amigos! Esta trama (la muerte de Telémaco) no tendrá buen éxito para nosotros; pero pensemos ya en la comida.

247 Así se expresó Anfínomo, y a todos les plugo lo que dijo. Volviendo, pues, al palacio del divinal Odiseo, dejaron sus mantos en sillas y sillones; sacrificaron ovejas muy crecidas, pingües cabras, puercos gordos y una gregal vaca; pusieron al fuego y distribuyeron más tarde las asaduras; mezclaron el vino en las crateras; y el porquerizo les sirvió las copas. Filetio, mayoral de los pastores, repartióles el pan en hermosos canastillos; y Melantio les escanciaba el vino. Y todos metieron mano en las viandas que tenían delante.

257 Telémaco, con astuta intención, hizo sentar a Odiseo dentro de la sólida casa, junto al umbral de piedra, donde le había colocado una pobre silla y una mesa pequeña; sirvióle parte de las asaduras, escancióle vino en una copa de oro y le habló de esta manera:

262 TELÉMACO. — Siéntate aquí, entre estos varones, y bebe vino. Yo te libraré de las injurias y de las manos de todos los pretendientes; pues esta casa no es pública, sino de Odiseo que la adquirió para mí. Y vosotros, oh pretendientes, reprimió el ánimo y absteneos de las amenazas y de los golpes, para que no se arme disputa ni altercado alguno.

268 Así se expresó; y todos se mordieron los labios, admirándose de que Telémaco les hablase con tanta audacia. Entonces Antínoo, hijo de Eupites, dijo de esta suerte:

271 ANTÍNOO. — ¡Aqueos! Cumplamos, aunque es dura, la orden de Telémaco, que con tono tan amenazador acaba de hablarnos. No lo ha querido Zeus Cronión; pues, de otra suerte, ya le habríamos hecho callar en el palacio, aunque sea arengador sonoro.

275 Así habló Antínoo; pero Telémaco no hizo caso de sus palabras. En esto, ya los heraldos conducían por la ciudad la sacra hecatombe de las deidades; y los melenudos aqueos se juntaban en el umbrío bosque consagrado a Apolo, el que hiere de lejos.

279 No bien los pretendientes hubieron asado los cuartos delanteros, retiráronlos de la lumbre, dividiéronlos en partes, y celebraron un gran banquete. A Odiseo sirviéronle, los que en esto se ocupaban, una parte

tan cumplida como la que a ellos mismos les cupo en suerte; pues así lo ordenó Telémaco, el hijo amado del divino Odiseo.

284 Tampoco dejó entonces Atenea que los ilustres pretendientes se abstuvieran totalmente de la dolorosa injuria, a fin de que el pesar atormentara aún más el corazón de Odiseo Laertíada. Hallábase entre ellos un hombre de ánimo perverso, llamado Ctesipo, que tenía su morada en Same, y, confiando en sus posesiones inmensas, solicitaba a la esposa de Odiseo ausente a la sazón desde largo tiempo. Éste tal dijo a los ensoberbecidos pretendientes:

292 CTESIPO. — ¡Oíd, ilustres pretendientes, lo que os voy a decir! Rato ha que el forastero tiene su parte igual a la nuestra, como es debido; que no fuera decoroso ni justo privar del festín a los huéspedes de Telémaco, sean cuales fueren los que vengan a este palacio. Mas ea, también yo voy a ofrecerle el don de la hospitalidad, para que él a su vez haga un presente al bañero o a algún otro de los esclavos que viven en la casa del divinal Odiseo.

229 Habiendo hablado así, tiróle con fuerte mano una pata de buey, que tomó de un canastillo; Odiseo evitó el golpe, inclinando ligeramente la cabeza, y en seguida se sonrió con risa sardonia; y la pata fue a dar en el bien construido muro. Acto continuo reprendió Telémaco a Ctesipo con estas palabras:

304 TELÉMACO. — ¡Ctesipo! Mucho mejor ha sido para ti no acertar al forastero, porque éste evitó el golpe; que yo te traspasara con mi aguda lanza y tu padre te hiciera acá los funerales en vez de celebrar tu casamiento. Por tanto, nadie se porte insolentemente dentro de la casa, que ya conozco y entiendo muchas cosas, buenas y malas, aunque antes fuese niño. Y si toleramos lo que vemos (que sean degolladas las ovejas, y se beba el vino, y se consuma el pan), es por la dificultad de que uno solo refrene a muchos. Mas, ea, no me causéis más daño, siéndome malévolos; y si deseáis matarme con el bronce, yo quisiera que lo llevaseis a cumplimiento, pues más valdría que ver de continuo esas inicuas acciones: maltratados los huéspedes y forzadas indignamente las siervas en las hermosas estancias.

320 Así habló. Todos enmudecieron y quedaron silenciosos. Mas al fin les dijo Agelao Damastórida:

322 AGELAO. — ¡Oh amigos! Nadie se irrite, oponiendo contrarias razones al dicho justo de Telémaco; y no maltratéis al huésped, ni a ningún esclavo de los que moran en la casa del divinal Odiseo. A Telémaco y a su madre les diría yo unas suaves palabras, si fuere grato al corazón de entrambos. Mientras en vuestro pecho esperaba el ánimo que el prudente Odiseo volviese, no podíamos indignarnos por la demora, ni porque se entretuviera en la casa a los pretendientes; y aún habría sido lo mejor, si Odiseo viniera y tornara a su palacio. Pero ahora ya es evidente que no volverá. Mas, ea, siéntate al lado de tu madre y dile que tome por esposo al varón más eximio y que más donaciones le haga; para

que tú sigas en posesión de los bienes de tu padre, comiendo y bebiendo en los mismos, y ella cuide la casa de otro.

338 Respondióle el prudente Telémaco:

339 TELÉMACO. — No, ¡por Zeus y por los trabajos de mi padre que ha fallecido o va errante lejos de Ítaca!, no difiero, oh Agelao, las nupcias de mi madre; antes la exhorto a casarse con aquel que, siéndole grato, le haga muchísimos presentes; pero me daría vergüenza arrojarla del palacio contra su voluntad y con duras palabras. ¡No permitan los dioses que así suceda!

345 Así dijo Telémaco. Palas Atenea movió a los pretendientes a una risa inextinguible y les perturbó la razón. Reían con risa forzada, devoraban sanguinolentas carnes, se les llenaron de lágrimas los ojos y su ánimo presagiaba el llanto. Entonces Teoclímeno, semejante a un dios, les habló de esta manera:

351 TEOCLÍMENO. — ¡Ah, míseros! ¿Qué mal es ese que padecéis? Noche oscura os envuelve la cabeza, y el rostro, y abajo las rodillas; crecen los gemidos; báñanse en lágrimas las mejillas; y así los muros como los hermosos intercolumnios están rociados de sangre. Llenan el vestíbulo y el patio las sombras de los que descienden al tenebroso Érebo: el sol desapareció del cielo y una horrible oscuridad se extiende por doquier.

358 Así se expresó, y todos rieron dulcemente. Entonces Eurímaco, hijo de Pólibo, comenzó a decirles:

360 EURÍMACO. — Está loco ese huésped venido de país extraño. Ea, jóvenes, llevadle ahora mismo a la puerta y váyase al ágora, ya que aquí le parece que es de noche.

363 Contestóle Teoclímeno, semejante a un dios.

364 TEOCLÍMENO. — ¡Eurímaco! No pido que me acompañen. Tengo ojos, orejas y pies, y en mi pecho la razón que está sin menoscabo: con un auxilio me iré afuera, porque veo claro que viene sobre vosotros la desgracia, de la cual no podréis huir ni libraros ninguno de los pretendientes que en el palacio del divino Odiseo insultáis a los hombres maquinando inicuas acciones.

371 Cuando esto hubo dicho, salió del cómodo palacio y se fue a la casa de Pireo, que lo acogió benévolo. Los pretendientes se miraban los unos a los otros y zaherían a Telémaco, riéndose de sus huéspedes. Y entre los jóvenes soberbios hubo quien habló de esta manera:

376 UNA VOZ. — ¡Telémaco! Nadie tiene con los huéspedes más desgracia que tú. El uno es tal como ese mendigo vagabundo, necesitado de que le den pan y vino, inhábil para todo, sin fuerzas, carga inútil de la tierra; y el otro se ha levantado a pronunciar vaticinios. Si quieres creerme (y sería lo mejor), echemos a los huéspedes en una nave de muchos bancos y mandémoslos a Sicilia y allí te los comprarán por razonable precio.

384 Así decían los pretendientes, pero Telémaco no hizo ningún caso de estas palabras; sino que miraba silenciosamente a su padre, aguar-

dando el momento en que había de poner las manos en los desvergonzados pretendientes.

387 La discreta Penélope, hija de Icario, mandó colocar su magnífico sillón enfrente de los hombres, y oía cuanto se hablaba en la sala. Y los pretendientes reían y se preparaban el almuerzo, que fue dulce y agradable, pues sacrificaron multitud de reses; pero ninguna cena tan triste como la que pronto iban a darles la diosa y el esforzado varón, porque habían sido los primeros en maquinar acciones inicuas.

RAPSODIA XXI

LA PROPUESTA DEL ARCO

ATENEA, la deidad de ojos de lechuza, inspiróle en el corazón a la discreta Penélope, hija de Icario que en la propia casa de Odiseo les sacara a los pretendientes el arco y el blanquizco hierro, a fin de celebrar el certamen que había de ser el preludio de su matanza. Subió Penélope la alta escalera de la casa, tomó en su robusta mano una hermosa llave bien curvada, de bronce, con el cabo de marfil, y se fue con las siervas al aposento más interior donde guardaba las alhajas del rey —bronce, oro y labrado hierro— y también el flexible arco y la aljaba para las flechas, que contenía muchas y dolorosas saetas; dones ambos que a Odiseo le había hecho su huésped Ífito Eurítida, semejante a los inmortales, cuando se juntó con él en Lacedemonia. Encontráronse en Mesena, en casa del belicoso Ortíloco. Odiseo iba a cobrar una deuda de todo el pueblo, pues los mesenios se habían llevado de Ítaca, en naves de muchos bancos, trescientas ovejas con sus pastores: por esta causa Odiseo, que aún era joven, emprendió como embajador aquel largo viaje, enviado por su padre y otros ancianos. A su vez, Ífito iba en busca de doce yeguas de vientre con sus potros, pacientes en el trabajo, que antes le habían robado y que luego habían de ser la causa de su muerte y miserable destino; pues, habiéndose llegado a Heracles, hijo de Zeus, varón de ánimo esforzado que sabía acometer grandes hazañas, ése le mató en su misma casa, sin embargo de tenerlo por huésped. ¡Inicuo! No temió la venganza de los dioses, ni respetó la mesa que le puso él en persona: matóle y retuvo en su palacio las yeguas de fuertes cascos. Cuando Ífito iba, pues, en busca de las mentadas yeguas, se encontró con Odiseo y le dio el arco que antiguamente había usado el gran Eurito y que éste legó a su vástago al morir en su excelsa casa y Odiseo, por su parte, regaló a Ífito afilada espada y fornida lanza; presentes que hubieran originado entre ambos cordial amistad, mas los héroes no llegaron a verse el uno en la mesa del otro, porque el hijo de Zeus mató antes a Ífito Eurítida, semejante a los inmortales. Y el divino Odiseo llevaba en su patria el arco que le había dado Ífito, pero no lo quiso tomar al partir para la guerra en las negras naves; y lo dejó en el palacio como memoria de su caro huésped.

[42] Así que la divina entre las mujeres llegó al aposento y puso el pie en el umbral de encina que en otra época había pulido el artífice con gran habilidad y enderezado por medio de un nivel, alzando los dos postes en que había de encajar la espléndida puerta, desató la correa del anillo, metió la llave y corrió los cerrojos de la puerta, empujándola hacia dentro. Rechinaron las hojas como muge un toro que pace en la pradera —¡tanto ruido produjo la hermosa puerta al empuje de la llave!— y abriéronse inmediatamente. Penélope subió al excelso tablado donde estaban las arcas de los perfumados vestidos; y, tendiendo el brazo, descolgó de un clavo el arco con la funda espléndida que lo envolvía. Sentóse allí mismo, teniéndolo en sus rodillas, lloró ruidosamente y sacó de la funda el arco del rey. Y cuando ya estuvo harta de llorar y de gemir, fuese hacia la habitación donde se hallaban los ilustres pretendientes; y llevó en su mano el flexible arco y la aljaba para las flechas, la cual contenía abundantes y dolorosas saetas. Juntamente con Penélope, llevaban las siervas una caja con mucho hierro y bronce que servía para los juegos del rey. Cuando la divina entre las mujeres hubo llegado adonde estaban los pretendientes, paróse ante la columna que sostenía el techo sólidamente construido, con las mejillas cubiertas por luciente velo y una honrada doncella a cada lado. Entonces habló a los pretendientes, diciéndoles estas palabras:

[68] PENÉLOPE. — Oídme, ilustres pretendientes, los que habéis caído sobre esta casa para comer y beber de continuo durante la prolongada ausencia de mi esposo, sin poder hallar otra excusa que la intención de casaros conmigo y tenerme por mujer. Ea, pretendientes míos, os espera este certamen; pondré aquí el gran arco del divino Odiseo, y aquel que más fácilmente lo maneje, lo tienda y haga pasar una flecha por el ojo de las doce segures, será con quien yo me vaya, dejando esta casa a la que vine doncella, que es tan hermosa, que esta tan abastecida, y de la cual me figuro que habré de acordarme aún entre sueños.

[80] Tales fueron sus palabras; y mandó en seguida a Eumeo, el divinal porquerizo, que ofreciera a los pretendientes el arco y el blanquizco hierro. Eumeo lo recibió llorando y lo puso en tierra; y desde la parte contraria el boyero, al ver el arco de su señor, lloró también. Y Antínoo les increpó, diciéndoles de esta suerte:

[85] ANTÍNOO. — ¡Rústicos necios, que no pensáis más que en lo del día! ¡Ah, míseros! ¿Por qué, vertiendo lágrimas, conmovéis el ánimo de esta mujer, cuando ya lo tiene sumido en el dolor desde que perdió a su consorte? Comed ahí, en silencio, o idos afuera a llorar, dejando ese pulido arco que ha de ser causa de un certamen fatigoso para los pretendientes, pues creo que nos será difícil armarlo. Que no hay entre todos los que aquí estamos un hombre como fue Odiseo. Le vi y de él guardo memoria, aunque en aquel tiempo era yo niño.

[96] Así les habló, pero allá dentro en su ánimo tenía esperanzas de armar el arco y hacer pasar la flecha por el hierro; aunque debía gustar antes que nada la saeta despedida por las manos del intachable Odiseo,

a quien estaba ultrajando en su palacio y aun incitaba a sus compañeros a que también lo hiciesen. Mas el esforzado y divinal Telémaco les dijo:

102 TELÉMACO. — ¡Oh dioses! En verdad que Zeus Cronión me ha vuelto el juicio. Díceme mi madre querida, siendo tan discreta, que se irá con otro y saldrá de esta casa; y yo me río y me deleito con ánimo insensato. Ea, pretendientes, ya que os espera este certamen por una mujer que no tiene par en el país aqueo, ni en la sacra Pilos, ni en Argos, ni en Micenas, ni en la misma Ítaca, ni en el oscuro continente, como vosotros mismos lo sabéis. ¿Qué necesidad tengo yo de alabar a mi madre? Ea, pues, no difiráis la lucha con pretextos y no tardéis en hacer la prueba de armar el arco, para que os veamos. También yo lo intentaré; y si logro armarlo y traspasar con la flecha el hierro, mi veneranda madre no me dará el disgusto de irse con otro y desamparar el palacio; pues me dejaría en él, cuando ya pudiera alcanzar la victoria en los hermosos juegos de mi padre.

118 Dijo; y, poniéndose en pie, se quitó el purpúreo manto y descolgó de su hombro la aguda espada. Acto continuo comenzó hincando las segures, abriendo para todas un gran surco, alineándolas a cordel, y poniendo tierra a entrambos lados. Todos se quedaron pasmados al notar con qué buen orden las colocaba, sin haber visto nunca aquel juego. Seguidamente fuese al umbral y probó a tener el arco. Tres veces lo movió, con el deseo de armarlo, y tres veces hubo de desistir de su intento, aunque sin perder la esperanza de tirar de la cuerda y hacer pasar la flecha a través del hierro. Y lo habría armado, tirando con gran fuerza por la cuarta vez; pero Odiseo se lo prohibió con una seña y le contuvo contra su deseo. Entonces habló de esta manera el esforzado y divinal Telémaco:

131 TELÉMACO. — ¡Oh dioses! O tengo que ser en adelante ruin y menguado, o soy aún demasiado joven y no puedo confiar en mis brazos para rechazar a quien me ultraje. Mas, ea, probad el arco vosotros, que me superáis en fuerzas, y acabemos el certamen.

136 Diciendo así, puso el arco en el suelo, arrimándolo a las tablas de la puerta que estaban sólidamente unidas y bien pulimentadas; dejó la veloz saeta apoyada en el hermoso antilo, y volvióse al asiento que antes ocupaba. Y Antínoo, hijo de Eupites, les habló de esta manera:

141 ANTÍNOO. — Levantaos consecutivamente, compañeros, empezando por la derecha del lugar donde se escancia el vino.

143 Así se expresó Antínoo y a todos les plugo cuanto dijo. Levantóse el primero Leodes, hijo de Anope, el cual era el arúspice de los pretendientes y acostumbraba sentarse en lo más hondo, al lado de la magnífica cratera, siendo el único que aborrecía las iniquidades y que se indignaba contra los demás pretendientes. Tal fue quien primero tomó el arco y la veloz flecha. En seguida se encaminó al umbral y probó el arco; mas no pudo tenderlo, que antes se le fatigaron con tanto tirar sus manos blandas y no encallecidas. Y al momento hablóles así a los demás pretendientes:

[152] LEODES. — ¡Oh amigos! Yo no puedo armarlo; tómelo otro. Este arco privará del ánimo y de la vida a muchos príncipes, porque es preferible la muerte a vivir sin realizar el intento que nos reúne aquí continuamente y que nos hace aguardar día tras día. Ahora cada cual espera en su alma que se le cumplirá el deseo de casarse con Penélope, la esposa de Odiseo; mas, tan pronto como vea y pruebe el arco, ya puede dedicarse a pretender a otra aquea, de hermoso peplo, solicitándola con regalos de boda; y luego se casará aquélla con quien le haga más presentes y venga designado por el destino.

[163] Dichas estas palabras, apartó de sí el arco, arrimándolo a las tablas de la puerta, que estaban sólidamente unidas y bien pulimentadas, dejó la veloz saeta apoyada en el hermoso anillo, y volvióse al asiento que antes ocupaba. Y Antínoo le increpó, diciéndole de esta suerte:

[168] ANTÍNOO. — ¡Leodes! ¡Qué palabras tan graves y molestas se te escaparon del cerco de los dientes! Me indigné al oírlas. Dices que este arco privará del ánimo y de la vida a los príncipes, tan sólo porque no puedes armarlo. No te parió tu madre veneranda para que entendieses en manejar el arco y las saetas; pero verás cómo lo tienden muy pronto otros ilustres pretendientes.

[175] Así le dijo; y al punto dio al cabrero Melantio la siguiente orden:

[176] ANTÍNOO. — Ve, Melantio, enciende fuego en la sala, coloca junto al hogar un sillón con una pelleja, y trae una gran bola de sebo del que hay en el interior, para que los jóvenes, calentando el arco y untándolo con grasa, probemos de armarlo y terminemos este certamen.

[181] Así dijo. Melantio se puso inmediatamente a encender el fuego infatigable, colocó junto al mismo un sillón con una pelleja y sacó una gran bola de sebo del que había en el interior. Untándolo con sebo y calentándolo en la lumbre, fueron probando el arco todos los jóvenes; mas no consiguieron tenderlo, porque les faltaba gran parte de la fuerza que para ello se requería. Y ya sólo quedaban sin probarlo Antínoo y el deiforme Eurímaco, que eran los príncipes entre los pretendientes y a todos superaban por su fuerza.

[188] Entonces salieron juntos de la casa el boyero y el porquerizo del divino Odiseo; siguióles éste y díjoles con suaves palabras así que dejaron a su espalda la puerta y el patio:

[193] ODISEO. — ¡Boyero, y tú, porquerizo! ¿Os revelaré lo que pienso o lo mantendré oculto? Mi ánimo me ordena que lo diga. ¿Cuáles fuerais para ayudar a Odiseo, si llegara de súbito porque alguna deidad nos lo trajese? ¿Os pondríais de parte de los pretendientes o del propio Odiseo? Contestad como vuestro corazón y vuestro ánimo os lo dicten.

[199] Dijo entonces el boyero:

[200] FILETIO. — ¡Padre Zeus! Ojalá me cumplas este voto: que vuelva aquel varón, traído por alguna deidad. Tú verías, si así sucediese, cuál es mi fuerza y de qué brazos dispongo.

[203] Eumeo suplicó asimismo a todos los dioses que el prudente Odiseo volviera a su casa. Cuando el héroe conoció el verdadero sentir de entrambos, hablóles nuevamente diciendo de esta suerte.

[207] ODISEO. — Pues dentro está, aquí lo tenéis, yo soy, que después de pasar muchos trabajos, he vuelto en el vigésimo año a la patria tierra. Conozco que entre mis esclavos tan solamente vosotros deseabais mi vuelta, pues no he oído que ningún otro hiciera votos para que tornara a esta casa. Os voy a revelar con sinceridad lo que ha de llevarse a efecto. Si, por ordenarlo un dios, sucumben a mis manos los eximios pretendientes, os buscaré esposa, os daré bienes y sendas casas labradas junto a la mía, y os consideraré en lo sucesivo como compañeros y hermanos de Telémaco. Y, si queréis, ea, voy a mostraros una manifiesta señal para que me reconozcáis y se convenza vuestro ánimo: la cicatriz de la herida que me hizo un jabalí con su blanco diente cuando fui al Parnaso con los hijos de Autólico.

[221] Apenas hubo dicho estas palabras, apartó los andrajos para enseñarles la extensa cicatriz. Ambos la vieron y examinaron cuidadosamente, y acto continuo rompieron en llanto, echaron los brazos sobre el prudente Odiseo y, apretándole, le besaron la cabeza y los hombros. Odiseo, a su vez, besóles la cabeza y las manos. Y entregados al llanto los dejara el sol al ponerse, si el propio Odiseo no les hubiese calmado, diciéndoles de esta suerte:

[228] ODISEO. — Cesad ya de llorar y de gemir: no sea que alguno salga del palacio, lo vea y se vaya a contarlo allá dentro. Entraréis en el palacio, pero no juntos, sino uno tras otro: yo primero y vosotros después. Tened sabida la señal que os quiero dar y es la siguiente: los otros, los ilustres pretendientes, no han de permitir que se me dé el arco y el carcaj; pero tú, divinal Eumeo, llévalo por la habitación, pónmelo en las manos, y di a las mujeres que cierren las sólidas puertas de las estancias, y que si alguna oyere gemidos o estrépito de hombres dentro de las paredes de nuestra sala, no se asome y quédese allí, en silencio, junto a su labor. Y a ti, divinal Filetio, te confía las puertas del patio para que las cierres, corriendo el cerrojo que sujetarás mediante un nudo.

[242] Hablando así, entróse por el cómodo palacio y fue a sentarse en el mismo sitio que antes ocupaba. Luego penetraron también los dos esclavos del divinal Odiseo.

[245] Ya Eurímaco manejaba el arco, dándole vueltas y calentándolo, ora por ésta, ora por aquella parte, al resplandor del fuego. Mas ni aun así consiguió armarlo; por lo cual, sintiendo gran angustia en su corazón glorioso, suspiró y dijo de esta suerte:

[249] EURÍMACO. — ¡Oh dioses! Grande es el pesar que siento por mí y por vosotros todos. Y aunque me afligen las frustradas nupcias, no tanto me lamento por ellas (pues hay muchas aqueas en la propia Ítaca, rodeada por el mar, y en las restantes ciudades), como por ser nuestras fuerzas de tal modo inferiores a las del divinal Odiseo que no podamos tender su arco: ¡vergüenza será que lleguen a saberlo los venideros!

[256] Entonces Antínoo, hijo de Eupites, le habló diciendo:

[257] ANTÍNOO. — ¡Eurímaco! No será así y tú mismo lo conoces. Ahora, mientras se celebra en la población la sacra fiesta del dios, ¿quién lograría tender el arco? Ponedlo en tierra tranquilamente y permanezcan clavadas todas las segures, pues no creo que se las lleve ninguno de los que frecuentan el palacio de Odiseo Laertíada. Mas, ea, comience el escanciano a repartir las copas para que hagamos la libación, y dejemos ya el corvo arco. Y ordenad al cabrero Melantio que al romper el día se venga con algunas cabras, las mejores de todos los rebaños, a fin de que, en ofreciendo los muslos a Apolo, célebre por su arco, probemos de armar el de Odiseo y terminemos este certamen.

[259] Así se expresó Antínoo y a todos les plugo lo que proponía. Los heraldos diéronles aguamanos y los mancebos coronaron de bebida las crateras y la distribuyeron después de ofrecer en copas las primicias. No bien se hicieron las libaciones y bebió cada uno cuanto deseara, el ingenioso Odiseo, meditando engaños, les habló de este modo:

[275] ODISEO. — Oídme, pretendientes de la ilustre reina, para que os exponga lo que en mi pecho el ánimo me ordena deciros y he de rogárselo en particular a Eurímaco y al deiforme Antínoo que ha pronunciado estas oportunas palabras: dejad por ahora el arco y atended a los dioses, y mañana algún numen dará bríos a quien le plazca. Ea, entregadme el pulido arco y probaré con vosotros mis brazos y mi fuerza: si por ventura hay en mis flexibles miembros el mismo vigor que antes, o ya se lo hicieron perder la vida errante y la carencia de cuidado.

[285] Así dijo. Todos sintieron gran indignación, temiendo que armase el pulido arco. Y Antínoo le increpó, hablándole de esta manera:

[288] ANTÍNOO. — ¡Oh, el más miserable de los forasteros! No hay en ti ni pizca de juicio. ¿No te basta estar sentado tranquilamente en el festín con nosotros, los ilustres, sin que se te prive de ninguna de las cosas del banquete, y escuchar nuestras palabras y conversaciones que no oye forastero ni mendigo alguno? Sin duda te trastorna el dulce vino, que suele perjudicar a quien lo bebe ávida y descomedidamente. El vino dañó al ínclito centauro Euritión cuando fue al país de los lapitas y se halló en el palacio del magnánimo Pirítoo. Tan luego como tuvo la razón ofuscada por el vino, enloqueciendo, llevó al cabo perversas acciones en la morada de Pirítoo; los héroes, poseídos de dolor, arrojáronse sobre él y, arrastrándolo hacia la puerta, le cortaron con el cruel bronce orejas y narices; y así se fue, con la inteligencia trastornada y sufriendo el castigo de su falta con ánimo demente. Tal origen tuvo la contienda entre los centauros y los hombres; mas aquél fue quien primero se atrajo el infortunio por haberse llenado de vino. De semejante modo, te anuncio a ti una gran desgracia, si llegases a tender el arco; pues no habrá quien te defienda en este pueblo, y pronto te enviaremos en negra nave al rey Équeto, plaga de todos los mortales, del cual no has de escapar sano y salvo. Bebe, pues, tranquilamente y no te metas a luchar con hombres que son más jóvenes.

311 Entonces la discreta Penélope le habló diciendo:

312 PENÉLOPE. — ¡Antínoo! No es decoroso ni justo que se ultraje a los huéspedes de Telémaco, sean cuales fueren los que vengan a este palacio. ¿Por ventura crees que si el huésped, confiando en sus manos y en su fuerza, tendiese el grande arco de Odiseo, me llevaría a su casa para tenerme por mujer propia? Ni él mismo concibió en su pecho semejante esperanza, ni por su causa ha de comer ninguno de vosotros con el ánimo triste; pues esto no se puede pensar razonablemente.

320 Respondióle Eurímaco, hijo de Pólibo:

321 EURÍMACO. — ¡Hija de Icario! ¡Discreta Penélope! No creemos que éste se te haya de llevar; ni el pensarlo fuera razonable, pero nos dan vergüenza los dizques de los hombres y de las mujeres; no sea que exclame algún aqueo peor que nosotros: «Hombres muy inferiores pretenden la esposa de un varón intachable y no pueden armar el pulido arco; mientras que un mendigo que llegó errante, tendiólo con facilidad e hizo pasar la flecha a través del hierro.» Así dirán, cubriéndonos de oprobio.

330 Repuso entonces la discreta Penélope:

331 PENÉLOPE. — ¡Eurímaco! No es posible que en el pueblo gocen de buena fama los que injurian a un varón principal, devorando lo de su casa: ¿por qué os hacéis merecedores de estos oprobios? El huésped es alto y vigoroso, y se precia de tener por padre a un hombre de buen linaje. Ea, entregadle el pulido arco y veamos. Lo que voy a decir se llevará a cumplimiento: si tendiere el arco, por concederle Apolo esta gloria, le pondré un manto y una túnica, vestidos magníficos; le regalaré un agudo dardo, para que se defienda de los hombres y de los perros, y también una espada de doble filo; le daré sandalias para los pies y le enviaré adonde su corazón y su ánimo deseen.

343 Respondióle el prudente Telémaco:

344 TELÉMACO. — ¡Madre mía! Ninguno de los aqueos tiene poder superior al mío para dar o rehusar el arco a quien me plazca, entre cuantos mandan en la áspera Ítaca o en las islas cercanas a la Élide, tierra fértil de caballos; por consiguiente, ninguno de éstos podría forzarme, oponiéndose a mi voluntad, si quisiera dar de una vez este arco al huésped aunque fuese para que se lo llevara. Vuelve a tu habitación, ocúpate en las labores que te son propias, el telar y la rueca, y ordena a las esclavas que se apliquen al trabajo, y del arco nos cuidaremos los hombres y principalmente yo, cuyo es el mando de esta casa.

354 Asombrada se fue Penélope a su habitación, poniendo en su ánimo las discretas palabras de su hijo. Y así que hubo llegado con las esclavas al aposento superior, lloró por Odiseo, su querido consorte, hasta que Atenea, la de ojos de lechuza, difundióle en los párpados el dulce sueño.

359 En tanto, el divinal porquerizo tomó el corvo arco para llevárselo al huésped; mas todos los pretendientes empezaron a baldonarle dentro de la sala, y uno de aquellos jóvenes soberbios le habló de esta manera:

[362] UNA VOZ. — ¿Adónde llevas el corvo arco, oh porquero no digno de envidia, oh vagabundo? Pronto te devorarán, junto a los marranos y lejos de los hombres, los ágiles canes que tú mismo has criado, si Apolo y los demás inmortales dioses nos fueren propicios.

[366] Así decían; y él volvió a poner el arco en el mismo sitio, asustado de que le baldonaran tantos hombres dentro de la sala. Mas Telémaco le amenazó, gritándole desde el otro lado:

[369] TELÉMACO. — ¡Abuelo! Sigue adelante con el arco, que muy pronto verías que no obras bien obedeciendo a todos: no sea que yo, aun siendo el más joven, te eche al campo y te hiera a pedradas, ya que te aventajo en fuerzas. Ojalá superase de igual modo, en brazos y fuerzas, a todos los pretendientes que hay en el palacio; pues no tardaría en arrojar a alguno vergonzosamente de la casa, porque maquinan acciones malvadas.

[376] Así le habló; y todos los pretendientes lo recibieron con blandas risas, olvidando su terrible cólera contra Telémaco. El porquerizo tomó el arco, atravesó la sala y, deteniéndose cabe al prudente Odiseo, se lo puso en las manos. Seguidamente, llamó al ama Euriclea y le habló de este modo:

[381] EUMEO. — Telémaco te manda, prudente Euriclea, que cierres las sólidas puertas de las estancias y que si alguna de las esclavas oyere gemidos o estrépito de hombres dentro de las paredes de nuestra sala, no se asome y quédese allí en silencio, junto a su labor.

[386] Así le dijo; y ninguna palabra voló de los labios de Euriclea, que cerró las puertas de las cómodas habitaciones.

[388] Filetio, a su vez, salió de la casa silenciosamente, fue a entornar las puertas del bien cercado patio y, como hallara debajo del pórtico el cable de papiro de una corva embarcación, las ató con él. Luego volvió a entrar y sentóse en el mismo sitio que antes ocupaba, con los ojos clavados en Odiseo. Ya éste manejaba el arco, dándole vueltas por todas partes y probando acá y acullá: no fuese que la carcoma hubiera roído el cuerno durante la ausencia del rey. Y uno de los presentes dijo al que tenía más cercano:

[397] UNA VOZ. — Debe de ser experto y hábil en manejar arcos, o quizás haya en su casa otros semejantes, o lleve traza de construirlos: de tal modo le da vueltas en sus manos acá y acullá ese vagabundo instruido en malas artes.

[401] Otro de aquellos jóvenes soberbios habló de esta manera:

[402] OTRA VOZ. — ¡Así alcance tanto provecho, como en su vida podrá armar el arco!

[404] De tal suerte se expresaban los pretendientes. Mas el ingenioso Odiseo, no bien hubo tentado y examinado el grande arco por todas partes, cual un hábil citarista y cantor tiende fácilmente con la clavija nueva la cuerda formada por retorcido intestino de una oveja que antes atara del uno y del otro lado, de este modo, sin esfuerzo alguno, armó Odiseo el grande arco. Seguidamente probó la cuerda, asiéndola con la

diestra, y dejóse oír un hermoso sonido muy semejante a la voz de una golondrina. Sintieron entonces los pretendientes gran pesar y a todos se les mudó el color. Zeus despidió un gran trueno como señal y holgóse el paciente divino Odiseo de que el hijo del artero Cronos le enviase aquel presagio. Tomó el héroe una veloz flecha que estaba encima de la mesa, porque las otras se hallaban dentro de la hueca aljaba, aunque muy pronto habían de sentir su fuerza los aqueos. Y acomodándola al arco, tiró a la vez de la cuerda y de las barbas, allí mismo, sentado en la silla; apuntó al blanco, despidió la saeta y no erró a ninguna de las segures, desde el primer agujero hasta el último: la flecha, que el bronce hacía ponderosa, las atravesó y salió afuera. Después de lo cual dijo a Telémaco:

[424] ODISEO. — ¡Telémaco! No te afrenta el huésped que está en tu palacio: ni erré el blanco, ni me costó gran fatiga armar el arco; mis fuerzas están enteras todavía, no cual los pretendientes, menospreciándome, me lo echaban a la cara. Pero ya es hora de aprestar la cena a los aqueos, mientras hay luz; para que después se deleiten de otro modo, con el canto y la cítara, que son los ornamentos del banquete.

[431] Dijo, e hizo con las cejas una señal. Y Telémaco, el caro hijo del divino Odiseo, ciñó la aguda espada, asió su lanza y, armado de reluciente bronce, se puso en pie al lado de la silla, junto a su padre.

RAPSODIA XXII

MATANZA DE LOS PRETENDIENTES

ENTONCES se desnudó de sus andrajos el ingenioso Odiseo, saltó al grande umbral con el arco y la aljaba repleta de veloces flechas y, derramándolas delante de sus pies, habló de esta guisa a los pretendientes:

5 ODISEO. — Ya este certamen fatigoso está acabado; ahora apuntaré a otro blanco adonde jamás tiró varón alguno, y he de ver si lo acierto por concederme Apolo tal gloria.

8 Dijo, y enderezó la amarga saeta hacia Antínoo. Levantaba éste una bella copa de oro, de doble asa, y teníala ya en las manos para beber el vino, sin que el pensamiento de la muerte embargara su ánimo: ¿quién pensara que, entre tantos convidados, un solo hombre, por valiente que fuera, había de darle tan mala muerte y negro hado? Pues Odiseo, acertándole en la garganta, hirióle con la flecha y la punta asomó por la tierna cerviz. Desplomóse hacia atrás Antínoo, al recibir la herida, cayósele la copa de las manos, y brotó de sus narices un espeso chorro de humana sangre. Seguidamente empujó la mesa, dándole con el pie, y esparció las viandas por el suelo, donde el pan y la carne asada se mancharon. Al verle caído, los pretendientes levantaron un gran tumulto dentro del palacio; dejaron las sillas y, moviéndose por la sala, recorrie-

ron con los ojos las bien labradas paredes; pero no había ni un escudo siquiera, ni una fuerte lanza de que echar mano. E increparon a Odiseo con airadas voces:

27 Los pretendientes. — ¡Oh forastero! Mal haces en disparar el arco contra los hombres. Pero ya no te hallarás en otros certámenes: ahora te aguarda una terrible muerte. Quitaste la vida a un varón que era el más señalado de los jóvenes de Ítaca, y por ello te comerán aquí mismo los buitres.

31 Así hablaban, figurándose que había muerto a aquel hombre involuntariamente. No pensaban los muy simples que la ruina pendía sobre ellos. Pero, encarándoles la torva faz, les dijo el ingenioso Odiseo:

35 Odiseo. — ¡Ah, perros! No creíais que volviese del pueblo troyano a mi morada y me arruinabais la casa, forzabais las mujeres esclavas y, estando yo vivo, pretendíais a mi esposa, sin temer a los dioses que habitan el vasto cielo, ni recelar venganza alguna de parte de los hombres. Ya pende la ruina sobre vosotros todos.

42 Así se expresó. Todos se sintieron poseídos del pálido temor y cada uno buscaba por dónde huir para librarse de una muerte espantosa. Y Eurímaco fue el único que le contestó diciendo:

45 Eurímaco. — Si eres en verdad Odiseo itacense, que has vuelto, te asiste la razón al hablar de este modo de cuanto solían hacer los aqueos, pues se han cometido muchas iniquidades en el palacio y en el campo. Pero yace en tierra quien fue el culpable de todas estas cosas, Antínoo: el cual promovió dichas acciones, no porque tuviera necesidad o deseo de casarse, sino por haber concebido otros designios que el Cronión no llevó al cabo, es a saber, para reinar sobre el pueblo de la bien construida Ítaca, matando a tu hijo con asechanzas. Ya lo ha pagado con su vida, como era justo; mas tú perdona a tus conciudadanos, que nosotros, para aplacarte públicamente, te resarciremos de cuanto se ha comido y bebido en el palacio, estimándolo en el valor de veinte bueyes por cabeza, y te daremos bronce y oro hasta que tu corazón se satisfaga, pues antes no se te puede echar en cara que estés irritado.

60 Mirándole con torva faz, le contestó el ingenioso Odiseo:

61 Odiseo. — ¡Eurímaco! Aunque todos me dierais vuestro peculiar patrimonio, añadiendo a cuanto tengáis otros bienes de distinta procedencia, ni aun así se abstendrían mis manos de matar hasta que los pretendientes hayáis pagado todas las demasías. Ahora se os ofrece la ocasión de combatir conmigo o de huir, si alguno puede evitar la muerte y las Parcas; mas no creo que nadie se libre de un fin desastroso.

68 Así dijo; y todos sintieron desfallecer sus rodillas y su corazón. Pero Eurímaco habló otra vez para decirles:

70 Eurímaco. — ¡Amigos! No contendrá este hombre sus manos indómitas: habiendo tomado el pulido arco y la aljaba, disparará desde el liso umbral hasta que a todos nos mate. Pensemos, pues, en combatir. Sacad las espadas, poned las mesas por reparo a las saetas, que causan rápida muerte, y acometámosle juntos por si logramos apartarle del um-

bral y de la puerta e irnos por la ciudad, donde se promovería gran alboroto. Y quizá disparara el arco por la vez postrera.

[79] Diciendo así, desenvainó la espada de bronce, aguda y de doble filo, y arremetió contra aquél, gritando de un modo horrible. Pero en el mismo punto tiróle el divino Odiseo una saeta y, acertándole en el pecho junto a la tetilla, le clavó en el hígado la veloz flecha. Cayó en el suelo la espada que empuñaba Eurímaco, y éste, tambaleándose y dando vueltas, vino a dar encima de la mesa y derribó los manjares y la copa de doble asa; después, angustiado en su espíritu, hirió con la frente el suelo y golpeó con los pies la silla; y por fin oscura nube se extendió sobre sus ojos.

[89] También Anfínomo se fue derecho hacia el glorioso Odiseo, con la espada desenvainada, para ver si habría medio de echarlo de la puerta. Mas Telémaco le previno con arrojarle la broncínea lanza, la cual se le hundió en la espalda, entre los hombros, y le atravesó el pecho; y aquel cayó ruidosamente y dio de cara contra el suelo. Retiróse Telémaco con prontitud, dejando la luenga pica clavada en Anfínomo; pues temió que, mientras la arrancase, le hiriera alguno de los aqueos con la punta o con el filo de la espada. Fue corriendo, llegó en seguida adonde se hallaba su padre y, parándose cerca de él, díjole estas aladas palabras:

[101] TELÉMACO. — ¡Oh padre! Voy a traerte un escudo, dos lanzas y un casco de bronce que se ajuste a tus sienes; y de camino me pondré también las armas y daré otras al porquerizo y al boyero; porque es mejor estar armados.

[105] Respondióle el ingenioso Odiseo:

[106] ODISEO. — Tráelo corriendo, mientras tengo saetas para rechazarlos: no sea que, por estar solo, me lancen de la puerta.

[108] Así le dijo. Telémaco obedeció a su padre, y se fue al aposento donde estaban las magníficas armas. Tomó cuatro escudos, ocho lanzas y cuatro yelmos de bronce adornados con espesas crines de caballo; y, llevándoselo todo, volvió pronto adonde se hallaba su padre. Primeramente protegió Telémaco su cuerpo con el bronce; los dos esclavos vistieron asimismo hermosas armaduras, y luego colocáronse todos junto al prudente y sagaz Odiseo.

[116] Mientras el héroe tuvo flechas para defenderse, fue apuntando e hiriendo sin interrupción en su propia casa a los pretendientes, los cuales caían unos en pos de otros. Mas, en el momento en que se le acabaron las saetas al rey, que las tiraba, arrimó el arco a un poste de la sala sólidamente construida, apoyándolo contra el lustroso muro echóse al hombro un escudo de cuatro pieles, cubrió la robusta cabeza con un labrado yelmo cuyo penacho de crines de caballo ondeaba terriblemente en la cimera, y asió dos fuertes lanzas de broncínea punta.

[126] Había en la bien labrada pared un postigo con su umbral mucho más alto que el pavimento de la sala sólidamente construida, que daba paso a una callejuela y lo cerraban unas tablas perfectamente ajustadas. Odiseo mandó que lo custodiara el divinal porquero, quedándose de pie

junto al mismo, por ser aquélla la única salida. Y Agelao hablóles a todos con estas palabras:

132 AGELAO. — ¡Oh amigos! ¿No podría alguno subir al postigo, hablarle a la gente y levantar muy pronto un clamoreo? Haciéndolo así, quizás este hombre disparara el arco por la vez postrera.

135 Mas el cabrero Melantio le replicó:

136 MELANTIO. — No es posible, oh Agelao, alumno de Zeus. Hállase el postigo muy próximo a la hermosa puerta que conduce al patio, la salida al callejón es difícil y un solo hombre que fuese esforzado bastaría para detenernos a todos. Mas, ea, para que os arméis traeré armas del aposento en el cual me figuro que las colocaron (y no será seguramente en otra parte) Odiseo con su preclaro hijo.

142 Diciendo de esta suerte, el cabrero Melantio subió a la estancia de Odiseo por la escalera del palacio. Tomó doce escudos, igual número de lanzas y otros tantos broncíneos yelmos guarnecidos de espesas crines de caballo; y, llevándoselo todo, lo puso en las manos de los pretendientes. Desfallecieron las rodillas y el corazón de Odiseo cuando les vio coger las armas y blandear las luengas picas; porque era grande el trabajo que se le presentaba. Y al momento dirigió a Telémaco estas aladas palabras:

151 ODISEO. — ¡Telémaco! Algunas de las mujeres del palacio, o Melantio, enciende contra nosotros el funesto combate.

153 Respondióle el prudente Telémaco:

154 TELÉMACO. — ¡Oh padre! Yo tuve la culpa y no otro alguno, pues dejé sin cerrar la puerta sólidamente encajada del aposento. Su espía ha sido más hábil. Ve tú, divinal Eumeo, a cerrar la puerta y averigua si quien hace tales cosas es una mujer o Melantio, el hijo de Dolio, como yo presumo.

160 Así éstos conversaban, cuando el cabrero Melantio volvió a la estancia para sacar otras magníficas armas. Advirtiólo el divinal porquerizo y al punto dijo a Odiseo, que estaba a su lado:

164 EUMEO. — ¡Laertíada, del linaje de Zeus! ¡Odiseo, fecundo en ardides! Aquel hombre pernicioso de quien sospechábamos vuelve al aposento. Dime claramente si lo he de matar, caso de ser yo el más fuerte, o traértelo aquí, para que pague las muchas bellaquerías que cometió en tu casa.

169 Respondióle el ingenioso Odiseo:

170 ODISEO. — Yo y Telémaco resistiremos en esta sala a los ilustres pretendientes aunque están muy enardecidos; y vosotros id, retorcedle hacia atrás los pies y las manos, echadle en el aposento y, cerrando la puerta, atadle una soga bien torcida y levantadle a la parte superior de una columna, junto a las vigas, para que viva y padezca fuertes dolores por largo tiempo.

178 Así habló; y ellos le escucharon y obedecieron, encaminándose a la cámara sin que lo advirtiese aquél, que ya estaba metido en ella. Halláronle ocupado en buscar armas en lo más hondo de la habitación y

pusiéronse respectivamente a derecha e izquierda de la entrada, delante de las jambas. Y apenas el cabrero Melantio iba a pasar el umbral con un hermoso yelmo en una mano y en la otra un escudo grande, muy antiguo, cubierto de moho, que el héroe Laertes solía llevar en su juventud y que se hallaba desechado y con las correas descosidas, ellos se le echaron encima, lo asieron y lo llevaron adentro, arrastrándolo por la cabellera; en seguida derribáronlo en tierra, angustiado en su corazón, y, retorciéndole hacia atrás los pies y las manos, sujetáronselos juntamente con un penoso lazo, conforme a lo dispuesto por el hijo de Laertes, por el paciente divino Odiseo atáronle luego una soga bien torcida y levantáronle a la parte superior de una columna, junto a las vigas. Entonces fue cuando, haciendo burla de él, le dijiste así, porquerizo Eumeo:

195 EUMEO. — Ya, oh Melantio, velarás toda la noche, acostado en esa blanda cama cual te mereces; y no te pasará inadvertida la Aurora de áureo trono, hija de la mañana, cuando salga de las corrientes del Océano a la hora en que sueles traerles las cabras a los pretendientes para aparejar su almuerzo.

200 Así se quedó, suspendido del funesto lazo; y ellos se armaron en seguida, cerraron la espléndida puerta y fuéronse hacia el prudente y sagaz Odiseo. Allí se retuvieron, respirando valor. Eran, pues, cuatro los del umbral, y muchos y fuertes los de dentro de la sala. Poco tardó en acercárseles Atenea, hija de Zeus, que había tomado el aspecto y la voz de Méntor. Odiseo se alegró de verla y le dijo estas palabras:

208 ODISEO. — ¡Méntor! Aparta de nosotros el infortunio y acuérdate del compañero amado que tanto bien solía hacerte; pues eres coetáneo mío.

210 Así habló, sin embargo de haber reconocido a Atenea, que enardece a los guerreros. Por su parte zaherían a los pretendientes en la sala, comenzando por Agelao Damastórida, que le habló diciendo:

213 AGELAO. — ¡Méntor! No te persuada Odiseo con sus palabras a que le auxilies, luchando contra los pretendientes, pues me figuro que se llevará al cabo nuestro intento de la siguiente manera: así que los matemos a entrambos, al padre y al hijo, también tú perecerás por las cosas que quieres hacer en el palacio y que has de expiar con tu cabeza. Y cuando el bronce haya dado fin a vuestra violencia, juntaremos a los de Odiseo todos los bienes de que disfrutas dentro y fuera de la población, y no permitiremos ni que tus hijos e hijas habiten en tu palacio, ni que tu casta esposa ande por la ciudad de Ítaca.

224 Así dijo. Acrecentósele a Atenea el enojo que sentía en su corazón y abochornó a Odiseo con airadas voces:

226 ATENEA. — Ya no hay en ti, Odiseo, aquel vigor ni aquella fortaleza con que durante nueve años luchaste continuamente contra los teucros por Helena, la de níveos brazos, hija de nobles padres; y diste muerte a muchos varones en la terrible pelea; y por tu consejo fue tomada la ciudad de Príamo, la de anchas calles. ¿Cómo, pues, llegado a tu casa y a tus posesiones, no te atreves a ser esforzado contra los preten-

dientes? Mas, ea, ven acá, amigo, colócate junto a mí, contempla mi obra, y sabrás cómo Méntor Alcímida se porta con tus enemigos para devolverte los favores que le hiciste.

236 Dijo; mas no le dio cabalmente la indecisa victoria, porque deseaba probar la fuerza y el valor de Odiseo y de su hijo glorioso. Y, tomando el aspecto de una golondrina, cogió el vuelo y fue a posarse en una de las vigas de la espléndida sala.

241 En esto concitaban a los demás pretendientes Agelao Damastórida, Eurínomo, Anfimedonte, Demoptólemo Pisandro Polietórida y el valeroso Pólibo, que eran los más señalados por su bravura entre los que aún vivían y peleaban por conservar sus personas; pues a los restantes habíanlos derribado las numerosas flechas por el arco arrojadas. Y Agelao hablóles a todos con estas palabras:

248 AGELAO. — ¡Oh amigos! Ya este hombre contendrá sus manos indómitas; pues Méntor se le fue, después de proferir inútiles baladronadas, y vuelven a estar solos en el umbral de la puerta. Por tanto, no arrojéis todos a una la luenga pica; ea, tírenle primeramente estos seis, por si Zeus nos conceda herir a Odiseo y alcanzar gloria. Que ningún cuidado nos darían los otros, si él cayese.

255 Así les habló; arrojaron sus lanzas con gran ímpetu aquellos a quienes se lo había ordenado, e hizo Atenea que todos los tiros dieran en vacío. Uno acertó a dar en la columna de la habitación sólidamente construida, otro en la puerta fuertemente ajustada, y otro hirió el muro con la lanza de fresno que el bronce hacía ponderosa. Mas, apenas se hubieron librado de las lanzas arrojadas por los pretendientes, el paciente divino Odiseo fue el primero en hablar a los suyos de esta manera:

262 ODISEO. — ¡Oh amigos! Ya os invito a tirar las lanzas contra la turba de los pretendientes, que desean acabar con nosotros después de habernos causado los anteriores males.

265 Así se expresó; y ellos arrojaron las agudas lanzas, apuntando a su frente. Odiseo mató a Demoptólemo, Telémaco a Euríades, el porquerizo a Élato y el boyero a Pisandro; los cuales mordieron juntos la vasta tierra. Retrocedieron los pretendientes al fondo de la sala; y Odiseo y los suyos corrieron a sacar de los cadáveres las lanzas que les habían clavado.

272 Los pretendientes tornaron a arrojar con gran ímpetu las agudas lanzas, pero Atenea hizo que los más de los tiros dieran en vacío. Uno acertó a dar en la columna de la habitación sólidamente construida, otro en la puerta fuertemente ajustada, y otro hirió el muro con la lanza de fresno que el bronce hacía ponderosa. Anfimedonte hirió a Telémaco en la muñeca, pero muy levemente, pues el bronce tan sólo desgarró el cutis. Y Ctesipo logró que su ingente lanza rasguñase el hombro de Eumeo por cima del escudo; pero el arma voló al otro lado y cayó en tierra.

281 El prudente y sagaz Odiseo y los que con él se hallaban arrojaron otra vez sus agudas lanzas contra la turba de los pretendientes. Odiseo, asolador de ciudades, hirió a Euridamante, Telémaco a Anfimedonte y

el porquerizo a Pólibo; y en tanto el boyero acertó a dar en el pecho a Ctesipo y, gloriándose, hablóle de esta manera:

287 FILETIO. — ¡Oh Politersida, amante de la injuria! No cedas nunca al impulso de tu mentecatez para hablar altaneramente; antes bien, cede la elocuencia a las deidades, que son mucho más poderosas. Y recibirás este presente de hospitalidad a cuenta de la pata que diste a Odiseo, igual a un dios, cuando mendigaba en su propio palacio.

292 Así habló el pastor de bueyes de retorcidos cuernos; y en tanto Odiseo le envainaba de cerca su gran pica al Damastórida. Telémaco hirió por su parte a Leócrito Evenórida con hundirle la lanza en el ijar, que el bronce traspasó enteramente; y el varón cayó de frente, dando de cara contra el suelo. Atenea, desde lo alto del techo, levanto su égida, perniciosa a los mortales; y los ánimos de todos los pretendientes quedaron espantados. Huían éstos por la sala como las vacas de un rebaño al cual agita el movedizo tábano en la estación vernal, cuando los días son muy largos. Y aquéllos, a la manera que los buitres de retorcidas uñas y corvo pico bajan del monte y acometen a las aves que, temerosas de quedarse en las nubes, descendieron a la llanura, y las persiguen y matan sin que puedan resistirse ni huir, mientras los hombres se regocijan presenciando la captura; de ese modo arremetieron en la sala contra los pretendientes, dando golpes a diestro y siniestro; los que se sentían heridos en la cabeza levantaban horribles suspiros, y el suelo manaba sangre por todos lados.

310 En esto, Leodes corrió hacia Odiseo, le abrazó por las rodillas y comenzó a suplicarle con estas aladas palabras:

312 LEODES. — Te lo ruego abrazado a tus rodillas, Odiseo: respétame y apiádate de mí. Yo te aseguro que a las mujeres del palacio ninguna bellaquería les dije ni les hice jamás; antes bien, contenía a los pretendientes que de tal suerte se portaban. Mas no me obedecieron en términos que sus manos se abstuviesen de las malas obras; y por eso se han atraído con sus iniquidades una deplorable muerte. Y yo, que era su arúspice y ninguna maldad cometí, yaceré con ellos; pues ningún agradecimiento se siente hacia los bienhechores.

320 Mirándole con torva faz, exclamó el ingenioso Odiseo:

321 ODISEO. — Si te jactas de haber sido su arúspice, debiste de rogar muchas veces en el palacio que se alejara el dulce instante de mi regreso, y se fuera mi esposa contigo, y te diese hijos; por tanto, no escaparás tampoco de la cruel muerte.

326 Diciendo así, tomó con la robusta mano la espada que Agelao, al morir, arrojó al suelo, y le dio tal golpe en medio de la cerviz, que la cabeza rodó por el polvo mientras Leodes hablaba todavía.

330 Pero libróse de la negra Parca el aedo Femio Terpíada; el cual, obligado por la necesidad, cantaba ante los pretendientes. Hallábase de pie junto al postigo, con la sonora cítara en la mano, y revolvía en su corazón dos resoluciones: o salir de la habitación y sentarse junto al bien construido altar del gran Zeus, protector del recinto, donde Laertes y

Odiseo habían quemado tantos muslos de buey, o correr hacia Odiseo, abrazarle las rodillas y dirigirle súplicas. Considerándolo bien, parecióle mejor tocarle las rodillas a Odiseo Laertíada. Y dejando en el suelo la cóncava cítara, entre la cratera y la silla de clavazón de plata, corrío hasta Odiseo, abrazóle las rodillas y comenzó a suplicarle con estas aladas palabras:

344 FEMIO. — Te lo ruego abrazado a tus rodillas, Odiseo: respétame y apiádate de mí. A ti mismo te pesará más adelante haber quitado la vida a un aedo como yo; que canto a los dioses y a los hombres. Yo de mío me he enseñado, que un dios me inspiró en la mente canciones de toda especie y soy capaz de entonarlas en tu presencia como si fueses una deidad: no quieras, pues, degollarme. Telémaco tu caro hijo te podrá decir que no entraba yo en esta casa de propio impulso, ni obligado por la penuria, a cantar después de los festines de los pretendientes; sino que éstos, que eran muchos y me aventajaban en poder, forzábanme a que viniera.

354 Así habló; y, al oírlo el vigoroso y divinal Telémaco, dijo a su padre, que estaba cerca:

356 TELÉMACO. — Tente y no hieras con el bronce a ese inculpado. Y salvaremos asimismo al heraldo Medonte, que siempre me cuidaba en esta casa mientras fui niño; si ya no le han muerto Filetio o el porquerizo, ni se encontró contigo cuando arremetías por la sala.

361 Así dijo; y oyólo el discreto Medonte, que se hallaba acurrucado debajo de una silla, tapándose con un cuero reciente de buey para evitar la negra Parca. Salió en seguida de debajo de la silla, apartó la piel de buey, y corriendo hacia Telémaco, le abrazó las rodillas y comenzó a suplicarle con estas aladas palabras:

367 MEDONTE. — ¡Oh amigo! Ése soy yo. Deténte y di a tu padre que no me cause daño con el agudo bronce, braveando con su fuerza, irritado como está contra los pretendientes que agotaban sus bienes en el palacio, y a ti, los muy necios, no te honraban en lo más mínimo.

371 Díjole sonriendo el ingenioso Odiseo:

372 ODISEO. — Tranquilízate, ya que éste te libró y salvó para que conozcas en tu ánimo y puedas decir a los demás cuánta ventaja llevan las buenas acciones a las malas. Pero salid de la habitación tú y el aedo tan afamado y tomad asiento en el patio, fuera de este lugar de matanza, mientras doy fin a lo que debo hacer en mi morada.

378 Así les habló; y ambos salieron de la sala y se sentaron junto al altar del gran Zeus, mirando a todas partes y temiendo recibir la muerte a cada paso.

381 Odiseo registraba con los ojos toda la estancia por si hubiese quedado vivo alguno de aquellos hombres, librándose de la negra Parca. Pero los vio, a tantos como eran, caídos entre la sangre y el polvo. Como los peces que los pescadores sacan de espumoso mar a la corva orilla en una red de infinidad de mallas, yacen amontonados en la arena, anhelantes de las olas, y el resplandeciente sol les arrebata la vida, de esa

manera estaban tendidos los pretendientes los unos sobre los otros. Entonces el ingenioso Odiseo dijo a Telémaco:

391 ODISEO. — ¡Telémaco! Ve y llámame al ama Euriclea para que sepa lo que tengo pensado.

393 Así se expresó. Telémaco obedeció a su padre y, moviendo la puerta, hablóle de este modo al ama Euriclea:

395 TELÉMACO. — ¡Levántate y ven, añosa vieja que cuidas de vigilar las esclavas en nuestro palacio! Te llama mi padre para decirte algo.

398 Así dijo; y ninguna palabra voló de los labios de Euriclea, la cual abrió las puertas de las cómodas habitaciones, echó a andar, precedida por Telémaco, y halló a Odiseo entre los cadáveres de aquellos a quienes acababa de matar, todo manchado de sangre y polvo. Así como un león que acaba de devorar a un buey montés, se presenta con el pecho y ambos lados de las mandíbulas teñidas en sangre, e infunde horror a los que lo ven, de igual manera tenía manchados Odiseo los pies y las manos. Cuando ella vio los cadáveres y aquella inmensidad de sangre, empezó a romper en exclamaciones de alegría porque contemplaba una grandiosa hazaña; pero Odiseo se lo estorbó y contuvo su afán de clamoreo, dirigiéndole estas aladas palabras:

411 ODISEO. — ¡Anciana! Regocíjate en tu corazón, pero contente y no profieras exclamaciones de alegría; que no es piadoso alborozarse por la muerte de estos varones. Diéronles muerte la Parca de los dioses y sus obras perversas, pues no respetaban a ningún hombre de la tierra, malo o bueno, que a ellos se llegase; por esta causa con sus iniquidades se han atraído una deplorable muerte. Mas, ea, cuéntame ahora qué mujeres me hacen poco honor en el palacio y quiénes están sin culpa.

419 Contestóle Euriclea, su ama querida:

420 EURICLEA. — Yo te diré, oh hijo, la verdad. Cincuenta esclavas tienes en el palacio, a las cuales enseñé a hacer labores, a cardar lana y a soportar la servidumbre; de ellas doce se entregaron a la imprudencia, no respetándome a mí ni a la propia Penélope. Telémaco ha muy poco que llegó a la juventud, y su madre no le dejaba tener mando en las mujeres. Mas, ea, voy a subir a la espléndida habitación superior para enterar de lo que ocurre a tu esposa, a la cual debe de haberle enviado alguna deidad el sueño en que está sumida.

430 Respondióle el ingenioso Odiseo:

431 ODISEO. — No la despiertes aún; pero di que vengan cuantas mujeres cometieron acciones indignas.

433 Así le habló; y la vieja se fue por el palacio a decirlo a las mujeres y mandarles que se presentaran. Entonces llamó el héroe a Telémaco, al boyero y al porquerizo, y les dijo estas aladas palabras:

437 ODISEO. — Proceded primeramente a la traslación de los cadáveres, que ordenaréis a las mujeres; y seguidamente limpien éstas con agua y esponjas de muchos ojos las magníficas sillas y las mesas. Y cuando hubiereis puesto en orden toda la estancia, llevaos las esclavas afuera del

sólido palacio, y allá, entre la rotonda y la bella cerca del patio, heridlàs a todas con la espada de larga punta hasta que les arranquéis el alma y se olviden de Afrodita, de cuyos placeres disfrutaban uniéndose en secreto con los pretendientes.

446 Así se lo encargó. Llegaron todas las mujeres juntas, las cuales suspiraban gravemente y derramaban abundantes lágrimas. Comenzaron sacando los cadáveres de los muertos, y, apoyándose las unas en las otras, los colocaron debajo del pórtico, en el bien cercado patio: Odiseo se lo ordenó, dándoles prisa, y ellas se vieron obligadas a transportarlos. Después limpiaron con agua y esponjas de muchos ojos las magníficas sillas y las mesas. Telémaco, el boyero y el porquerizo pasaron la rasqueta por el pavimento de la sala sólidamente construida y las esclavas se llevaron las raeduras y las echaron afuera. Cuando hubieron puesto en orden toda la estancia, sacaron aquéllos las esclavas de palacio a un lugar angosto, entre la rotonda y la bella cerca del patio, de donde no era posible que escaparan. Y el prudente Telémaco dijo a los otros:

462 TELÉMACO. — No quiero privar de la vida con muerte honrosa a estas esclavas que derramaron el oprobio sobre mi cabeza y sobre mi madre, durmiendo con los pretendientes.

465 Así habló; y, atando a excelsa columna la soga de una nave de azulada proa, cercó con ella la rotonda, tendiéndola en lo alto para que ninguna de las esclavas llegase con sus pies al suelo. Así como los tordos de anchas alas o las palomas que, al entrar en un seto, dan con una red tendida ante un matorral, encuentran en ella odioso lecho, así las esclavas tenían las cabezas en línea y sendos lazos alrededor de sus cuellos, para que muriesen del modo más deplorable. Tan solamente agitaron los pies por un breve espacio de tiempo que no fue de larga duración.

474 Después sacaron a Melantio al vestíbulo y al patio; le cortaron con el cruel bronce las narices y las orejas; le arrancaron las partes verendas, para que los perros las despedazaran crudas, y amputáronle las manos y los pies con ánimo irritado.

418 Tras esto, laváronse las manos y los pies, y volvieron a penetrar en la casa de Odiseo, pues la obra estaba consumada. Entonces dijo el héroe a su ama Euriclea:

481 ODISEO. — ¡Anciana! Trae azufre, medicina contra lo malo, y trae también fuego, para azufrar la casa. E invitarás a Penélope a venir acá con sus criadas, y mandarás asimismo que se presenten todas las esclavas del palacio.

485 Respondióle su ama Euriclea:

486 EURICLEA. — Sí, hijo mío, es muy oportuno lo que acabas de decir. Mas, ea, voy a traerte un manto y una túnica para que te vistas y no andes por tu palacio con los anchos hombros cubiertos de andrajos; que esto fuera reprensible.

490 Contestóle el ingenioso Odiseo:

491 ODISEO. — Ante todas cosas enciéndase fuego en esta sala.

[492] Así dijo y no le desobedeció su ama Euriclea, pues le trajo fuego y azufre. Acto seguido azufró Odiseo la sala, las demás habitaciones y el patio.

[495] La vieja se fue por la hermosa mansión de Odiseo a llamar a las mujeres y mandarles que se presentaran. Pronto salieron del palacio con hachas encendidas, rodearon a Odiseo y le saludaron y abrazaron, besándole la cabeza, los hombros y las manos que le tomaban con las suyas; y un dulce deseo de llorar y de suspirar se apoderó del héroe, pues en su alma las reconoció a todas.

RAPSODIA XXIII

RECONOCIMIENTO DE ODISEO POR PENÉLOPE

Muy alegre se encaminó la vieja a la estancia superior para decirle a su señora que tenía dentro de la casa al amado esposo. Apenas llegó, moviendo firmemente las rodillas y dando saltos con sus pies, inclinóse sobre la cabeza de Penélope y le dijo estas palabras:

[5] EURICLEA. — Despierta, Penélope, hija querida, para ver con tus ojos lo que ansiabas todos los días. Ya llegó Odiseo, ya volvió a su casa, aunque tarde, y ha dado muerte a los ilustres pretendientes que contristaban el palacio, se comían los bienes y violentaban a tu hijo.

[10] Respondióle la discreta Penélope:

[11] PENÉLOPE. — ¡Ama querida! Los dioses te han trastornado el juicio; que ellos pueden entontecer al muy discreto y dar prudencia al simple, y ahora te dañaron a ti, de ingenio tan sesudo. ¿Por qué te burlas de mí, que padezco en el ánimo multitud de pesares, refiriéndome embustes y despertándome del dulce sueño que me tenía amodorrada por haberse difundido sobre mis párpados? No había descansado de semejante modo desde que Odiseo se fue para ver aquella Ilión perniciosa y nefanda. Mas, ea, torna a bajar y ocupa tu sitio en el palacio: que si otra de mis mujeres viniese con tal noticia a despertarme, pronto la mandaría al interior de la casa de vergonzosa manera; pero a ti la senectud te salva.

[25] Contestóle su ama Euriclea.

[26] EURICLEA. — No me burlo, hija querida; es verdad que vino Odiseo y llegó a esta casa, como te lo cuento: era aquel forastero a quien todos ultrajaban en el palacio. Tiempo ha sabía Telémaco que se hallaba aquí; mas con prudente ardid ocultó los intentos de su padre, para que pudiese castigar las violencias de aquellos hombres orgullosos.

[32] Así habló. Alegróse Penélope y, saltando de la cama, abrazó a la vieja, dejó que cayeran lágrimas de sus ojos, y profirió estas aladas palabras:

[35] PENÉLOPE. — Pues, ea, ama querida, cuéntame la verdad: si es cierto que vino a esta casa, como aseguras y de qué manera logró poner las manos en los desvergonzados pretendientes estando él solo y hallándose los demás siempre reunidos en el interior del palacio.

[39] Respondióle su ama Euriclea:

[40] EURICLEA. — No lo he visto, no lo sé, tan sólo percibí el suspirar de los que caían muertos pues nosotras permanecimos, llenas de pavor, en lo más hondo de la sólida habitación con las puertas cerradas, hasta que tu hijo Telémaco fue desde la sala y me llamó por orden de su padre. Hallé a Odiseo de pie entre los cadáveres, que estaban tendidos en el duro suelo, a su alrededor, los unos encima de los otros: se te holgara el ánimo de verle manchado de sangre y polvo, como un león. Ahora yacen todos juntos en la puerta del patio y Odiseo ha encendido un gran fuego, azufra la magnífica morada y me envió a llamarte. Sígueme, pues, a fin de que ambos llenéis vuestro corazón de contento, ya que padecisteis tantos males. Por fin se cumplió aquel gran deseo: Odiseo tornó vivo a su hogar, hallándote a ti y a tu hijo; y a los pretendientes que lo ultrajaban, los ha castigado en su mismo palacio.

[58] Contestóle la discreta Penélope:

[59] PENÉLOPE. — ¡Ama querida! No cantes aún victoria, regocijándote con exceso. Bien sabes cuán grata nos había de ser su venida a todos los del palacio y especialmente a mí y al hijo que engendramos; pero la noticia no es cierta como tú la das, sino que alguno de los inmortales ha muerto a los ilustres pretendientes, indignado de ver sus dolorosas injurias y sus malvadas acciones. Que no respetaban a ningún hombre de la tierra, malo o bueno, que a ellos se llegara; y de ahí viene que, a causa de sus iniquidades, hayan padecido tal infortunio. Pero la esperanza de volver feneció lejos de Acaya para Odiseo, y éste también ha muerto.

[69] Respondióle en el acto su ama Euriclea:

[70] EURICLEA. — ¡Hija mía! ¡Qué palabras se te escaparon del cerco de los dientes, al decir que jamás volverá a esta casa tu marido, cuando ya está junto al hogar! Tu ánimo es siempre incrédulo. Mas, ea, voy a revelarte otra señal manifiesta: la cicatriz de la herida que le infirió un jabalí con su blanco diente. La reconocí mientras le lavaba y quise decírtelo; pero él, con sagaz previsión, me lo impidió tapándome la boca con sus manos. Sígueme; que yo misma me doy en prenda y, si te engaño, me matas haciéndome padecer la más deplorable de las muertes.

80 Contestóle la discreta Penélope:

81 PENÉLOPE. — ¡Ama querida! Por mucho que sepas, difícil es que averigües los designios de los sempiternos dioses. Mas, con todo, vamos adonde está mi hijo, para que yo vea muertos a los pretendientes y a quien los ha matado.

85 Dijo así; y bajó de la estancia superior, revolviendo en su corazón muchas cosas: si interrogaría a su marido desde lejos, o si, acercándose a él, le besaría la cabeza y le tomaría las manos. Después que entró en la sala, transponiendo el pétreo umbral, fue a sentarse enfrente de Odiseo al resplandor del fuego, en la pared opuesta, pues el héroe se hallaba sentado de espaldas a una elevada columna, con la vista baja, esperando que le hablara su ilustre consorte así que en él pusiera los ojos. Mas Penélope permaneció mucho tiempo sin desplegar los labios por tener el corazón estupefacto: unas veces, mirándole fijamente a los ojos, veía que aquél era realmente su aspecto; y otras no le reconocía a causa de las miserables vestiduras que llevaba. Y Telémaco la increpó con estas voces:

97 TELÉMACO. ¡Madre mía, descastada madre, puesto que tienes ánimo cruel! ¿Por qué te pones tan lejos de mi padre, en vez de sentarte a su lado, y hacerle preguntas y enterarte de todo? Ninguna mujer se quedaría así, con ánimo tenaz, apartada de su esposo, cuando él, después de pasar tantos males, vuelve en el vigésimo año a la patria tierra. Pero tu corazón ha sido siempre más duro que una piedra.

104 Respondióle la discreta Penélope:

105 PENÉLOPE. — ¡Hijo mío! Estupefacto está mi ánimo en el pecho, y no podría decirle ni una sola palabra, ni hacerle preguntas, ni mirarlo de frente. Pero, si verdaderamente es Odiseo que vuelve a su casa, ya nos reconoceremos mejor; pues hay señas para nosotros que los demás ignoran.

111 Así se expresó. Sonrióse el paciente divino Odiseo y en seguida dirigió a Telémaco estas aladas palabras:

113 ODISEO. — ¡Telémaco! Deja a tu madre que me pruebe dentro del palacio; pues quizá de este modo me reconozca más fácilmente. Como estoy sucio y ando con miserables vestiduras, me tiene en poco y no cree todavía que sea aquél. Deliberaremos ahora para que todo se haga de la mejor manera. Pues si quien mata a un hombre del pueblo, que no deja tras sí muchos vengadores, huye y desampara a sus deudos y su patria tierra, nosotros hemos dado muerte a los que eran el sostén de la ciudad, a los más eximios jóvenes de Ítaca. Yo te invito a pensar en esto.

123 Respondióle el prudente Telémaco:

124 TELÉMACO. — Conviene que tú mismo lo veas, padre amado, pues dicen que tu consejo es en todas las cosas el más excelente y que ninguno de los hombres mortales competiría contigo. Nosotros te seguiremos presurosos, y no han de faltarnos bríos en cuanto lo permitan nuestras fuerzas.

129 Contestóle el ingenioso Odiseo:

[130] Odiseo. — Pues voy a decir lo que considero más conveniente. Empezad lavándoos, poneos las túnicas y ordenad a las esclavas que se vistan en el palacio; y acto seguido el divinal aedo, tomando la sonora cítara, nos guiará en la alegre danza; de suerte que, en oyéndolo desde fuera algún transeúnte o vecino, piense que son las nupcias lo que celebramos. No sea que la gran noticia de la matanza de los pretendientes se divulgue por la ciudad antes de salirnos a nuestros campos llenos de arboledas. Allí examinaremos lo que nos presente el Olímpico como más provechoso.

[141] Así les dijo; y ellos le escucharon y obedecieron. Comenzaron a lavarse y a ponerse las túnicas, ataviáronse las mujeres, y el divino aedo tomó la hueca cítara y movió en todos el deseo del dulce canto y de la eximia danza. Presto resonó la gran casa con el ruido de los pies de los hombres y de las mujeres de bella cintura que estaban bailando. Y los de fuera, al oírlo, solían exclamar:

[149] Una voz. — Ya debe de haberse casado alguno con la reina que se vio tan solicitada. ¡Infeliz! No tuvo constancia para guardar la gran casa de su primer esposo hasta la vuelta del mismo.

[152] Así hablaban, por ignorar lo que dentro había pasado. Entonces Eurínome, la despensera, lavó y ungió con aceite al magnánimo Odiseo en su casa, y le puso un hermoso manto y una túnica; y Atenea esmaltó con notable hermosura la cabeza del héroe e hizo que se ostentase más alto y más grueso, y que de su cabeza colgaran ensortijados cabellos que flores de jacinto semejaban. Y así como el hombre experto, a quien Hefesto y Palas Atenea han enseñado artes de toda especie, cerca de oro la plata y hace lindos trabajos, de semejante modo Atenea difundió la gracia por la cabeza y por los hombros de Odiseo. El héroe salió del baño con el cuerpo parecido al de los inmortales; volvió a sentarse en la silla que antes había ocupado, frente a su esposa, y le dijo estas palabras:

[166] Odiseo. — ¡Desdichada! Los que viven en olímpicos palacios te dieron corazón más duro que a las otras débiles mujeres. Ninguna se quedaría así, con ánimo tenaz, alejada de su marido, cuando éste, después de pasar tantos males vuelve en el vigésimo año a la patria tierra. Pero ve, nodriza, y aparéjame la cama para que pueda acostarme; que ésa tiene en su pecho corazón de hierro.

[173] Contestóle la discreta Penélope:

[174] Penélope. — ¡Desdichado! Ni me entono, ni me tengo en poco, ni me admiro en demasía; pues sé muy bien cómo eras cuando partiste de Ítaca en la nave de largos remos. Ve, Euriclea, y ponle la fuerte cama en el exterior de la sólida habitación que construyó él mismo: sácale allí la fuerte cama y aderézale el lecho con pieles, mantas y colchas espléndidas.

[181] Habló de semejante modo para probar a su marido; pero Odiseo, irritado, díjole a la honesta esposa:

[183] Odiseo. — ¡Oh mujer! En verdad que me da gran pena lo que has dicho. ¿Quién me habrá trasladado el lecho? Difícil le fuera hasta al

más hábil, si no viniese un dios a cambiarlo fácilmente de sitio; mas ninguno de los mortales que hoy viven, ni aun de los más jóvenes, lo movería con facilidad, pues hay una gran señal en el labrado lecho que hice yo mismo y no otro alguno. Creció dentro del patio un olivo de alargadas hojas, robusto y floreciente, que tenía el grosor de una columna. En torno suyo labré las paredes de mi cámara, empleando multitud de piedras; la cubrí con excelente techo y la cerré con puertas sólidas, firmemente ajustadas. Después corté el ramaje de aquel olivo de alargadas hojas; pulí con el bronce su tronco desde la raíz, haciéndolo diestra y hábilmente; lo enderecé por medio de un nivel para convertirlo en pie de la cama, y lo taladré todo con un barreno. Comenzando por este pie, fui haciendo y pulimentando la cama hasta terminarla; la adorné con oro, plata y marfil; y extendí en su parte interior unas vistosas correas de piel de buey, teñidas de púrpura. Tal es la señal que te doy; pero ignoro, oh mujer, si mi lecho sigue incólume o ya lo trasladó alguno, habiendo cortado el pie de olivo.

205 Así le dijo; y Penélope sintió desfallecer sus rodillas y su corazón al reconocer las señales que Odiseo daba con tal certidumbre. Al punto corrió a su encuentro, derramando lágrimas; echóle los brazos alrededor del cuello, le besó en la cabeza y le dijo:

209 PENÉLOPE. — No te enojes conmigo, Odiseo, ya que eres en todo el más circunspecto de los hombres; y las deidades nos enviaron la desgracia y no quisieron que gozásemos juntos de nuestra mocedad, ni que juntos llegáramos al umbral de la vejez. Pero no te enfades conmigo, ni te irrites si no te abracé, como ahora, tan luego como estuviste en mi presencia; que mi ánimo, acá dentro del pecho, temía horrorizado que viniese algún hombre a engañarme con sus palabras, pues son muchos los que traman perversas astucias. La argiva Helena, hija de Zeus, no se hubiera juntado nunca en amor y cama con un extraño, si hubiese sabido que los belicosos aqueos habían de traerla nuevamente a su casa y a su patria tierra. Algún dios debió de incitarla a ejecutar aquella vergonzosa acción pues antes nunca había pensado cometer la deplorable falta que fue el origen de nuestras penas. Ahora, como acabas de referirme las señales evidentes de nuestra cama que no vio mortal alguno sino solos tú y yo, y una esclava, Aetoris que me había dado mi padre al venirme acá y custodiaba la puerta de nuestra sólida estancia, has logrado dar el convencimiento a mi ánimo, con tenerlo yo tan obstinado.

231 Diciendo de esta guisa, acrecentóle el deseo de sollozar; y Odiseo lloraba, abrazado a su dulce y honesta esposa. Así como la tierra aparece grata a los que vienen nadando porque Posidón les hundió en el ponto la bien construida embarcación, haciéndola juguete del viento y del gran oleaje; y unos pocos, que consiguieron salir nadando del espumoso mar al continente, lleno el cuerpo de sarro, pisan la tierra muy alegres porque se ven libres de aquel infortunio: pues de igual manera le era agradable a Penélope la vista del esposo y no le quitaba del cuello los níveos brazos. Llorando los hallara la Aurora de rosáceos dedos, si Atenea, la

deidad de ojos de lechuza, no hubiese ordenado otra cosa: alargó la noche, cuando ya tocaba a su término, y detuvo en el Océano a la Aurora de áureo trono, no permitiéndole uncir los caballos de pies ligeros que traen la luz a los hombres, Lampo y Faetonte, que son los corceles que conducen a la Aurora. Y entonces dijo a su mujer el ingenioso Odiseo:

248 Odiseo. — ¡Mujer! Aún no hemos llegado al fin de todos los trabajos, pues falta otra empresa muy grande, larga y difícil, que he de llevar a cumplimiento. Así me lo vaticinó el alma de Tiresias el día que bajé a la morada de Hades, procurando la vuelta de mis compañeros y la mía propia. Mas, ea, mujer, vámonos a la cama para que, acostándonos, nos regalemos con el dulce sueño.

256 Respondióle la discreta Penélope:

257 Penélope. — El lecho lo tendrás cuando a tu ánimo le parezca bien, ya que los dioses te hicieron tornar a tu casa bien construida y a tu patria tierra. Mas, puesto que pensaste en ese trabajo, por haberte sugerido su memoria alguna deidad, ea, explícame en qué consiste; me figuro que más tarde lo tengo de saber y no será malo que me entere desde ahora.

263 Repondióle el ingenioso Odiseo:

264 Odiseo. — ¡Desdichada! ¿Por qué me incitas tanto, con tus súplicas, a que te explique? Voy a declarártelo sin omitir cosa alguna. No se alegrará tu ánimo de saberlo, como yo no me alegro tampoco, pues Tiresias me ordenó que recorriera muchísimas ciudades, llevando en la mano un manejable remo, hasta llegar a aquellos hombres que nunca vieron el mar, ni comen manjares sazonados con sal, ni conocen las naves de purpúreos flancos, ni tienen noticia de los manejables remos que son como las alas de los bajeles. Para ello me dio una señal muy manifiesta, que no te quiero ocultar. Me mandó que, cuando encuentre otro caminante y me diga que voy con un bieldo sobre el gallardo hombro, clave en tierra el manejable remo, haga al soberano Posidón hermosos sacrificios de un carnero, un toro y un verraco, y vuelva a esta casa donde ofreceré sagradas hecatombes a los inmortales dioses que poseen el anchuroso cielo, a todos por su orden. Me vendrá más adelante, y lejos del mar, una muy suave muerte, que me quitará la vida cuando ya esté abrumado por placentera vejez; y a mi alrededor los ciudadanos serán dichosos. Todas estas cosas aseguró Tiresias que habían de cumplirse.

285 Repuso entonces la discreta Penélope:

286 Penélope. — Si los dioses te conceden una feliz senectud, aún puedes esperar que te librarás de los infortunios.

288 Así éstos conversaban. Mientras tanto, Eurínome y el ama aderezaban el lecho con blandas ropas, alumbrándose con antorchas encendidas. En acabando de hacer la cama diligentemente, la vieja volvió al palacio para acostarse; y Eurínome, la camarera, fue delante de aquéllos, con una antorcha en la mano, hasta que los condujo a la cámara nupcial, retirándose en seguida. Y entrambos consortes llegaron muy alegres al sitio donde se hallaba su antiguo lecho.

297 Entonces, Telémaco, el boyero y el porquerizo cesaron de bailar, mandaron que cesasen igualmente las mujeres, y acostáronse todos en el oscuro palacio.

300 Después que los esposos hubieron disfrutado del deseable amor, entregáronse al deleite de la conversación. La divina entre las mujeres refirió cuánto había sufrido en el palacio al contemplar la multitud de los funestos pretendientes, que por su causa degollaban muchos bueyes y pingües ovejas, en tanto que se concluía el copioso vino de las tinajas. Odiseo, del linaje de Zeus, contó a su vez cuántos males había inferido a otros hombres y cuántas penas había arrostrado en sus propios infortunios Y ella se holgaba de oírlo y el sueño no le cayó en los ojos hasta que se acabó el relato.

310 Empezó narrándole cómo había vencido a los cícones; y le fue refiriendo su llegada al fértil país de los lotófagos; cuanto hizo el Cíclope y cómo él tomó venganza de que le hubiese devorado despiadadamente los fuertes compañeros; cómo pasó a la isla de Eolo, quien le acogió benévolo hasta que vino la hora de despedirle, pero el hado no había dispuesto que el héroe tornara aún a la patria y una tempestad lo arrebató nuevamente y lo llevó por el ponto, abundante en peces, mientras daba profundos suspiros; y cómo desde allí aportó a Telépilo, la ciudad de los lestrigones, que le destruyeron los bajeles y le mataron todos los compañeros, de hermosas grebas, escapando tan sólo Odiseo en su negra nave. Describióle también los engaños y diversas matrerías de Circe; y explicóle luego cómo había ido en su nave de muchos bancos a la lóbrega morada de Hades, para consultar al alma del tebano Tiresias, y cómo pudo ver allí a todos sus compañeros y a la madre que lo dio a luz y que lo crió en su infancia; cómo oyó más tarde el cantar de las muchas sirenas, de voz sonora; cómo pasó por las peñas Erráticas, por la horrenda Caribdis y por la roca de Eseila, de la cual nunca pudieron los hombres escapar indemnes; cómo sus compañeros mataron las vacas del Sol; cómo el altitonante Zeus hirió la velera nave con el ardiente rayo, habiendo perecido todos sus esforzados compañeros y librándose él de las perniciosas Parcas; cómo llegó a la isla Ogigia y a la ninfa Calipso, la cual le retuvo en huecas grutas, deseosa de tomarle por marido, le alimentó y le dijo repetidas veces que le haría inmortal y le eximiría perpetuamente de la senectud, sin que jamás consiguiera infundirle la persuasión en el pecho; y cómo padeciendo muchas fatigas, arribó a los feacios, quienes le honraron cordialmente, cual si fuese un numen, y lo condujeron en una nave a la patria tierra, después de regalarle bronce, oro en abundancia y vestidos. Tal fue lo postrero que mencionó cuando ya le vencía el dulce sueño, que relaja los miembros y deja el ánimo libre de inquietudes.

344 Luego Atenea, la deidad de ojos de lechuza, ordenó otra cosa. No bien le pareció que Odiseo ya se habría recreado en su ánimo con su mujer y con el sueño, hizo que saliese del Océano la hija de la mañana, la de áureo trono, para que les trajera la luz a los humanos. Entonces se

levantó Odiseo del blando lecho y dirigió a su esposa las siguientes palabras:

350 Odiseo. — ¡Mujer! Los dos hemos padecido muchos trabajos: tú aquí, llorando por mi vuelta tan abundante en fatigas; y yo sufriendo los infortunios que me enviaron Zeus y los demás dioses para detenerme lejos de la patria cuando anhelaba volver a ella. Mas, ya que nos hemos reunido nuevamente en este deseado lecho, tú cuidarás de mis bienes en el palacio; yo, para reponer el ganado que los soberbios pretendientes me devoraron, apresaré un gran número de reses y los aqueos me darán otras hasta que llenemos todos los establos. Ahora me iré al campo, lleno de árboles, a ver a mi padre que tan afligido se halla por mí; y a ti, oh mujer, aunque eres juiciosa, oye lo que te encomiendo: como al salir el sol se divulgará la noticia de que maté en el palacio a los pretendientes, vete a lo alto de la casa con tus siervas y quédate allí sin mirar a nadie ni preguntar cosa alguna.

366 Dijo; cubrió sus hombros con la magnífica armadura y, haciendo levantar a Telémaco, al boyero y al porquerizo, les mandó que tomasen las marciales armas. Ellos no dejaron de obedecerle: armáronse todos con el bronce, abrieron la puerta y salieron de la casa, precedidos por Odiseo. Ya la luz se esparcía por la tierra; pero cubriólos Atenea con oscura nube y los sacó de la ciudad muy prestamente.

RAPSODIA XXIV

LAS PACES

EL cilenio Hermes llamaba las almas de los pretendientes, teniendo en su mano la hermosa áurea vara con la cual adormece los ojos de cuantos quiere o despierta a los que duermen. Empleábala entonces para mover y guiar las almas y éstas le seguían profiriendo estridentes gritos. Como los murciélagos revolotean chillando en lo más hondo de una vasta gruta si alguno de ellos se separa del racimo colgado de la peña, pues se traban los unos con los otros, de la misma suerte, las almas andaban chillando, y el benéfico Hermes, que las precedía, llevábalas por lóbregos senderos. Transpusieron en primer lugar las corrientes del Océano y la roca de Léucade, después las puertas del Sol y el país de los Sueños, y pronto llegaron a la pradera de asfódelos donde residen las almas, que son imágenes de los difuntos.

15 Encontráronse allí con las almas del Pelida Aquileo, de Patroclo, del intachable Antíloco y de Ayante, que fue el más excelente de todos los dánaos, en cuerpo y hermosura, después del irreprensible Pelión. Éstos andaban en torno de Aquileo, y se les acercó, muy angustiada, el alma de Agamenón Atrida, a cuyo alrededor se reunían las de cuantos en la mansión de Egisto perecieron con el héroe, cumpliendo su destino. Y el alma del Pelión fue la primera que habló, diciendo de esta suerte:

[24] AQUILEO. — ¡Oh Atrida! Imaginábamos que entre todos los héroes eras siempre el más acepto a Zeus, que se huelga con el rayo, porque imperabas sobre muchos y fuertes varones allá en Troya, donde los aqueos padecimos tantos infortunios; y, con todo, te había de alcanzar antes de tiempo la funesta Parca, de la cual nadie puede librarse una vez nacido. Ojalá se te hubiesen presentado la muerte y el destino en el país teucro, cuando disfrutabas de la dignidad suprema con la cual reinabas; pues entonces todos los aqueos te erigieran un túmulo, y le dejaras a tu hijo una gloria inmensa. Ahora el hado te encadenó con deplorabilísima muerte.

[35] Respondióle el alma del Atrida:

[36] AGAMENÓN. — ¡Dichoso tú, hijo de Peleo, Aquileo semejante a los dioses, que expiraste en Troya, lejos de Argos, y a tu alrededor murieron, defendiéndote, otros valentísimos troyanos y aqueos; y tú yacías en tierra sobre un gran espacio, envuelto en un torbellino de polvo y olvidado del arte de guiar los carros! Nosotros luchamos todo el día y por nada hubiésemos suspendido el combate; pero Zeus nos obligó a desistir, enviándonos una tormenta. Después de haber trasladado tu hermoso cuerpo del campo de la batalla a las naves, lo pusimos en un lecho, lo lavamos con agua tibia y lo ungimos; y los dánaos, cercándote, vertían muchas y ardientes lágrimas y se cortaban las cabelleras. También vino tu madre, que salió del mar, con las inmortales diosas marinas, en oyendo la nueva: levantóse en el ponto un clamoreo grandísimo y tal temblor les entró a todos los aqueos, que se lanzaran a las cóncavas naves si no los detuviera un hombre que conocía muchas y antiguas cosas, Néstor, cuya opinión era considerada siempre como la mejor. Éste, pues, arengándoles con benevolencia, les habló diciendo: «¡Deteneos, argivos; no huyáis, varones aqueos! Ésta es la madre que viene del mar, con las inmortales diosas marinas, a ver a su hijo muerto.» Así se expresó; y los magnánimos aqueos suspendieron la fuga. Rodeáronte las hijas del anciano del mar, lamentándose de tal suerte que movían a compasión, y te pusieron divinales vestidos. Las nueve Musas entonaron el canto fúnebre, alternando con su hermosa voz, y no vieras a ningún argivo que no llorase: ¡tanto les conmovía la canora Musa! Diecisiete días con sus noches te lloramos así los inmortales dioses como los mortales hombres, y al dieciocheno te entregamos al fuego, degollando a tu alrededor y en gran abundancia pingües ovejas y bueyes de retorcidos cuernos. Ardió tu cadáver, adornado con vestiduras de dios, con gran cantidad de ungüento y de dulce miel; agitáronse con sus armas multitud de héroes aqueos, unos a pie y otros en carros, en torno de la pira en que te quemaste; y produjose un gran tumulto. Después que la llama de Hefesto acabó de consumirse, oh Aquileo, al apuntar el día recogimos tus blancos huesos y los echamos en vino puro y ungüento. Tu madre nos entregó un ánfora de oro, diciendo que se la había regalado Dióniso y era obra del inclito Hefesto; y en ella están tus blancos huesos, preclaro Aquileo, junto con los del difunto Patroclo Menetiada, y aparte los de Antíloco, que fue el compañero a

quien más apreciaste después de la muerte de Patroclo. En torno de los restos el sacro ejército de los belicosos argivos te erigió un túmulo grande y eximio en un lugar prominente, a orillas del dilatado Helesponto, para que pudieran verlo a gran distancia, desde el ponto, los hombres que ahora viven y los que nazcan en lo futuro. Tu madre puso en la liza, con el consentimiento de los dioses, hermosos premios para el certamen que habían de celebrar los argivos más señalados. Tú te hallaste en las exequias de muchos héroes cuando, con motivo de la muerte de algún rey, se ciñen los jóvenes y se aprestan para los juegos fúnebres; esto no obstante, te habrías asombrado muchísimo en tu ánimo al ver cuán hermosos eran los que en honor tuyo estableció la diosa Tetis, la de argénteos pies, porque siempre fuiste muy querido de las deidades. Así, pues, ni muriendo has perdido tu nombradía; y tu gloriosa fama, oh Aquileo, subsistirá perpetuamente entre todos los hombres. Pero yo, ¿cómo he de gozar de tal satisfacción, si, después que acabé la guerra y volví a la patria, me aparejó Zeus una deplorable muerte por mano de Egisto y de mi funesta esposa?

98 Mientras de tal modo conversaban, presentóseles el mensajero Argifontes guiando las almas de los pretendientes a quienes Odiseo había quitado la vida. Ambos, al punto que los vieron, fuéronse muy admirados a su encuentro. El alma del Atrida Agamenón reconoció al hijo amado de Menelao, al perínclito Anfimedonte, cuyo huésped había sido en la casa que éste habitaba en Ítaca, y comenzó a hablarle de esta manera:

106 AGAMENÓN. — ¡Anfimedonte! ¿Qué os ha sucedido, que penetráis en la oscura tierra tantos y tan selectos varones, y todos de la misma edad? Si se escogieran por la población, no se hallaron otros más excelentes. ¿Acaso Posidón os mató en vuestras naves, desencadenando el fuerte soplo de terribles vientos y levantando grandes olas? ¿O quizás hombres enemigos acabaron con vosotros en el continente porque os llevabais sus bueyes y sus magníficos rebaños de ovejas o porque combatíais para apoderaros de su ciudad y de sus mujeres? Responde a lo que te digo, pues tengo a honra el ser huésped tuyo. ¿No recuerdas que fui allá, a vuestra casa, junto con el deiforme Menelao, a exhortar a Odiseo para que nos siguiera a Ilión en las naves de muchos bancos? Un mes entero empleamos en atravesar el anchuroso ponto, y a duras penas persuadimos a Odiseo, asolador de ciudades.

20 Díjole a su vez el alma de Anfimedonte:

121 ANFIMEDONTE. — ¡Atrida gloriosísimo, rey de hombres Agamenón! Recuerdo cuanto dices, oh alumno de Zeus, y te contaré exacta y circunstanciadamente de qué triste modo ocurrió que llegáramos al término de nuestra vida. Pretendíamos a la esposa de Odiseo, ausente a la sazón desde largo tiempo, y ni rechazaba las odiosas nupcias ni quería celebrarlas, preparándonos la muerte y la negra Parca; y entonces discurrió en su inteligencia este nuevo engaño. Se puso a tejer en el palacio una gran tela sutil e interminable, y a la hora nos habló de esta guisa:

«¡Jóvenes, pretendientes míos! Ya que ha muerto el divinal Odiseo, guardad, para instar mis bodas, que acabe este lienzo (no sea que se me pierdan inútilmente los hilos), a fin de que tenga sudario el héroe Laertes cuando le alcance la Parca fatal de la aterradora muerte. ¡No se me vaya a indignar alguna de las aqueas del pueblo, si ve enterrar sin mortaja a un hombre que ha poseído tantos bienes!» Así dijo, y nuestro ánimo generoso se dejó persuadir. Desde aquel instante pasaba el día labrando la gran tela, y por la noche, tan luego como se alumbraba con antorchas, deshacía lo tejido. De esta suerte logró ocultar el engaño y que sus palabras fueran creídas por los aqueos durante un trienio; mas, así que vino el cuarto año y volvieron a sucederse las estaciones, después de transcurrir los meses y de pasar muchos días, nos lo reveló una de la mujeres, que conocía muy bien lo que pasaba, y sorprendimos a Penélope destejiendo la espléndida tela. Así fue cómo, mal de su grado, se vio en la necesidad de acabarla. Cuando, después de tejer y lavar la gran tela, nos mostró aquel lienzo que se asemejaba al sol o a la luna, funesta deidad trajo a Odiseo de alguna parte a los confines del campo donde el porquero tenía su morada. Allí fue también el hijo amado del divinal Odiseo, cuando volvió de la arenosa Pilos en su negra nave; y, concertándose para dar mala muerte a los pretendientes, vinieron a la ínclita ciudad, y Odiseo entró al último, pues Telémaco se le adelantó algún tanto. El porquero acompañó a Odiseo; y éste, con sus pobres andrajos, parecía un viejo y miserable mendigo que se apoyaba en el bastón y llevaba feas vestiduras. Ninguno de nosotros pudo conocerle, ni aun los más viejos, cuando se presentó de súbito; y lo maltratábamos, dirigiéndole injuriosas palabras y dándole golpes. Con ánimo paciente sufría Odiseo que en su propio palacio se le hiriera e injuriara; mas apenas le incitó Zeus, que lleva la égida, comenzó a quitar de las paredes, ayudado de Telémaco, las magníficas armas, que depositó en su habitación, corriendo los cerrojos; y luego, con refinada astucia, aconsejó a su esposa que nos sacara a los pretendientes el arco y el blanquizco hierro a fin de celebrar el certamen que había de ser para nosotros, oh infelices, el preludio de la matanza. Ninguno logró tender la cuerda del recio arco, pues nos faltaba mucha parte del vigor que para ello se requería. Cuando el gran arco iba a llegar a manos de Odiseo, todos increpábamos al porquero para que no se lo diese, por más que lo solicitara; y tan sólo Telémaco, animándole, mandó que se lo entregase. El paciente divinal Odiseo lo tomó en las manos, tendiólo con suma facilidad, e hizo pasar las flechas por el hierro; inmediatamente se fue al umbral, derramó por el suelo las veloces flechas, echando terribles miradas, y mató al rey Antínoo. Pero en seguida disparó contra los demás las dolorosas saetas, apuntando a su frente; y caían los unos en pos de los otros. Era evidente que alguno de los dioses le ayudaba; pues muy pronto, dejándose llevar de su furor, empezaron a matar a diestro y siniestro por la sala: los que recibían los golpes en la cabeza levantaban horribles suspiros, y el suelo manaba sangre por todos lados. Así hemos perecido, Agamenón, y los cadáveres yacen abandonados todavía en el palacio de Odiseo: porque la nueva aún no ha llegado a las casas de nuestros amigos, los cuales nos llorarían después de lavarnos la negra sangre de las heridas y de colocarnos en lechos; que tales son los honores que han de tributarse a los difuntos.

191 Contestóle el alma del Atrida:

192 AGAMENÓN. — ¡Feliz hijo de Laertes! ¡Odiseo, fecundo en ardides! Tú acertaste a poseer una esposa virtuosísima. Como la intachable Penélope, hija de Icario, ha tenido tan excelentes sentimientos y ha guardado tan buena memoria de Odiseo, el varón con quien se casó virgen, jamás se perderá la gloriosa fama de su virtud y los inmortales inspirarán a los hombres de la tierra graciosos cantos en loor de la discreta Penélope. No se portó así la hija de Tíndaro, que, maquinando inicuas acciones, dio muerte al marido con quien se había casado virgen; por lo cual ha de ser objeto de odiosos cantos, y ya acarreó triste fama a las débiles mujeres, sin exceptuar las que son virtuosas.

203 Así conversaban en la morada de Hades, dentro de las profundidades de la tierra.

205 Mientras tanto, Odiseo y los suyos, descendiendo de la ciudad, llegaron muy pronto al bonito y bien cultivado predio de Laertes, que éste compró en otra época después de pasar muchas fatigas. Allí estaba la casa del anciano, con un cobertizo a su alrededor adonde iban a comer, a sentarse y a dormir los siervos propios de aquél; siervos que le hacían cuantas labores eran de su agrado. Una vieja siciliana le cuidaba con gran solicitud allá en el campo, lejos de la ciudad. En llegando, pues, a tal paraje, Odiseo habló de esta manera a sus servidores y a su hijo:

214 ODISEO. — Vosotros, entrando en la bien labrada casería, sacrificad al punto el mejor de los cerdos para el almuerzo; y yo iré a probar si mi padre me reconoce al verme ante sus ojos, o no distingue quién soy después de tanto tiempo de hallarme ausente.

219 Diciendo así, entregó las marciales armas a los criados. Fuéronse éstos a buen paso hacia la casería, y Odiseo se encaminó al huerto, en frutas abundoso, para hacer aquella prueba. Y, bajando al grande huerto, no halló a Dolio, ni a ninguno de los esclavos, ni a los hijos de éste; pues todos habían salido a coger espinos para hacer el seto del huerto, y el anciano Dolio los guiaba. Por esta razón halló en el bien cultivado huerto a su padre solo, aporcando una planta. Vestía Laertes una túnica sucia, remendada y miserable; llevaba atadas a las piernas unas polainas de vaqueta cosida para reparo contra los rasguños y en las manos guantes por causa de las zarzas; y cubría su angustiada cabeza con un gorro de piel de cabra. Cuando el paciente divinal Odiseo le vio abrumado por la vejez y con tan grande dolor allá en su espíritu, se detuvo al pie de un alto peral y le saltaron las lágrimas. Después hallóse indeciso en su mente y en su corazón, no sabiendo si besar y abrazar a su padre, contárselo todo y explicarle cómo había llegado al patrio suelo; o interrogarle primeramente con el fin de hacer aquella prueba. Así que lo hubo pensado,

parecióle que era mejor tentarle con burlonas palabras. Con este propósito fuese el divino Odiseo derecho a él, que estaba con la cabeza baja cavando en torno de una planta. Y, deteniéndose a su lado, hablóle así su preclaro hijo:

244 ODISEO. — ¡Oh anciano! No te falta pericia para cultivar un huerto, pues en éste se halla todo muy bien cuidado y no se ve planta alguna, ni higuera, ni vid, ni olivo, ni peral, ni cuadro de legumbres, que no lo esté de igual manera. Otra cosa te diré, mas no por ello recibas enojos en tu corazón: no tienes tan buen cuidado de ti mismo, pues no sólo te agobia la triste vejez, sino que estás sucio y mal vestido. No será sin duda a causa de tu ociosidad el que un señor te tenga en semejante desamparo; y, además, nada servil se advierte en ti, pues por tu aspecto y grandeza te asemejas a un rey, a un varón que después de lavarse y de comer haya de dormir en blando lecho; que tal es la costumbre de los ancianos. Mas, ea, habla y responde sinceramente: ¿De quién eres siervo? ¿Cuyo es el huerto que cultivas? Dime con verdad, a fin de que lo sepa, si realmente he llegado a Ítaca, como me aseguró un hombre que encontré al venir y que no debe de ser muy sensato, pues no tuvo paciencia para referirme algunas cosas ni para escuchar mis palabras cuando le pregunté si cierto huésped mío aún vive y existe o ha muerto y se halla en la morada de Hades. Voy a contártelo a ti: atiende y óyeme. En mi patria hospedé en otro tiempo a un varón que llegó a nuestra morada; y jamás mortal alguno de los que vinieron de lejanas tierras a hospedarse en mi casa me fue más grato: tenía a honra ser de Ítaca por su linaje y decía que Laertes Arcesíada era su padre. Yo mismo lo conduje al palacio, le procuré digna hospitalidad, tratándolo solicita y amistosamente (que en mi mansión reinaba la abundancia), y le hice los presentes hospitalarios que convenía dar a tal persona. Le entregué siete talentos de oro bien labrado; una argéntea cratera floreada; doce mantos sencillos, doce tapetes, doce bellos palios y otras tantas túnicas; y, además, cuatro mujeres de hermosa figura, diestras en hacer irreprochables labores, que él mismo escogió entre mis esclavas.

280 Respondióle su padre, con los ojos anegados en lágrimas:

281 LAERTES. — ¡Forastero! Estás ciertamente en la tierra por la cual preguntas; pero la tienen dominada unos hombres insolentes y malvados, y te saldrán en vano esos innumerables presentes que a aquél le hiciste. Si lo hallaras vivo en el pueblo de Ítaca, no te despidiera sin corresponder a tus obsequios con otros dones y una buena hospitalidad, como es justo que se haga con quien anteriormente nos dejó obligados. Mas, ea, habla y responde sinceramente: ¿Cuántos años ha que acogiste a ese tu infeliz huésped, a mi hijo infortunado, si todo no ha sido sueño? Alejado de sus amigos y de su patria tierra, o se lo comieron los peces en el ponto, o fue pasto, en el continente, de las fieras y de las aves: y ni su madre lo amortajó, llorándole conmigo que lo engendramos, ni su rica mujer, la discreta Penélope, gimió sobre el lecho fúnebre de su marido, como era justo, ni le cerró los ojos; que tales son las honras debidas a los

muertos. Dime también la verdad de esto, para que me entere: ¿Quién eres y de qué país procedes? ¿Dónde se hallan tu ciudad y tus padres? ¿Dónde está el rápido bajel que te ha traído con tus compañeros iguales a los dioses? ¿O viniste pasajero en la nave de otro, que después de dejarte en tierra continuó su viaje?

302 Díjole en respuesta el ingenioso Odiseo:

303 ODISEO. — De todo voy a informarte circunstanciadamente. Nací en Alibante, donde tengo magnífica morada, y soy hijo del rey Afidante Polipemónida; mi nombre es Epérito; algún dios me ha apartado de Sicania para traerme aquí a pesar mío, y mi nave está cerca del campo, antes de llegar a la población. Hace ya cinco años que Odiseo se fue de allá y dejó mi patria. ¡Infeliz! Propicias aves volaban a su derecha cuando partió, y, al notarlo, le despedí alegre y se alejó contento; porque nos quedaba en el corazón la esperanza de que la hospitalidad volvería a juntarnos y nos podríamos obsequiar con espléndidos presentes.

315 Tales fueron sus palabras; y negra nube de pesar envolvió a Laertes, que tomó ceniza con ambas manos y echóla sobre su cabeza cana, suspirando muy gravemente. Conmoviósele el corazón a Odiseo; sintió el héroe aguda picazón en la nariz al contemplar a su padre, y dando un salto, le besó y le dijo:

321 ODISEO. — Yo soy, oh padre, ése mismo por quien preguntas; que torno en el vigésimo año a la patria tierra. Pero cesen tu llanto, tus sollozos y tus lágrimas. Y te diré, ya que el tiempo nos apremia, que he muerto a los pretendientes en nuestra casa, vengando así sus dolorosas injurias y sus malvadas acciones.

327 Laertes le contestó diciendo:

328 LAERTES. — Pues si eres mi hijo Odiseo que ha vuelto, muéstrame alguna señal evidente para que me convenza.

330 Respondióle el ingenioso Odiseo:

331 ODISEO. — Primeramente vean tus ojos la herida que en el Parnaso me hizo un jabalí con su blanco diente, cuando tú y mi madre veneranda me enviasteis a Autólico, mi caro abuelo paterno, a recibir los dones que al venir acá prometió hacerme. Y, ea, si lo deseas, te enumeraré los árboles que una vez me regalaste en este bien cultivado huerto: pues yo, que era niño, te seguía y te los iba pidiendo uno tras otro; y, al pasar por entre ellos, me los mostrabas y me decías su nombre. Fueron trece perales, diez manzanos y cuarenta higueras; y me ofreciste, además, cincuenta liños de cepas, cada uno de los cuales daba fruto en diversa época, pues hay aquí racimos de uvas de todas clases cuando los hacen madurar las estaciones que desde lo alto nos envía Zeus.

345 Así le dijo; y Laertes sintió desfallecer sus rodillas y su corazón, reconociendo las señales que Odiseo iba describiendo con tal certidumbre. Echó los brazos sobre su hijo; y el paciente divinal Odiseo trajo hacia sí al anciano, que se hallaba sin aliento. Y cuando Laertes tornó a respirar y volvió en su acuerdo, respondió con estas palabras:

[351] LAERTES. — ¡Padre Zeus! Vosotros los dioses permanecéis aún en el vasto Olimpo, si es verdad que los pretendientes recibieron el castigo de su temeraria insolencia. Mas ahora teme mucho mi corazón que se reúnan y vengan muy pronto todos los itacenses, y que además envíen emisarios a todas las ciudades de los cefalenos.

[356] Respondióle el ingenioso Odiseo:

[357] ODISEO. — Cobra ánimo y no te den cuidado tales cosas. Pero vámonos a la casa que se halla próxima a este huerto, que allí envié a Telémaco, al boyero y al porquerizo para que cuanto antes nos aparejen la comida.

[361] Pronunciadas estas palabras, encamináronse al hermoso casar. Cuando hubieron llegado a la cómoda mansión, hallaron a Telémaco, al boyero y al porquerizo ocupados en cortar mucha carne y en mezclar el negro vino.

[365] Al punto la esclava siciliana lavó y ungió con aceite al magnánimo Laertes dentro de la casa, echándole después un hermoso manto sobre las espaldas; y Atenea se acercó e hizo que le crecieran los miembros al pastor de hombres, de suerte que ostentase más alto y más grueso que anteriormente. Cuando salió del baño, admiróse su hijo de verle tan parecido a los inmortales númenes y le dirigió estas aladas palabras:

[373] ODISEO. — ¡Oh padre! Alguno de los sempiternos dioses ha mejorado a buen seguro tu aspecto y tu grandeza.

[375] Contestóle el discreto Laertes:

[376] LAERTES. — Ojalá me hallase, ¡oh padre Zeus, Atenea, Apolo!, como cuando reinaba sobre los cefalenos y tomé a Nérico, ciudad bien construida, allá en la punta del continente: si, siendo tal, me hubiera hallado ayer en nuestra casa, con los hombros cubiertos por la armadura, a tu lado y rechazando a los pretendientes, yo les quebrara a muchos las rodillas en el palacio y tu alma se regocijara al contemplarlo.

[383] Así éstos conversaban. Cuando los demás terminaron la faena y dispusieron el banquete, sentáronse por orden en sillas y sillones. Y así que comenzaban a tomar los manjares, llegó el anciano Dolio con sus hijos —que venían cansados de tanto trabajar—; pues salió a llamarlos su madre, la vieja siciliana, que los había criado y que cuidaba al anciano con gran esmero desde que éste había llegado a la senectud. Tan pronto como vieron a Odiseo y lo reconocieron en su espíritu, paráronse atónitos dentro de la sala; y Odiseo les habló halagándolos con dulces palabras:

[394] ODISEO. — ¡Oh anciano! Siéntate a comer y cese tu asombro, porque mucho ha que, con harto deseo de echar mano a los manjares, os estábamos aguardando en esta sala.

[397] Así se expresó. Dolio se fue derechamente a él con los brazos abiertos, tomó la mano de Odiseo, se la besó en la muñeca, y le dirigió estas aladas palabras:

[400] DOLIO. — ¡Oh amigo! Como quiera que has vuelto a nosotros que anhelábamos tu venida (aunque ya perdíamos la esperanza) y los mismos dioses te han traído, salve, sé muy dichoso, y las deidades te conce-

dan toda clase de venturas. Dime ahora la verdad de lo que te voy a preguntar, para que me entere: ¿la discreta Penélope sabe ciertamente que has regresado, o convendrá enviarle un mensajero?

406 Respondióle el ingenioso Odiseo:

407 ODISEO. — ¡Oh anciano! Ya lo sabe. ¿Qué necesidad hay de hacer lo que propones?

408 Así le habló; y Dolio fue a sentarse en su pulimentada silla. De igual manera se allegaron al ínclito Odiseo los hijos de Dolio, le saludaron con palabras, le tomaron las manos y se sentaron por orden cerca de su padre.

412 Mientras éstos comían allá en la casa, fue la Fama anunciando rápidamente por toda la ciudad la horrorosa muerte y el hado de los pretendientes. Al punto que los ciudadanos la oían, presentábanse todos en la mansión de Odiseo, unos por éste y otros por aquel lado, profiriendo voces y gemidos. Sacaron los muertos; y, después de enterrar cada cual a los suyos y de entregar los de otras ciudades a los pescadores para que los transportaran en veleras naves, encamináronse al ágora todos juntos, con el corazón triste. Cuando hubieron acudido y estuvieron congregados, levantóse Eupites a hablar, porque era intolerable la pena que sentía en el alma por su hijo Antínoo, que fue el primero a quien mató el divinal Odiseo. Y, derramando lágrimas, los arengó diciendo:

426 EUPITES. — ¡Oh amigos! Grande fue la obra que ese varón maquinó contra los aqueos: llevóse a muchos y valientes hombres en sus naves y perdió las cóncavas naves y los hombres; y, al volver, ha muerto a los más señalados entre los cefalenos. Mas, ea, marchemos a su encuentro antes que se escape a Pilos o a la divina Elide, donde ejercen su dominio los epeos, para que no nos veamos perpetuamente confundidos. Afrentoso será que lleguen a enterarse de estas cosas los venideros; y, si no castigáramos a los matadores de nuestros hijos y de nuestros hermanos, no me fuera grata la vida y ojalá me muriese cuanto antes para estar con los difuntos. Pero vamos pronto, no sea que nos prevengan con la huida.

438 Así les dijo, vertiendo lágrimas; y movió a compasión a los aqueos todos. Mas en aquel punto presentáronse Medonte y el divinal aedo, que al despertar habían salido de la morada de Odiseo; pusiéronse en medio, y el asombro se apoderó de los circunstantes. Y el discreto Medonte les habló de esta manera:

443 MEDONTE. — Oídme ahora a mí, oh itacenses; pues no sin voluntad de los inmortales dioses ha ejecutado Odiseo tal hazaña. Yo mismo vi a un dios inmortal que se hallaba cerca de él y era en un todo semejante a Méntor. Este dios inmortal a las veces aparecía delante de Odiseo, a quien animaba; y a las veces, corriendo furioso por el palacio, introducía la confusión entre los pretendientes, que caían los unos en pos de los otros.

450 Así se expresó; y todos se sintieron poseídos del pálido temor. Seguidamente dirigióles el habla el anciano héroe Haliterses Mastórida, el único que conocía lo pasado y lo venidero. Éste, pues, les arengó con benevolencia, diciendo:

454 HALITERSES. — Oíd ahora, oh itacenses, lo que os digo. Por vuestra culpable debilidad ocurrieron tales cosas, amigos: que nunca os dejasteis persuadir ni por mí, ni por Mentor, pastor de hombres, cuando os exhortábamos a poner término a las locuras de vuestros hijos; y éstos, con su pernicioso orgullo, cometieron una gran falta, devorando los bienes y ultrajando a la mujer de un varón eximio que se figuraban que ya no había de volver. Y al presente, ojalá se haga lo que os voy a decir. Creedme a mí: no vayamos; no sea que alguien halle el mal que se habrá buscado.

463 Así les dijo. Levantáronse con gran clamoreo más de la mitad; y los restantes, que se quedaron allí porque no les agradó la arenga y en cambio los persuadió Eupites, corrieron muy pronto a tomar las armas. Apenas se hubieron revestido de luciente bronce, juntáronse en denso grupo fuera de la espaciosa ciudad. Y Eupites tomó el mando, dejándose llevar por su simpleza: pensaba vengar la muerte de su hijo y no había de volver a la población, porque estaba dispuesto que allá le alcanzase el hado.

472 Mientras esto ocurría, dijo Atenea a Zeus Cronida:

473 ATENEA. — ¡Padre nuestro, Cronida, el más excelso de los que imperan! Responde a lo que voy a preguntarte. ¿Cuál es el intento que interiormente has formado? ¿Llevarás a efecto la perniciosa guerra y el horrible combate, o pondrás amistad entre unos y otros?

477 Contestóle Zeus, que amontona las nubes:

478 ZEUS. — ¡Hija mía! ¿Por qué inquieres y preguntas tales cosas? ¿No formaste tú misma ese proyecto: que Odiseo, al volver a su tierra, se vengaría de aquéllos? Haz ahora cuanto te plazca; mas yo te diré lo que es oportuno. Puesto que el divinal Odiseo se ha vengado de los pretendientes, inmólense víctimas y préstense juramentos de mutua fidelidad; tenga aquél siempre su reinado en Ítaca; hagamos que se olvide la matanza de los hijos y de los hermanos, ámense los unos a los otros, como anteriormente; y haya paz y riqueza en gran abundancia.

487 Con tales palabras instigóle hacer lo que ella deseaba; y Atenea bajó presurosa de las cumbres del Olimpo.

489 Cuando los de la casa de Laertes hubieron satisfecho el apetito con la agradable comida, el paciente divinal Odiseo rompió el silencio para decirles:

491 ODISEO. — Salga alguno a mirar: no sea que ya estén cerca los que vienen.

492 Así dijo. Salió uno de los hijos de Dolio, cumpliendo lo mandado por Odiseo; detúvose en el umbral, y, al verlos a todos ya muy próximos, dirigió al héroe estas aladas palabras:

495 El hijo de Dolio. — Ya están cerca; armémonos cuanto antes.

496 Así dijo. Levantáronse y vistieron la armadura los cuatro con Odiseo, los seis hijos de Dolio y además, aunque ya estaban canosos, Laertes y Dolio, pues la necesidad les obligó a ser guerreros. Y cuando se hubieron revestido de luciente bronce, abrieron la puerta y salieron de la casa, precedidos por Odiseo.

502 En aquel instante se les acercó Atenea, hija de Zeus, que había tomado la figura y la voz de Mentor. El paciente y divinal Odiseo se alegró de verla y al punto dijo a Telémaco, su hijo amado:

506 ODISEO. — ¡Telémaco! Ahora que vas a la pelea donde se señalan los más eximios, procura no afrentar el linaje de tus mayores; pues en ser esforzados y valientes hemos descollado todos sobre la haz de la tierra.

510 Respondióle el prudente Telémaco:

511 TELÉMACO. — Verás, si quieres, padre amado, que con el ánimo que tengo no afrentaré tu linaje como dices.

513 Así se expresó. Holgóse Laertes y dijo estas palabras:

514 LAERTES. — ¡Qué día éste para mí, amados dioses! ¡Cuán grande es mi júbilo! ¡Mi hijo y mi nieto se las apuestan a ser valientes!

516 Entonces Atenea, la de ojos de lechuza, se detuvo junto a él y hablóle en estos términos:

517 ATENEA. — ¡Oh Arcesíada, el más caro de todos mis amigos! Eleva tus preces a la doncella de ojos de lechuza y al padre Zeus, y acto continuo blande y arroja la ingente lanza.

520 Diciendo así, infundióle gran valor Palas Atenea. Al punto elevó sus preces a la hija del gran Zeus, blandió y arrojó la ingente lanza, e hirió a Eupites por entre el casco de broncíneas carrilleras, que no logró detener el arma, pues fue atravesado por el bronce. Eupites cayó con estrépito y sus armas resonaron. Odiseo y su ilustre hijo se habían arrojado a los enemigos que iban delante, y heríanlos con espadas y lanzas de doble filo. Y a todos los mataran, privándoles de volver a sus hogares, si Atenea, la hija de Zeus, que lleva la égida, no hubiese alizado su voz y detenido a todo el pueblo:

531 ATENEA. — ¡Dejad la terrible pelea, oh itacenses, para que os separéis en seguida sin derramar más sangre!

533 Así dijo Atenea, y todos se sintieron poseídos del pálido temor. No bien se oyó la voz de la deidad, las armas volaron de las manos y cayeron en tierra; y los itacenses, deseosos de conservar la vida, se volvieron hacia la población. El paciente divinal Odiseo gritó horriblemente y, encogiéndose, lanzóse a perseguirlos como un águila de alto vuelo. Mas el Cronida despidió un ardiente rayo, que fue a caer ante la diosa de ojos de lechuza, hija del prepotente padre. Y entonces Atenea, la de ojos de lechuza, dijo a Odiseo:

592 ATENEA. — ¡Laertíada, del linaje de Zeus! ¡Odiseo, fecundo en ardides! Tente y haz que termine esta lucha, este combate igualmente funesto para todos: no sea que el largovidente Zeus Cronida se enoje contigo.

545 Así habló Atenea; y Odiseo, muy alegre en su ánimo, cumplió la orden. Y luego hizo que juraran la paz entrambas partes la propia Palas Atenea, hija de Zeus que lleva la égida, que había tomado el aspecto y la voz de Mentor.

FIN

ÍNDICE

Esta edición se imprimió en Ediciones Leyenda,
Mexicaltzingo No. 378, Colonia Evolución, Nezahualcóyotl,
Estado de México,
C.P. 57700, Tel 57 73 14 48
Julio de 2002
Impreso en México - Printed in Mexico